JN085903

Technical Death Metal Guidebook

PB PUBLIB

まえがき

テクニカル・デスメタルの開祖 Death

　テクニカル・デスメタルとは一体どのような音楽だろうか。テクニカルであることとは、どういうことだろうか……。デスメタルの歴史が長くなり、多様性のある音楽ジャンルへと成長するにつれ、テクニカル・デスメタルという音楽もそれが元来指し示していたサウンドから大きく変化してきている。

　テクニカル・デスメタルの歴史の始まりは、アメリカ・フロリダ州オーランド出身のデスメタル・バンド、Death が 1991 年にリリースした 4 枚目のフルレングス『Human』だった。1991 年までの Death と言えば、スラッシュメタル、デスメタル、そしてハードコアやパンクロックが混ざり合いながら、新しいエクストリーム・メタルが更新され続けるシーンの中でも頭一つ飛び抜けた存在感を見せてきた。

Chuck Schuldiner

　Death のギタリストでありリーダーである Chuck Schuldiner は、それまでのスラッシュ / デスメタルを基調とした Death のサウンドに、プログレッシブ・メタル・バンド Dream Theater や Watchtower、カナダのプログレッシヴ・ロック・バンド Rush といったバンドなどからの影響に加え、Death と同じくフロリダで始まり、同世代のプログレッシヴ・メタル / ロック・バンド Cynic の存在に感化され、先進的な楽曲制作を行うようになったことがきっかけと言われている。

　Death は『Human』の制作前にメンバーラインナップを一新。Chuck を軸に Cynic からギタリストの Paul Masvidal とドラマー Sean Reinert、1986 年に Death に在籍していたものの一時バンドを離れていたベーシスト Steve Di Giorgio と言う名の知れた技巧派を集め、プロデューサーに Scott Burns を迎えレコーディングを行った。このアルバムはエクストリーム・メタル・シーンで大きな話題となり、後続のデスメタル・バンドへの影響力もすさまじいものがあった。Death は続く『Individual Thought Patterns』『Symbolic』で初期のスラッシュ / デスメタル・サウンドからテクニカル・プログレッシヴ・デスメタル路線へと完全に傾倒していった。そのサウンドは Chuck が影響を受けてきた正統派メタルのハーモニーも随所に差し込まれており、他のデスメタル・バンドと一味違った魅力を放っていた。

その後に続くパイオニア達

　『Human』がリリースされた 1991 年にリリースされたデスメタル・アルバムと言えば、Cannibal Corpse の『Butchered at Birth』や Massacre の『From Beyond』、Entombed の『Clandestine』、Malevolent Creation の『The Ten Commandments』な

どが挙げられる。その中には、Atheist の『Unquestionable Presence』や Pestilence の『Testimony of the Ancients』、Suffocation の『Effigy of the Forgotten』、Gorguts の『Considered Dead』といったテクニカルでプログレッシヴなデスメタルも挙げられ、1991年前後にテクニカル・デスメタルの基礎が出来たと言えるだろう。一年先にNocturnus がアルバム『The Key』をリリースしており、今ではテクニカル・デスメタルの歴史の始まりを振り返る上で重要な作品であるが、このジャンルの爆発的なエネルギー、時代の始まりを象徴するアルバムとしては Death の『Human』を挙げたいと思う。

フロリダから次いで Cynic がアルバム『Focus』を完成させ、1993年にRoadrunner Records からリリースした。ジャズやフュージョンを交えたプログレッシヴでテクニカルなスタイルはデスメタル・シーンだけでなく、プログレッシヴ・メタル・シーンから高い評価を得た。

このように、デスメタル由来のテクニカルさがプログレッシヴ・メタルやロックと接続されるようになったことをきっかけに、それまでのデスメタルの系譜とは切り離されたところで、「テクニカル」をキーワードにしたデスメタル・バンドシーンが次第に世界各地で誕生していく。

隣接するプログレッシヴ・デスメタル

デスメタルはテクニカル・デスメタルにだけ枝分かれしていった訳ではない。同じく高い演奏技術や複雑な楽曲構成を用いたプログレッシヴ・デスメタルやスピードやヘヴィさに傾倒したブルータル・デスメタル、前衛的な表現を全面に押し出したアヴァンギャルド・デスメタルなど、デスメタルの多様化も1990年代以降急激に進んでいった。今、テクニカル・デスメタルが何かを定義することが困難である理由は、このようにデスメタルが細分化され、テクニカルであることが元々

備わったデスメタルのサブジャンルが登場したことが原因ではないだろうか。

プログレッシヴ・デスメタルやブルータル・デスメタルといったジャンルが成熟していくと、その中でもテクニカルであることにフォーカスしたサウンドを追求するバンドも出現してくるのは当然だ。本書ではプログレッシヴ・デスメタル、ブルータル・デスメタルといったテクニカルなスタイルを兼ね備えたデスメタルのサブジャンルの中でも、テクニカル成分の強いアーティストもいくつかピックアップしている。彼らはテクニカル・プログレッシヴ・デスメタル、テクニカル・ブルータル・デスメタルというジャンルに分けられることが多く、視点を変えることで、また違った聴き方も出来るようなアーティストである。

中興の祖 Necrophagist

テクニカル・デスメタルの歴史のはじまりを Death の『Human』とした時、次の歴史的ハイライトと言えるのは、ドイツ出身のバンド、Necrophagist の登場だろう。現在のテクニカル・デスメタルと呼ばれるサウンドの礎となるスタイルを1999年のアルバム『Onset of Putrefaction』、そして2004年の『Epitaph』で作り、彼らに続いた同郷のObscura を始め、ブルータル・デスメタル・シーンでも Deeds of Flesh が、同時期にメロディアスでテクニカルなスタイルへとアップデートしていき、Unique Leader Records からもそうしたスタイルのバンドが登場し始めた。Necrophagist や Unique Leader Records の所属アーティストのスタイルの変化は、現在のテクニカル・デスメタルと呼ばれる多くのバンド達の原型となっており、更なる発展への出発点として位置付けることが出来る。

ブルータル・デスメタルとのシンクロ

プログレッシヴと結びつき発展したここま

Necrophagist

Suffocation

での流れとは別に、デスメタルがエクスト
リームに押し進められていく中で、ブルー
タル・デスメタルという残忍でおどろおど
ろしいデスメタル・シーンのバンド達もス
ピード、そしてテクニックを競うように続々
と誕生した。その中でもニューヨークから
登場した Suffocation はグラインドコアやス
ラッシュメタルのスピードとフックの利いた
グルーヴ・リフ、そしてガテラルというブ
ルータル・デスメタル特有の歌唱法を生み
出した Frank のカリスマ性を持ち合わせ、
1991 年のデビュー・アルバム『Effigy of the
Forgotten』でシーンに衝撃を与えた。以降、
ブルータル・デスメタルはそのおどろおど
ろしさを発展させながら、グルーヴィな Dying
Fetus やスラミングと呼ばれる遅く重いリフ
を特徴とするスタイルのバンドが中心となっ
ていった。

テクニカル・デスメタル最大勢力カナダ

　現在テクニカル・デスメタルの中心地と呼
ばれるのは、カナダである。
　テクニカル・デスメタルと呼ばれるサウン
ドの最もスタンダードと言えるバンドがひし
めくカナダは、プログレッシヴなテクニカ
ル・スタイルとブルータルなテクニカル・
スタイルを兼ね備えている。スラッシュメ
タル・ムーヴメントの最中でありながら、
当時から特別な存在感を放っていたケベッ
クの Voivod をルーツに様々なバンドが誕
生した 80 年代から 90 年代のカナダでは、

Cryptopsy の前身バンドである Necrosis が
1988 年に結成、Gorguts が 1989 年に活動を
スタートさせている。
　1994 年には Cryptopsy がデビュー・アル
バム『Blasphemy Made Flesh』をリリース
し、テクニカル・デスメタルの可能性を拡
大。特に 1992 年からバンドに参加したドラ
マー Flo Mounier のプレイは圧巻であり、テ
クニカル・デスメタルの中でもトップの腕前
と知名度を誇っている。Gorguts は 3 枚目の
アルバム『Obscura』でテクニカル・デスメ
タルにアヴァンギャルドなエッセンスを注入
し、テクニカル、プログレッシヴともまた違っ
た魅力で存在感を発揮。現在の Willowtip
Records を始めとするプログレッシヴ・デス
メタル、アヴァンギャルド・デスメタル、ポ
スト・メタル、ディソナント・デスメタルに
も大きな影響を与えた。

近隣ジャンル、デスコア等にも波及

　90 年代のはじめに産声をあげ、プログ
レッシヴ・メタルやロック、ブルータル・デ
スメタル、アヴァンギャルドなどとクロス
オーバーしてきたテクニカル・デスメタルが
Necrophagist の登場によって、「テクニカル・
デスメタル」という音楽ジャンルとして認知
され更なる発展の出発地を作った後も、様々
なジャンルとクロスオーバーしながら世界各
国で枝分かれしながら興味深いサウンド・
スタイルを鳴らすバンドが登場していく。
Origin や Brain Drill といった超絶技巧を追求

Cryptopsy

していくものや、シンフォニック・メタルとクロスオーバーしたイタリアの Fleshgod Apocalypse、デスコアとクロスオーバーし、テクニカル・デスコアと呼ばれた Beneath the Massacre、プログレッシヴさを極めた Fallujah や The Faceless などが力をつけている。彼らはもはやテクニカル・デスメタルという音楽ジャンルの枠に当てはめることは出来ないが、テクニカル・デスメタルの歴史を語る上で欠かせない重要バンドである。

今も発展を続けるテクニカル・デスメタル。一言では言い表せない多様性を持ちながらも「テクニカル」であることにフォーカスしているデスメタルを本書ではテクニカル・デスメタルと定義し、アルバムレビューやバイオグラフィー、インタビューやコラムを通じて紹介している。

隣接ジャンルの振り分けと他のシリーズ

一般的にテクニカル・デスメタルに分類されがちな以下のバンドは本書『テクニカル・デスメタル・ガイドブック』ではなく『プログレッシヴ・デスメタル・ガイドブック』で扱う予定である。

Cynic, Opeth, Gojira, Pestilence, Edge of Sanity, Between the Buried and Me, Rivers of Nihil, Sadist, Black Crown Initiate, Dark Millennium, Meshuggah, Amorphis, Alchemist, Creepmime, Disillusion, Phlebotomized, Becoming the Archetype, Devin Townsend Project, Persefone, Wilderun, Nocturnus AD, !T.O.O.H.!, Negativa, Gigan, Ulcerate, Extol, In-Quest, Hannes Grossmann, ... and more

なお、ブルータル・デスメタルとしてもカテゴライズされるバンドは、拙著『ブルータルデスメタルガイドブック』で代表的なバンドは紹介しているが、テクニカル・デスメタルの要素が強いバンドに関しては、テクニカル・デスメタルの視点から、敢えて本書で全く別の切り口で紹介している。デスコアも同様、一部のバンドを既に『デスコアガイドブック』で紹介しているが、テクニカル・デスメタルという視点に立って紹介している。ブルータル・デスメタルとデスコアに関しては、重複あるいは欠落に対して、気になる読者もいるかもしれないが、その点は予めご容赦頂きたい。

また、なるべく世界中のバンドを紹介する為に、新興国のバンドはテクニカル・デスメタルではなく、ブルータル・デスメタルに近いと見られるバンドでも優先的に紹介した点も、ご理解頂ければと思う。

代表的バンドにおけるアイコンの意味

● 結成年　● 出身地　● 代表メンバー　● 関連バンド　● For Fans of　● 聴きどころ　● 歌詞のテーマ

99 Chapter 3 Europe

CHAPTER 1
USA

テクニカル・デスメタルの始まりは、1980 年代後半のフロ
リダ・デスメタル・シーンにまで遡る。1980 年代後半から
1990 年代初頭に起こった「Thrash to Death」と言うトレン
ドは、フロリダを中心に発生し、多くのデスメタル・バンド
がフロリダを拠点としていた。過激さが追求される中、テク
ニカルでプログレッシヴな側面を全面に押し出した Death や
Atheist、Nocturnus といったバンドを中心に、テクニカル・
デスメタルの礎が築かれていった。スラッシュメタルからデス
メタルへと過激さを求めていったフロリダとは違い、より洗
練されたサウンドは、カリフォルニアを中心に育まれていっ
た。Deeds of Flesh を筆頭に、ブルータル・デスメタルの中
からテクニカルでプログレッシヴな魅力を引き出すバンドが
Unique Leader Records を中心に出現。彼らが育んだサウンド
を下地に、Origin や Brain Drill といった限界を超えていくバン
ドもアメリカ各地から出現していく。その影響はデスメタルだ
けでなく、デスコアやメタルコア、プログレッシヴ・デスメタ
ルにも及んでいった。

夭折したテクニカル／プログレッシヴ・デスメタルの元祖！

Death

🕐 1984 年　🌐 アメリカ・フロリダ州アルタモンテ・スプリングス　👤 Chuck Schuldiner（2001 年死去）
🎤 Cynic, Control Denied
🎸 Atheist, Pestilence, Control Denied, Cynic
🎵 Chuck のカリスマ的なボーカル、そして超絶技巧、テクニカル・デスメタルの礎とも言える楽曲構築美
💬（初期）死、ゴア、ホラー /（後期）社会、啓蒙

　1984 年、Chuck Schuldiner を中心にフロリダで活動をスタート。結成時は Mantas というバンド名であったが、1984 年に Death へと改名している。フロリダのデスメタル・シーンにおける最初のバンドの一つであり、後にテクニカル・デスメタルのパイオニアとして知られていくこととなる。1987 年のデビュー・アルバム『Scream Bloody Gore』までに膨大な数のデモテープをリリースしており、これらはテープ・トレードを通じ世界中に Death を広めるのに大きな役割を果たした。『Scream Bloody Gore』では Chuck がボーカル、ギター、ベースを担当し、ドラマーには後に Autopsy として活躍する Chris Reifert が参加。Chuck は Randy Burns と共にアルバムのプロデュースを手掛け、デスメタルの始まりと言われるスタイルをこのアルバムで確立した。1988 年にはドラマーに Bill Andrews、ギタリストに Rick Rozz を迎え『Leprosy』をリリース、1990 年には新たにギタリスト James Murphy とベーシスト Terry Butler が参加し、アルバム『Spiritual Healing』を発表。
　これまでオールドスクール・デスメタルと呼ばれるサウンドを鳴らしてきた Death であったが、さらにテクニカルなスタイルへとアップデートする為、Cynic からギタリスト Paul Masvidal とドラマー Sean Reinert を招集し、ベーシスト Steve Di Giorgio を加え『Human』を制作。オールドスクール・デスメタルやスラッシュメタルからテクニカルでプログレッシヴなスタイルへと舵を切り、Chuck の超絶技巧を生かしたデスメタル作品を続々とリリースしていく。1995 年にはドラマー Gene Hoglan を迎え『Individual

Thought Patterns』を発表、1995 年には Roadrunner Records と契約し『Symbolic』をリリース。この作品でも新しくギタリスト Bobby Koelble、ベーシスト Kelly Conlon が参加、相変わらずメンバーチェンジが激しかったが、Chuck の強烈なカリスマ性ゆえ、サウンドには一貫性があった。1998 年の『The Sound of Perseverance』でも Chuck 以外のメンバーが入れ替わり、ギタリスト Shannon Hamm、ベーシスト Scott Clendenin、ドラマー Richard Christy が加入。Chuck はこの頃新たに Control Denied という新しいバンドを立ち上げ活動を開始したが、1999 年に脳腫瘍で倒れ、2001 年 34 歳という若さでこの世を去った。後続のバンドにテクニカル・デスメタル、そしてプログレッシヴ・デスメタルへの道筋を作った功労者として、現在も彼の影響力は絶大である。

Death
○アメリカ / フロリダ

Human   🅰 Relativity Records ○ 1991

1984 年アルタモンテ・スプリングスで結成。本作は彼らの 4 枚目フルレングスで、これまでのオールドスクール・デスメタル / スラッシュメタルからテクニカル・デスメタルへと舵を切った分岐作だ。ギター / ボーカル Chuck Schuldiner を中心に、Cynic のギタリスト Paul Masvidal とドラマー Sean Reinert、ベーシスト Steve Di Giorgio を新たに迎え、Scott Burns プロデュースで録音。切れ味抜群のリフが、プログレッシヴでジャジーなグルーヴと混ざり合いながら高揚していきつつ、細やかなアクセルとブレーキの踏み分けでアクロバティックに展開していく快作。

Death
○アメリカ / フロリダ

Individual Thought Patterns   🅰 Relativity Records ○ 1993

Paul と Sean が脱退。本作から Dark Angel のドラマーだった Gene Hoglan が加入、ゲスト・ギタリストに King Diamond の Andy LaRocque を迎え、プロデュースは引き続き Scott Burns が担当。スラッシュ、デス、プログレッシヴと多種多様なメタルを通過したリフは創意に富み、才気走っていると痛感させられずにはいられない。程良いオーケストレーションを盛り込みドラマ性を醸し出す「Mentally Blind」は数十年先のメタル・シーンのトレンドを先取りしているとさえ感じる。上質な作りの良さ、確かな技巧、後のテクニカル・デスメタル・シーンの礎と言える作品。

Death
○アメリカ / フロリダ

Symbolic   🅰 Roadrunner Records ○ 1995

2 年振りのリリースとなった 6 枚目フルレングス。新たにギタリスト Bobby Koelble、ベーシスト Kelly Conlon が加入。プロデューサーには Jim Morris を起用し、George Marino がマスタリングを務めた。「Zero Tolerance」や「Perennial Quest」など全体的にミドルテンポ主体の楽曲が増加、底知れぬ光の海の様に遠くに広がりを持つギターワークによりスケールアップ、ヒロイックなギターソロもふんだんに盛り込み、メロディック・プログレッシヴ・デスメタルとも言うべきサウンドに仕上がっている。長く活動してきた故の熟成感が感じられる作品と言えるだろう。

Death
○アメリカ / フロリダ

The Sound of Perseverance   🅰 Nuclear Blast ○ 1998

プログレッシヴなパワーメタルを鳴らす Control Denied の活動と並行して制作された 7 枚目フルレングス。その Control Denied からギタリスト Shannon Hamm、ベーシスト Scott Clendenin、ドラマー Richard Christy を迎え、Jim Morris と Chuck が共同でプロデュースを手掛け、録音された。うっとりするような芳香を放つプログレッシヴさ、そして熟練のグルーヴ。それらが重なり合う瞬間や鮮やかな対比は誰にも真似出来ない彼らの独自性となって表れている。本作後は Control Denied の活動へシフトしていくも、2001 年 Chuck が脳腫瘍で死去。

ジャズ・フュージョンの手法をスラッシュメタルに高次元融合！

Atheist

🕐 1987 年　🌐 アメリカ・フロリダ州サラソータ　👤 Steve Flynn, Kelly Shaefer
🎸 R.A.V.A.G.E., Till the Dirt, Gnostic
🎵 Death, Martyr, Control Denied, Nocturnus
◉ 複雑でクセのある楽曲展開、それを巧みにプレイする卓越されたテクニック
💬 自然、政治、死、反宗教

　1984 年フロリダ州サラソタにて結成。当初は Oblivion と名乗り、その後 R.A.V.A.G.E.（"Raging Atheists Vowing A Gory End " の略）と改名したが、1987 年から Atheist に落ち着いた。ギター / ボーカルの Kelly Shaefer、ドラマー Steve Flynn を中心にベーシスト Roger Patterson、ギタリスト Rand Burkey が加わり、1989 年にファースト・アルバム『Piece of Time』をリリース。アルバムは好評を得たが、セカンド・アルバムのレコーディング直前、1991 年 2 月に Roger が交通事故で 22 歳の若さで死去。『Unquestionable Presence』は Cynic の Tony Choy が参加する形で録音された。この作品のリイシュー盤には、Roger がこのアルバムの為に書いた独創的なフレーズも収録されており、彼が優れたベーシストで、スラップを交えたグルーヴィなプレイを得意としていたことが聴き取れる。YouTube には初期 Atheist のリハーサル映像が公開されており、タバコをふかしながらテクニカルなプレイをする Roger の姿が観れる。バンドは 1992 年に解散を発表したものの、1993 年に再結成しサード・アルバム『Elements』をレコーディング。レーベルとの契約上の要件を満たした後、1994 年に 2 度目の解散をした。
　2 度目の解散から 7 年後、Relapse Records とタッグを組み、2005 年に 3 枚のアルバムと R.A.V.A.G.E 時代のデモ音源「On They Slay」を収録したボックス・セット『Atheist - The Collection』を発表。2006 年、バンドはライブを行うために再結成すると発表。Kelly は腱鞘炎と手根管症候群を患っていた為、ボーカリストとして参加し、Steve が在籍していたバンド Gnostic の Chris Baker が代役を務めた。

2009 年『Piece of Time』のリリース 20 周年を記念したツアーを開催し、翌年アルバム『Jupiter』を Season of Mist からリリース。本作から Chris が正式に加入しており、Gnostic のベーシスト Jonathan Thompson もレコーディングに参加し、Steve と Kelly をサポートしている。

以降、ベスト・アルバムのリリースなどを行い、新メンバーとして Hideous Divinity のライブメンバー Yoav Ruiz-Feingold、Arkaik のギタリスト Alex Haddad、Kelly の別バンドであり、Yoav も在籍する Till the Dirt に在籍するギタリスト Jerry Witunsky を迎え、ライブ活動を継続している。アルバムのリリースはないものの、初期から変わらぬ古典的なプログレッシヴ・サウンドをベースに、複雑怪奇な楽曲をプレイする Atheist らしさは健在。何度か解散を経験しながらも、生ける伝説としてライブ活動を通じシーンに影響を与え続けている。

Atheist
Piece of Time　　●アメリカ / フロリダ　🄰 Active Records 🄾 1990

1984 年サラソータにて結成された Oblivion を母体とし、1987 年から Atheist と名前を新たに活動を開始。ギター / ボーカル Kelly Shaefer、ギタリスト Rand Burkey、ベーシスト Roger Patterson、ドラマー Steve Flynn の 4 人で制作され、プロデューサーには Scott Burns を起用、マスタリングは Mike Fuller が担当した。スラッシュメタルをベースに新しいメタルサウンドを模索。プログレッシヴなベースラインやテクニカルなドラミングは緻密に構成された複雑な楽曲を鮮やかに仕立て、マグマのように熱い Kelly の咆哮がさらにサウンドを加熱させていく。

Atheist
Unquestionable Presence　　●アメリカ / フロリダ　🄰 Active Records 🄾 1991

1991 年 2 月、Roger がツアー中の交通事故で急逝。バンドは新しく Tony Choy を迎え、活動を続行。Scott Burns をプロデューサーに迎えレコーディングされた本作は、Roger が制作に携わった楽曲も収録されたトリビュート的な作品だ。前作で挑んだプログレッシヴ・メタルとデスメタル / スラッシュを高次元融合させたサウンドは健在で、ジャズやフュージョンの手法を用い、スペーシーなオーケストレーションを交えドラマ性がより引き出されている。Atheist の世界観を完成させ、同時にテクニカルなプログレッシヴ・デスメタルの礎を完成させた。

Atheist
Elements　　●アメリカ / フロリダ　🄼 Music for Nations 🄾 1993

2 年振りのリリースとなった 3 枚目フルレングス。本作から 3 人目のギタリスト Frank Emmi が加入、またドラマーが Josh Greenbaum にスイッチし、5 人体制となった。1993 年の 5 月にゲインズビルにある Pro Media Studio で 40 日間をかけて制作された本作は、プロデューサーに Frank Zappa らを手掛けた Mark Pinske を起用し、Kelly を始め全員がアイデアを出し合いながら、ミックスまでを行っている。ピアノを用いたジャジーな「Samba Briza」など、インストナンバーを挟みつつサウンドを深化させた。複雑怪奇なテクニカル・プログレッシヴ・デスメタルを誇示した。

Atheist
Jupiter　　●アメリカ / フロリダ　🄰 Season of Mist 🄾 2010

2017 年振りのリリースとなった 4 枚目フルレングス。ギタリスト Chris Baker とベーシスト Jonathan Thompson が加入し、エグゼクティヴ・プロデューサーに Jason Suecof と Matt Washburn を起用し、レコーディングを行った。テクニカル・デスメタルをベースに Atheist らしい複雑なプログレッシヴ・フレーズをふんだんに盛り込んだパワフルな作品で、長いブランクを感じさせない鮮烈な作品に仕上がっている。ギターのレイヤーが醸し出す神々しさ、オーラを放つ Kelly のボーカルと彫刻のようなデスメタルの芸術性を美しく描いた、貫禄溢れる作品。

キーボード取り入れコズミックでシンフォニックな神秘サウンド！

Nocturnus

🌑 1987 年　　🌐 アメリカ・フロリダ州タンパ　　👤 Mike Davis, Louis Panzer, Sean McNenney, Mike Browning
🎤 Nocturnus AD, After Death
🎸 Cynic, Nocturnus AD, Death, Atheist
🔊 デスメタルにキーボードを組み込んだ実験性の高いテクニカル / プログレッシヴ・サウンド
🔴 反キリスト教、オカルト、SF

　1987 年、フロリダ州タンパで結成。ドラム / ボーカルの Mike Browning が Nocturnus 結成前に在籍していた Incubus（カリフォルニアのロック・バンドとは別）の解散後に本格的にスタート。Mike と共に Incubus に在籍していたギタリスト Gino Marino、スピードメタル・バンド Agent Steel に短期間在籍していたベーシスト Richard Bateman のトリオ体制で楽曲制作を開始した。やがてセカンド・ギタリストの Vincent Crowley が加わり、同年にセルフタイトルのデモ音源を 1 曲レコーディングしている。Vincent はすぐに脱退してしまったが、後任として当時まだ 18 歳のギタリスト Mike Davis が加入し、Richard は Nasty Savage というバンドへ移籍。

　1988 年、Nocturnus は新たなベーシスト Jeff Estes とキーボーディスト Louis Panzer を加え、デスメタルにスペーシーなキーボード・サウンドを取り入れるというデスメタル史上初めての試みに挑む為、ラインナップを整理した。Louis の加入は、SF をテーマにした Nocturnus の歌詞の内容やヴィジュアルイメージを確立するのに大きな役割を果たすことなる。1989 年、Gino が脱退し、Mike の長年の友人でありご近所さんでもあった Sean McNenney が後任としてバンドに加入。Sean の加入は Nocturnus のメロディアスなスタイルをよりテクニカルなものへとアップデートするのに大きな役割を果たした。

　激しいメンバーチェンジを経て、1989 年に Mike の友人であった Morbid Angel の Trey Azagthoth の紹介もあり、Earache Records との契約を果たした。バンドは地元の有名なスタジオ Morrisound Recording

Studios の Tom Morris と共にデビュー・アルバム『The Key』をレコーディングし、1990 年にリリースした。このアルバムは、生まれたばかりのデスメタルを圧倒的なギターの超絶技巧でテクニカルに仕立て、Louis のスペーシーなキーボードのサウンドが唯一無二の世界観を作り出す。「Standing in Blood」や「BC/AD（Before Christ/After Death）」といった楽曲がヒットし、一躍デスメタル・シーンの重要バンドとしてその名を世界へと拡大した。

　全てがうまくいったように見えたが、『The Key』のレコーディング中、Jeff は度々飲酒問題を起こし始め、ベースの演奏もままならないことがあった。Jeff は解雇され、Jim O'Sullivan が後任として加入。その後、1991 年には Bolt Thrower のサポートアクトとして『The Key』のリリースツアーを行い、その後は Morbid Angel、Napalm Death、Godflesh と共に「Grindcrusher Tour」を行った。Jim は上手くバンドに馴染めず脱退するが、翌年 Emo Mowery が加入している。

　これまでドラム / ボーカルを務めていた Mike であったが、ボーカリストとして Dan Izzo が加入したことでドラマー専任となった。1992 年のアルバム『Thresholds』では、よりスペーシーな歌詞、そしてサウンドへとそのスタイルを変化させていき、「Nocturne in Bm」のようなインスト曲やエキゾチックな魅力を放つ「Tribal Voudon」など、『The Key』以上にバラエティに富んだアルバムとなり、溢れんばかりの Nocturnus の創造性をシーンにアピールした。『The Key』程のセールスは記録できなかったものの、コアなファンからは大絶賛、ヨーロッパツアーも大成功させている。

　順調にメタルのトップ・バンドへと成長した Nocturnus であったが、バンドの中心人物として Nocturnus サウンドの根幹を担っていた Mike が、他のメンバーとの音楽性に違いがあることが徐々に明らかになっていった。その結果、Mike に隠れて Sean と Louis が Nocturnus というバンド名の権利を法的に獲得。Mike は直後にバンドを解雇されてしまった。1999 年に Mike は脱退していたオリジナル・メンバーと共にシンフォニック・デスメタル・バンド「Nocturnus AD」を結成している。この出来事の後、新しいアルバムの制作に取り組んでいたものの、Earache Records からの契約は解除されていた。その後も楽曲制作は続けていたものの、1993 年に解散することとなってしまった。

　一度分裂してしまったものの、ソングライティングは続けられており、新たにドラマー Rick Bizarro が加入し 1999 年に Season of Mist からアルバム『Ethereal Tomb』をリリース。バンドはアンビエントなサウンドに挑戦したものの、大きな評価は得られず、2002 年に再び解散。残念ながらバンドは以降 Nocturnus として復活することはなく、ファンは Nocturnus AD へと完全に移行していった。

Nocturnus
○アメリカ / フロリダ

The Key
Ⓐ Earache Records ○ 1990

1987 年タンパで結成。本作は Morbid Angel を 1986 年に脱退したドラム / ボーカル Mike Browning を中心に、ギタリストの Mike Davis と Sean McNenney、ベーシスト Jeff Estes、そしてキーボーディストの Louis Panzer という 5 人体制で Tom Morris をプロデューサーに迎え、制作された。デスメタルにキーボードを大々的にフィーチャーした最初のバンドとして知られる。神秘性を操るシンフォニックな音色がコズミックな雰囲気を生み出し、まるで宇宙戦争のようにして繰り出されるスラッシーなギターソロ、ファストなドラミングが目まぐるしく炸裂し続ける。

Nocturnus
○アメリカ / フロリダ

Thresholds
Ⓜ Earache Records ○ 1992

Jeff が脱退。ボーカリスト Dan Izzo が加入し、ベーシストに Chris Anderson を迎え再び Tom Morris と共にレコーディングを行った。ミドルテンポ主体の楽曲が多く、全体的にもっさりとしたサウンド・デザインではあるが、それによって浮かび上がるスペーシーなメロディとスラッシーなリフの戯れとも言うべきプレイが印象的。Dan のボーカルもグルーヴをしっかりと捉えつつ、冴えるシャウトで存在感を発揮。全体的に優れたバランス感覚によって、シンフォニックであり、プログレッシヴであり、そしてテクニカル・デスメタルである唯一無二の Nocturnus が作り上げられていると言えるだろう。

変拍子やリズムチェンジで予測不可能な展開を繰り広げる！

Deeds of Flesh

🕐 1993 年　🌐 アメリカ・カリフォルニア州ロスオソス　👤 Erik Lindmark（2018 年死去）, Jacoby Kingston, Mike Hamilton

🎸 Arkaik, Continuum

🎧 Severed Savior, Arkaik, Spawn of Possession, Decrepit Birth

🎵 ブルータル・デスメタルのダイナミズムと幻惑的なメロディを紡ぎ出すギターワーク

🌐 （初期）死、闇、堕落、拷問 /（後期）SF

　1993 年カリフォルニア州ロスオソスで結成。当時 20 歳だったギター / ボーカル Erik Lindmark を中心に、ベース / ボーカルの Jacoby Kingston、ドラマー Joey Heaslet のトリオ体制で活動をスタート。1995 年に EP『Gradually Melted』をリリース。翌年にデビュー・アルバム『Trading Pieces』を発表すると、ブルータル・デスメタル・バンドとしてシーンを牽引する存在として歩み始めていく。

　Joey に替わり Brad Palmer が加入。翌年 Erik はレーベル Unique Leader Records を設立し、1998 年に『Inbreeding the Anthropophagi』を発表。このアルバムでは究極のスピードとヘヴィネスを確立し、それを可能にする圧倒的なテクニックでアンダーグラウンドでの存在感を確立。以降、Deeds of Flesh の作品は Unique Leader Records からリリースされていくことになる。『Path of the Weakening』『Mark of the Legion』とリリースを重ねながら、次第に彼らはメロディックなフレーズも組み込むようになっていく。『Mark of the Legion』から Erik、Jacoby、ドラマー Mike Hamilton という編成となり、『Reduced to Ashes』では Deeds of Flesh の最終形態と言えるメロディアスなテクニカル・ブルータル・デスメタルの原型を完成させている。

　『Crown of Souls』リリース後に Jacoby が脱退。2008 年の『Of What's to Come』では、ベース / ボーカルに Erlend、ギタリスト Sean が加入し、よりプログレッシヴなスタイルも見せるようになっていった。4 人体制となったことで Deeds of Flesh のメロディックな強みが力強くアプローチされるように。

ギタリスト Craig、ベーシスト Ivan が加入し、2013 年に『Portals to Canaan』を発表。当時の Unique Leader Records が熱心に手掛けていたブルータル・デスメタルを根っこに持ちながら、プログレッシヴでメロディックなアプローチを強みとするスタイルの完成形とも言えるアルバムを作り上げた。

2018 年 Erik Lindmark が死去。バンドのリーダーであり、レーベルのトップであった彼の死はレーベルの方向性の大きな分岐点になったと共に、事実上バンドの終焉を意味した。2020 年、制作途中であったアルバムが長年バンドを支えてきた Jacoby の復帰、過去在籍メンバーによる団結によって完成させられた。Erik がバンド、レーベルを通じ作り上げてきたテクニカル・デスメタルは現在のテクニカル・デスメタルの基盤となっている。

Deeds of Flesh
🟠アメリカ / カリフォルニア

Trading Pieces
⚙ Repulse Records 🕐 1996

1993 年ロスオソスで結成。本作は後に Unique Leader Records を運営するギタリスト Erik Lindmark 、当時 16 歳だったドラマー Joey Heaslet、ベース / ボーカルの Jacoby Kingston というラインナップで制作された。衝撃のデビュー EP『Gradually Melted』の延長線上にあるこのアルバムは、それまでのデスメタルにはなかった、変拍子やリズムチェンジを複雑にした展開が全く読めないテクニカルな構成、小節の全ての拍を常に叩き続けるブラストビート、そして何と言っても Erik のディープなガテラルが印象的な作品だ。

Deeds of Flesh
🟠アメリカ / カリフォルニア

Inbreeding the Anthropophagi
⚙ Repulse Records 🕐 1998

2 年振りのリリースとなったセカンド・アルバム。Joey が脱退、後任には Brad Palmer が迎えられた。ゲストには Disgorge の Matti Way がバッキング・ボーカリストとして参加している。Erik のグロウルは地底を這うように低く展開され、そこに Jacoby のハイピッチ・シャウトが上手くブレンドされている。常に 4 では割れない拍子が複雑に絡み合いながら、表拍、裏拍を交互に行き交うブラストビートがほぼ全ての曲で全編に渡って乱打され続ける。そのあまりにも唐突な展開は、リスナーとして何度聴いても覚えられないほど複雑で、正確に演奏する記憶力に驚嘆せざるを得ない。

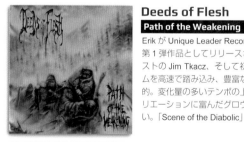

Deeds of Flesh
🟠アメリカ / カリフォルニア

Path of the Weakening
⚙ Unique Leader Records 🕐 1999

Erik が Unique Leader Records を設立、サード・アルバムとなる本作はレーベルの第 1 弾作品としてリリースされた。本作では Vile を脱退したばかりだったギタリストの Jim Tkacz、そして初代ドラマー Joey が復帰。パンチの利いたキックドラムを高速で踏み込み、豊富なシンバルワークを駆使して疾走するドラミングは圧倒的。変化量の多いテンポの上で巧みに複雑なリフを刻み、尚且つ前作にも増してバリエーションに富んだグロウル / ガテラルを放つ Erik の高等技術には驚きを隠せない。「Scene of the Diabolic」にあるようなスローダウンは本作における発明だろう。

Deeds of Flesh
🟠アメリカ / カリフォルニア

Mark of the Legion
⚙ Unique Leader Records 🕐 2001

2 年振りのリリースとなった 4 枚目フルレングス。Jim と Joey が脱退。新メンバーには 2000 年に Vile を脱退したドラマー Mike Hamilton が加入し、本作はトリオ編成で制作された。メロディアスなトレモロピッキングを絶えず刻み続けるオープニングの「Cleansed by Fire」からも分かるように、少しずつブルータルからテクニカルなスタイルへと舵を切っているのが聴いて取れる。もちろん輪郭をぼかした雪崩のようなブラストビートのスピード感は健在で、黙々とグルーヴを叩き込む Mike の凄みが表れている。ドラマ性を排除し、淡々と演奏される言いようのない恐怖感に満ち溢れた作品。

Deeds of Flesh
Reduced to Ashes ● アメリカ / カリフォルニア　● Unique Leader Records　● 2003

2 年毎にリリースを続ける彼らの 5 枚目フルレングス。メンバーラインナップに変更はなく、レコーディングでは Kip Stork がエンジニアリングを担当した。前作はもっさりと分厚いサウンド・デザインに仕上がっていたのに対し、乾いたスネアが跳ねるクリアなサウンド・プロダクションが上手く作用し、細かく刻まれていくリフも聴き取りやすくなっている。このシンプルなサウンド・デザインが Deeds of Flesh のテクニックを端的に引き出し、スタイリッシュな魅力の要因になっている。Toshihiro Egawa によるアートワークも彼らのサウンドを上手く表現していると言えるだろう。

Deeds of Flesh
Crown of Souls ● アメリカ / カリフォルニア　● Unique Leader Records　● 2005

大きな反響をもたらした前作と同じ布陣でレコーディングされた 6 枚目フルレングス。心臓の鼓動の音で静かに幕を開けると、底知れぬ不気味な恐ろしさが溢れ出てくるように、高速で刻み込まれるトレモロピッキングと機械のように正確に叩き込まれるドラミングが静かに突進。Erik と Jacoby のボーカルのコンビネーションも前作にも増して力強い存在感を放っている。「Hammer-Forged Blade」や「Caught Devouring」の展開は完成度が高く、テクニカル・ブルータル・デスメタルとしての作りの良さが美しい佇まいとして表れている。

Deeds of Flesh
Of What's to Come ● アメリカ / カリフォルニア　● Unique Leader Records　● 2008

Erik の長年の相棒とも言える Jacoby が脱退。新たにベース / ボーカルとして Spawn of Possession などに在籍した Erlend Caspersen、セカンド・ギタリストとして Sean Southern が加入し、4 人体制で録音された。オープニングの「Waters of Space」を再生した瞬間、これまでの Deeds of Flesh との明らかな違いに気付くだろう。うねるベースラインにギターソロ、ブレイクダウンが随所に配され、凶暴に暴れ狂うツインギターの綿密なトレモロリフがマシンガンのように放たれる。これまでになかった魅力を追求し、引き出すことに成功した挑戦的な作品。

Deeds of Flesh
Portals to Canaan ● アメリカ / カリフォルニア　● Unique Leader Records　● 2013

5 年振りのリリースとなった 8 枚目フルレングス。本作から Arkaik で活動していたギタリスト Craig Peters、同じく Arkaik をはじめ、Brain Drill などに在籍していたベーシスト Ivan Munguia を迎え録音された。ミックス / マスタリングは Zack Ohren が担当している。芯から美しさを感じるプログレッシヴ / テクニカル・デスメタルには神聖なオーラが漂い、ギターのメロディの繊細な輝きを捉えながらタイトに疾走するドラミングは一級品。極上のブルータルな展開美を兼ね備えたテクニカル・ブルータル・デスメタルの傑作と言えるだろう。Erik は本作発表後、2018 年に死去している。

Deeds of Flesh
Nucleus ● アメリカ / カリフォルニア　● Unique Leader Records　● 2020

Erik の意志を受け継ぎ、『Of What's to Come』から始まった SF をテーマにした 3 部作を完成させる為、すでにレコーディングされていた Erik の録音をもとに歴代メンバーを中心にレコーディングされた。Jacoby がシンガーとして復帰、ドラマーには 2016 年に加入していた Darren Cesca、前作から引き続き Craig がギター、Ivan がベースを担当している。デスメタル・シーンから多彩なゲスト・ボーカリストが参加し、華を添えた。スタイルはそのままに細かく調整され、フレッシュなアイデアを配したテンポ間の繋ぎやリフの組み合わせなど、その深さと荘厳さには、ただただ圧倒される。

古代エジプト文明を取り入れ、疾風怒濤のブラストビートで展開！

Nile

🕐 1993 年　🌐 アメリカ・サウスカロライナ州グリーンビル　👤 Karl Sanders
👥 Morriah, Lecherous Nocturne, Narcotic Wasteland, System Shock
🎵 Necrophagist, Maat, The Voynich Code, Born of Osiris, Shokran
◎ 古代エジプトをテーマにした歌詞 / 世界観
🌐 古代エジプト , SF、幻想、怪奇

　1993 年グリーンビルで結成。ギター / ボーカル Karl Sanders、ベース / ボーカル Chief Spires、ドラマー Pete Hammoura のトリオ編成で、1995 年に EP 『Festivals of Atonement』でデビューを果たす。Karl は、古代エジプト、古代中東文化に加え、アメリカの小説家 Howard Phillips Lovecraft の作品に強い影響を受けた楽曲制作を行うことをバンド活動の大きなテーマに掲げた。1998 年には Relapse Records との契約を果たし、デビュー・アルバム『Amongst the Catacombs of Nephren-Ka』を発表。Cryptopsy や Morbid Angel らとの共演によってブレイクを果たす。

　2000 年に『Black Seeds of Vengeance』をリリース。オリジナル・メンバーの Pete、Chief が脱退。ドラマー Tony、ベーシスト Jon が加入した。新しいメンバーとツアーや制作活動に精力的に取り組み、2002 年には『In Their Darkened Shrines』を発表。Tony 脱退後はドラマー George Kollias が加入し、『Annihilation of the Wicked』を発表している。

　バンドは Relapse Records を離れ、Nuclear Blast と契約。Karl の創造する古代エジプト文化を取り入れた作風はメタルとの親和性の高さをシーンに印象付け、その知識量の多さは古代エジプトの研究者さえも唸らせた。2007 年 Lecherous Nocturne のベーシストとして知られる Chris が加入し、『Ithyphallic』をリリース。Ozzfest などといった大型メタル・フェスティバルへの出演やアメリカ、ヨーロッパでのヘッドライナー・ツアーも成功させている。

2009 年には『Those Whom the Gods Detest』を発表。アンダーグラウンドを飛び出し、すっかりメジャーなバンドとしてビルボード 200 にもランクインするほどの人気を獲得した。2012 年の『At the Gate of Sethu』は Nile の中でも非常に人気の高い作品で、シネマティックな魅力を炸裂させている。2015 年の『What Should Not Be Unearthed』をリリース後、長年のメンバーであった Dallas が脱退するも、2019 年の『Vile Nilotic Rites』ではベース / ボーカル Brad、ギター / ボーカル Brian が加入している。

結成から変わらぬコンセプトを貫き、作品をリリースする度に深みを増していく Nile の世界観。多彩な楽器の音色が巧みに組み込まれたテクニカル・デスメタルはオールドスクールであり続けながらも、常にユニークな実験性でファンを刺激し続けてくれる。

Nile
アメリカ / サウスカロライナ
Amongst the Catacombs of Nephren-Ka
Relapse Records 1998

1983 年から活動していたスラッシュメタル Morriah のメンバーだったギター / ボーカル Karl Sanders、ベーシスト Chief Spires、ドラマー Pete Hammoura が、1993 年に Nile を結成。数々のデモ、EP を経てデビュー。アルバム・タイトルに登場する「ネフレンカ」とは古代エジプトにおいて「暗黒のファラオ」と呼ばれた王のことで、ナイアーラトテップ（クトゥルフ神話などに登場する架空の神性）の為のあまりにも忌まわしい祭祀を行い、その名を歴史から抹殺されている。フルートなどのアクセントを加えながら、残忍なエジプトの歴史をサウンドに落とし込むスタイルで一躍注目を集めた。

Nile
アメリカ / サウスカロライナ
Black Seeds of Vengeance
Relapse Records 2000

本作から新たにギタリスト Dallas Toler-Wade が加入し 4 人編成となった。イントロ「Invocation of the Gate of Aat-Ankh-es-en-Amenti」は、アメンティ（エジプト神話における冥界の名称）の門の呪文を意味し、他の神々や超自然的存在の棲み処の世界観の神話をモチーフとし、ブルータルに表現。テクニカル・ブルータル・デスメタル・サウンドを基調に、民族楽器の音色を絶妙にブレンドした独特の世界観をドラマティックに演出。新メンバー Dallas の加入やサウンド・プロダクションの向上に伴うスケール感のアップもその後の快進撃に影響をもたらした。

Nile
アメリカ / サウスカロライナ
In Their Darkened Shrines
Relapse Records 2002

結成時からのメンバーであった Chief と Pete が脱退。前作から加入した Dallas に加えて、Megadeth のドラムテックであり、Malevolent Creation などの活動でも知られる Tony が加入。より洗練されたテクニカル・ブルータル・デスメタル・サウンドへとアップデートされた。更に本作にはゲストとして、DarkMoon で知られる Jon が参加しており、ダークでドラマティックなセクションが味わい深いサウンドを演出している。一貫してテーマに掲げられている古代エジプトの歴史や文化も、本作ではバンド・サウンドのエッセンスとして作用している印象が強い。

Nile
アメリカ / サウスカロライナ
Annihilation of the Wicked
Relapse Records 2005

前作でゲスト参加した Jon がベース / ボーカルとして正式に加入。また、ドラマーが Tony から Cerebrum などで活躍していた George にスウィッチしている。彼の明瞭でタイトなドラムプレイはばっちりフィット、現在まで Nile を支えるドラマーとして君臨している。前作同様、古代エジプト文化、歴史をエッセンスとして取り込み、その上で鳴らされるリーダー Karl のギター、ボーカル、パーカッション、キーボードが、作を重ねる毎に円熟味を増している。Dallas のギタープレイも Karl の影響を強く感じるヘヴィかつドラマティックな雰囲気をまとい、駆け巡る。第 2 期 Nile の始まりを予感させる仕上がり。

Nile
Ithyphallic
アメリカ / サウスカロライナ　Nuclear Blast　2007

2年振りのリリースとなった5枚目フルレングス。Jon が脱退、Karl、Dallas、George の3ピース体制で制作が行われた。アルバムタイトル『Ithyphallic』とは、バッカス賛歌韻律の詩であり、男根像を意味する。アートワークともしっかりリンクしている本作は、初期の Nile を彷彿させるコンセプチュアルな作品で、疾風怒濤のブラストビートでめまぐるしく展開するテクニカル・サウンドから一転し、ミッドテンポ中心の味わい深いブルータル・デスメタル・サウンドへとスタイルチェンジしている。テンポダウンしたからこそ、各パートのスキルの高さが浮き彫りとなった。

Nile
Those Whom the Gods Detest
アメリカ / サウスカロライナ　Nuclear Blast　2009

2年振りのリリースとなった6枚目フルレングス。結成以来コンスタントにアルバム・リリースを続ける Nile の大傑作アルバムと名高い本作は、ミッドテンポが多かった前作に比べ、スピードを取り戻し、ソリッドなテクニカル・ブルータル・デスタル・サウンドを基調としたスタイルへと回帰。オリジナリティ溢れるオリエンタルなメロディやサンプリング、パーカッションをふんだんに盛り込んだ Nile 節が炸裂している。きめ細やかなメロディ、ヘヴィに刻まれるリフワークは、ベテランだからこそなせる技と言えるだろう。また、過去在籍した Chief、Pete、Jon がゲストボーカルで参加しているのも面白い。

Nile
At the Gate of Sethu
アメリカ / サウスカロライナ　Nuclear Blast　2012

3年振りのリリースとなった7枚目フルレングス。チベット死者の書にインスピレーションを受けて制作された楽曲を含む本作は、Dallas、Karl の弾くメロディアスなフレーズが今まで以上に炸裂しており、サンプリングやキーボードの導入も過去最高レベルにドラマティックだ。モダンなテクニカル・ブルータル・デスメタル・サウンドを基調としながらも、時折ずっしりとしたスローなリフをはらんだミッドテンポも織り交ぜてくる。MV にもなっているオープニングトラック「Enduring the Eternal Molestation of Flame」はまるで映画のようで、アルバムの世界観を的確に表現している。

Nile
What Should Not Be Unearthed
アメリカ / サウスカロライナ　Nuclear Blast　2015

8枚目フルレングス。結成から18年間コンスタントにアルバム・リリースを続ける Nile。古代エジプトの魅力に取り付かれた Karl の湧き出るアイデアは止まることを知らない。1曲1曲がドラマティックであり、アルバムを重ねる毎にバラエティ豊富になっていくサンプリングやパーカッションがスケールを巨大化させ、さらには19名にも及ぶ豪華なゲストボーカル陣がボルテージを盛り立てる。イスラム過激派が古代遺跡を破壊していることについての怒りを歌った「Call to Destruction」など社会情勢に関する楽曲があることからも分かるように、サウンド以上にアルバムに持たせたメッセージの強さが際立つ。

Nile
Vile Nilotic Rites
アメリカ / サウスカロライナ　Nuclear Blast　2019

4年振りのリリースとなった9枚目フルレングス。2017年に20年間バンドに在籍した Dallas が脱退。その重要な穴を埋めるべく加入したのは、Enthean のメンバーである Brian Kingsland だ。前作に続き10名のゲストボーカル陣が参加し、変わることのない Nile のスタンダードとも言えるサウンドであるが、繊細なタッチで刻まれるリフの構成で新鮮味を与える Brian の影響が上手く Nile サウンドに作用しており、オープニングを飾る「Long Shadows of Dread」でその違いを明確に感じることが出来るだろう。再び全盛期の勢いを取り戻した快作。

デスメタルに知的な芸術性を与えた Karl Sanders の功績

古代エジプトをコンセプトにしたメタル

　1993 年に Nile を結成し、以来唯一のオリジナル・メンバーとしてギター / ボーカルを務めている Karl Sanders。彼は卓越された演奏テクニックだけでなく、Nile と言うバンドの持つ最も強烈な個性と言える古代エジプトをテーマにしたソングライティングの根幹を担うキーパーソンとして、シーンの中でも特別な存在感を放ってきた。ここでは、メタルと古代エジプト文化の関わりを振り返りながら、Karl Sanders と言うミュージシャンが、テクニカル・デスメタルに音楽的な魅力だけでなく、芸術的な魅力をどれだけ与えたかを述べたい。

　メタルの歴史を見渡せば、古代エジプトをテーマにした作品や楽曲はいくつも散見される。例えば、ヘヴィメタル・バンド、Iron Maiden が 1984 年にリリースした

アルバム『Powerslave』のタイトル曲「Powerslave（邦題：パワースレイヴ～死界の王、オシリスの謎～）」や同じ年に Dio がリリースしたアルバム『The Last in Line』には「Egypt（The Chains Are On）」という楽曲が収録されている。また、最近では Born of Osiris や The Voynich Code、Shokran といったプログレッシヴ・デスコア・バンド達がオリエンタルなメロディをそのサウンドに取り入れ、デスコアという音楽ジャンルの限界をエジプト文化とクロスオーバーさせ、拡大してきた。

　このように、80 年代のヘヴィメタル時代から現在に至るまで、メタル一般では古代エジプト文化をテーマにしたものは比較的ポピュラーな存在であると言えるだろう。歌詞やアルバムのジャケット、ミュージックビデオにはエジプトを連想させる表現がふんだんに使われてきたし、親和性の高い異なる文化であった。ただ、メタルを通じて発信されてきたエジプト文化の魅力は、古代エジプトへの更なる探究心をファンに与えることは少なく、無論それを研究する学者たちからも目を向けられることはほとんどなかった。ヘヴィメタルという音楽が持つ大衆のイメージによって設けられた境界線は深く、彼らの芸術的なクオリティが異なる文化圏で正しく評価されることは残念ながらなかった。

研究者顔負けの古代エジプト・オタク

　しばしば古代エジプトをテーマにしたメタル・アルバムや楽曲は 1980 年代から存在していたものの、Nile のようにバンドのコンセプトとして古代エジプトを深く掘り下げ、ダークな芸術性を見出したバンドは珍しい。そしてそのコンセプトを結成以来追求し続けているのは Nile くらいだろう。

　Nile のソングライティングを務める Karl

Iron Maiden『Powerslave』

Dio『The Last in Line』

は少年時代から古代エジプトに関する多くの書物を愛読しており、また関連するオブジェなども多く収集しているなど、研究者顔負けの究極の「古代エジプト・オタク」であった。その知識の博学さは、古代エジプトを研究する大学教授から手紙を受け取ったり、イギリスのフランダース・ペトリー・エジプト博物館で講演を頼まれたり、Nile のヨーロッパ・ツアーのオランダ公演にとある博物館の人がやってきて、Nile のアルバムを「エジプト文化の現代的な例」として扱い、展示で使用したことをお礼されるなど、オタクの域を超えている。Karl はそれでも決して学位を持っているわけでなく、古代エジプトへの探究作業は生涯を通じての趣味であると説明していて、大学でも歴史を専攻していたわけでもなく、コンピューター・プログラミングなどを学んでいたという。

　Karl のメタル・ミュージシャンとしてのキャリアは 1980 年代後期、Morriah といういうスラッシュメタル・バンドから本格的に始まった。同時期に Morbid Angel などが活動しており、彼らに大きな影響を受け、Karl は 1993 年に Nile を結成。Nile は古代エジプト文化をコンセプトに始動するにあたり、Morbid Angel から大きなインスピレー

ションを受けており、彼らの偉大さについては昔からあらゆる取材で語ってきた。デスメタルが芸術的な魅力を持ち始める前から、Morbid Angel は芸術性を追求することを探究し、そしてバンドとして商業的な成功を収めていく。そんな Morbid Angel の惜しみない努力を目の当たりにしたことが Karl がNile を通じ、徹底したコンセプトを追い求めるきっかけとなったに違いない。

SF 文学や幻想小説からも影響を受ける

　Nile がその楽曲、アルバム、サウンドで追求する「エジプト文化」は、十分な知識をもってしてデスメタル的にアプローチされており、Karl のエジプト以外の趣味であるホラー、SF 文学や幻想小説の神秘性からもインスピレーションを得て芸術性豊かに表現されている。この芸術性は、メタルという音楽が広く一般的に持つイメージによって課された境界線に挑戦し、それを打ち破るものとなったことは現在の Nile の知名度、立ち位置を見ても明確であり、唯一無二のバンドとして広く知れ渡ることになった大きな要素である。

　いくつか Karl のソングライティングに影響を与えた書物を挙げてみよう。H.P.

Wallis Budge　　　　Robert Ervin Howard　　　　Howard Phillips Lovecraft

Lovecraft の著『サルナスの滅亡』は Karl が熱狂的な SF、幻想・怪奇小説のコレクターであった父親から受け継いだ書物で、物語の不気味さ、恐怖感は Nile の楽曲に大きな影響を与えた。Nile がメタルに用いた H.P. Lovecraft の世界観は、現代のメタルコアやデスコアといった音楽にも頻繁に用いられており、多くのメタル・ミュージシャンから支持を集める作家の一人である。

　ラヴクラフトと同時代の作家 Robert E. Howard のクトゥルフ神話に関する書物や、エイリアンの力が人類とその運命を支配しているというラブクラフト的な物語を描いた Colin Wilson の『精神寄生体』、イギリス出身のオカルティストで儀式魔術師、更にはオカルト団体も主宰していたという作家 Aleister Crowley の驚くべき博識を散りばめつつタロットの謎を解明した『トートの書』や『法の書』に関しては、Karl が「そのままデスメタルの歌詞である」と断言するような書物とまでも言うほど、Nile の音楽とゆかりの深いものである。

　このような SF、幻想・怪奇小説からのインスピレーションと、それらと繋がりを持ちながら古代エジプト・アッシリア研究者として名高いウォーリス・バッジが執筆した『古代エジプトの魔術—生と死の秘儀』もフェイヴァリットに挙げている。こういった書物

の内容を見るに、Karl の世界観は古代エジプトをテーマとしながら、SF や幻想・怪奇小説の物語を巧みにクロスオーバーさせ、残忍でダークな古代エジプト文化の空想ストーリーのサウンド・トラックのようにして生み出されていると言えるかもしれない。Karl はアラブの春（2010 年から 2012 年にかけてアラブ世界において発生した大規模反政府デモを主とした騒乱の総称）が Nile にインスピレーションを与えるかについて 100% ないと発言していることからも分かるように、そこに政治的思想はなく、あくまで古代エジプトの世界観が好きなデスメタル・ミュージシャンなのである。

　デスメタルという音楽に古代文明や幻想世界の芸術性を本格的に取り入れ、デスメタルの芸術性を広く知らしめた Karl。テクニカル・デスメタルという高等技術を有するダークでアグレッシヴな音楽が、掛け合わさることで爆発的な化学反応を起こすような異なる文化が、まだ他にあるかもしれない。

グラヴィティ・ブラスト、スウィープ、タッピングの圧倒的破壊力！

Origin

🕐 1997 年　🌐 アメリカ・カンザス州トピーカ　👤 Paul Ryan, John Longstreth
🎤 Mæntra, Murder Construct, Unmerciful, Hate Eternal
🎵 Cryptopsy, Brain Drill, Archspire, Unmerciful, Desecravity
🎧 John のファストなドラミング、Paul のデスメタリックかつメロディアスなギターワーク
💬 宇宙、人間不信、死

　1990 年、カンザス州トピーカを拠点にギタリストの Paul Ryan と Jeremy Turner によって結成された。Necrotomy という名前を名乗り 3 年程活動を経た後、Thee Abomination へと改名。しかし、当時のスタイルは 2 人が求めていたサウンドを正確に捉えているとは言い難かったそうで、1997 年にベーシストの Clint Appelhanz とボーカリストの Mark Manning が加入。その後ドラマーの George Fluke が加入し、Origin へと再び改名。1998 年の EP 『A Coming into Existence』のリリース前には、Suffocation のオープニング・アクトを務めるチャンスを与えられたことで音源リリースよりも先に早くも話題となる。EP リリース後に開催された「Death Across America Tour」では Nile や Cryptopsy、Gorguts や Oppressor といったテクニカル・デスメタルのトップ・バンド達と共演したことで人気に火が付いた。

　2000 年にデビュー・アルバム『Origin』を Relapse Records からリリース。様々なフェスやヘッドライナー・ツアーを開催するなど、精力的なライブ活動には定評があった。セカンド・アルバム『Informis Infinitas Inhumanitas』からは、現在まで Origin のメンバーであるベーシスト Mike Flores が加入し、テクニカル度はグッと増していくこととなる。

　2005 年にサード・アルバム『Echoes of Decimation』をリリース。この頃、彼らはライブ活動に注力しており、フェスティバルを含む 52 日間のリリース・ツアーを敢行。2006 年には James King と Clint が脱退し、Origin と瓜二つとも言えるテクニカル・ブルータル・デスメタル・サウンドを鳴らす Unmerciful を

立ち上げるなど重大なメンバーチェンジがあったが、1999年から2003年まで在籍していたドラマー John Longstreth が Skinless などでの活動を経て Origin に復帰、オリジナル・メンバーの Jeremy もバンドに戻り、2008年にアルバム『Antithesis』をリリース。このアルバムは、Origin が現在まで続く独自性を最もエクストリームに表現することに成功した作品として広く知られており、2010年代以降のテクニカル・デスメタル勢へ多大な影響を与えた。

長きに渡りボーカルを務めた James Lee が脱退し、3ピースでアルバム『Entity』を発表。その後、ライブ映えするエネルギッシュなフロントマン Jason Keyser が加入し、Origin のライブ・パフォーマンスは異次元の領域へと突入。2014年には『Omnipresent』、2017年には『Unparalleled Universe』とハイペースでリリースを続け、Metal Hammer などといったメタルメディアで賞賛を浴び、大規模ツアーでその超絶技巧をファンに見せ、確固たる地位を確立。

2022年のアルバム『Chaosmos』も Paul、John、Mike、Jason の4人でレコーディングされており、トリプル・ボーカルを炸裂させ、音速を追い越すようなブラストビート、リフ、驚くべきフィンガーワークによって強烈な存在感を放つベースラインと不変の Origin サウンドを、さらにエクストリームに推し進めている。2024年にはデビュー・アルバムの収録曲である「Disease Called Man」を再録し、配信リリース。この曲を作曲してから25年という時間が経過し、メンバーも幾度と入れ替わってきたが、根底にあるものは何一つ変わっていない。2024年2月には Vader のヘッドライナーツアーに帯同、ライブ活動に精を出す日々を送っている。

Origin

🔵アメリカ / カンザス

Origin
🎧Relapse Records 💿2000

1997年トピーカにて結成。EP『A Coming into Existence』を経て Relapse Records と契約。ドラマー John Longstreth、ギタリスト Paul Ryan を中心に、後に Unmerciful などで活躍する Mark とギタリスト Jeremy、Cephalic Carnage などを経て加入したベーシスト Doug の5人で本作を制作。鋭いシンバルが閃光のように叩き込まれる細やかな楽曲構築、ゴリゴリとした暴虐性を持って放たれるチェーンソー・リフがリズミカルに展開。ハイピッチを織り交ぜたガテラル・ヴォイスも個性的だ。

Origin

🔵アメリカ / カンザス

Informis Infinitas Inhumanitas
🎧Relapse Records 💿2002

前作『Origin』からメンバーチェンジがあり、ボーカルには後に Pathology や Vile といったバンドで活躍する James Lee、Gorgasm でプレイし、現在まで Origin のメンバーとしてバンドを支えることになる Mike Flores が加入した。前のめりに爆速するブラストビートに乗って、テクニカルに刻まれる細やかなチェーンソー・リフが複雑怪奇に刻み込まれ、不穏なメロディワークも Origin サウンドの良いスパイスになっている。新メンバー達の存在感もしっかりと発揮されており、現在の Origin に通ずるスタイルをすでにこのアルバムで確立している。

Origin

🔵アメリカ / カンザス

Echoes of Decimation
🎧Relapse Records 💿2005

前作から3年を経て発表されたサード・アルバム。オリジナル・メンバーであったドラマーの John がバンドを一時離脱。Unmerciful で活躍していたドラマー James King とギタリスト Clint が加入している。ひとり残ったオリジナル・メンバー Paul 総指揮の下で制作された本作は、前作で確立した作風の延長線上にあり、ボーカル James のスキルアップが目覚ましく、バラエティ豊富なテクニックを駆使して奏でられる至極のリフワークの存在感に負けない暴虐性をまとい、たたみ掛けるように咆哮し続けていく。各々のスキルが炸裂、次のフェーズへと駆け上がった。

Origin
Antithesis
アメリカ / カンザス
Relapse Records　2008

3年振り4枚目フルレングス。オリジナル・メンバーだったドラマー John が復帰。ボーカル James と、既に名ギタリストとして定評を得ていたオリジナル・メンバーの Paul が揃い、歴代最強の布陣でレコーディングが行われた。炸裂するスウィープ&タッピングフレーズの嵐に味わい深いギターソロまで、アルバムの隅々にまで散りばめられた美しく激しいメロディの数々、底知れぬ破壊力で圧倒的存在感を放つリフのきめ細やかさに圧倒される。John の怪人ばりのドラムテクニックも迫力満点で、テクニカル・ブルータル・デスメタル・マスターとして本領発揮した名盤。

Origin
Entity
アメリカ / カンザス
Nuclear Blast　2011

Nuclear Blast へ移籍し発表された本作は、Origin にとってターニングポイントとなった。ボーカリスト James とギタリスト Jeremy が脱退し、Paul、Mike、John の3ピース体制でレコーディング。過去最高レベルにファストな楽曲が出揃っており、テクニカル・ブルータル・デスメタルのスタンダードなスタイルに、カオティックでファストな要素を組み込んだスタイルへと更に限界を追求。特にギターフレーズは超絶技巧の嵐で、キャッチーなグルーヴは薄れている。そこから見えてくるテクニカル・デスメタル・バンドとしての覚悟が感じられる。

Origin
Omnipresent
アメリカ / カンザス
Nuclear Blast / Agonia Records　2014

挑戦的な作風だった前作『Entity』。本作は Nuclear Blast に加え、ヨーロッパ流通をポーランドの Agonia Records が担当した。ボーカルに Skinless で活躍した Jason Keyser が加入。前作ほどの難解さは薄れ、Relapse Records 時代のサウンドへと回帰。グルーヴィな楽曲群は、引き出しの多い Paul のギターフレーズによって深みを増し、味わい深い仕上がりとなっている。前作で培った暴虐性は、Jason のラップのような巻き舌のガテラルと相まってキャッチーなヴァイブスを生み出しているのも印象的。ベテランとしての風格漂うアルバムだ。

Origin
Unparalleled Universe
アメリカ / カンザス
Nuclear Blast / Agonia Records　2017

3年振りのリリースとなった7枚目フルレングス。メンバーチェンジもなく、前作『Omnipresent』の延長線上にある作風となっている。Paul を中心にソングライティングからレコーディングが行われており、その模様は Nuclear Blast の YouTube チャンネルでも視聴する事が出来る。本作は Origin サウンドの基本に忠実でありながら、Origin にしか鳴らせない独創性を更に深く追求し、更にテクニカルにアップデートを遂げている。「Cascading Failures」や「Truthslayer」などライブでの盛り上がりを意識した楽曲は、様々なスタイルに挑戦した歴史の上に完成させられた名曲。

Origin
Chaosmos
アメリカ / カンザス
Nuclear Blast / Agonia Records　2022

5年振り通算8枚目フルレングス。やはりなんと言ってもドラマー John のプレイは独特で絶妙に揺れるリズムの妙も取り入れながら、細やかなシンバルワーク、時にソフトなタッチが光るスネアの存在感など、ドラムだけ聴いても素晴らしい。Paul のリフはブルータル・デスメタルやデスコアといったヘヴィ系ジャンルのトレンドとは逆をいくクラシックな仕上がりとなっている。「Ecophagy」は『Antithesis』以降の Origin らしい一曲で、心地良いクラシカルな雰囲気は、キャリアの積み重ねによって醸し出される貫禄だろう。圧倒的なブラストビートの上にスウィープを炸裂させる Origin らしさは健在。

ブルータリティ維持しながらメロディック・テクデスを切り開く！

Decrepit Birth

🕐 2001 年　🌐 アメリカ・カリフォルニア州サンタクルーズ　🎤 Matt Sotelo, Bill Robinson
🎸 Suffocation, Deprecated
🎵 Deeds of Flesh, Hour of Penance, Psycroptic, Spawn of Possession
⊚ 複雑な楽曲構成とメロディアスなリフの鮮やかなクロスオーバー
☻ 創造性、人類、死生観

　2001 年、カリフォルニア州サンタクルーズを拠点にギタリストの Matt Sotelo、ボーカリストの Bill Robinson、Suffocation で知られるベーシストの Derek Boyer を中心に活動をスタート。バンド名は抽象的な意味で付けられたが、「人類は進化し、自己の上に築き上げられ、古いやり方は忘れ去られていく」というメッセージが込められている。当初は 1990 年代初期のフロリダ・デスメタルの影響に、ブルータルさ、テクニカルさをミックスさせながら、2003 年までにライヴ活動を通じて評判を高めていき、デビュー作『...And Time Begins』を発表。

　デビュー・アルバムのリリース後、コンポーザーである Matt はバンドのブルータルさを削ぐことなく、よりメロディックなアプローチを組み込んだ楽曲制作を追求し始め、2008 年のアルバム『Diminishing Between Worlds』では、テクニカルかつメロディックなテクニカル・ブルータル・デスメタルへとスタイルをアップデートさせた。この頃、Joel Horner がベーシストとしてメンバーにラインナップにされているが、アルバムには参加しておらず、Matt がギターとベース、そしてキーボードも弾いている。

　続く『Polarity』は Nuclear Blast からリリースされ、バンドはオーバーグラウンドへと舵を進めていった。優秀なサポート・メンバーを入れながらライブ活動を継続したが、度重なるメンバーチェンジに加え、Matt がこの頃父親になった事をきっかけにしばしバンドは活動休止となった。メンバーはそれぞれに音楽活動は続けていたが、Bill は以前からホームレスとして生活することを自ら選んでおり、ツアー活動のない期間は

テントを張ってあちこち拠点を持たず生活していたという。単純に働きたくないから、寝ることにお金を使いたくないからという理由とのこと。

2017 年に『Axis Mundi』をリリース。ドラマー Samus、ベーシスト Sean が参加し、これまでの Decrepit Birth の集大成とも言えるサウンドで見事にシーンにカムバック。2018 年になって、はじめて北米のヘッドライナーツアーを敢行している。

2021 年 10 月にオリジナル・ボーカリストの Bill がバンド活動を長期休止することが発表され、代わりに Alterbeast などで活躍した Mac Smith がライブメンバーとして参加したが、2022 年 3 月には Bill は復帰を果たしている。

Decrepit Birth
...and Time Begins

◉アメリカ / カリフォルニア
🅐 Unique Leader Records ⏺ 2003

2001 年サンタクルーズで結成。ボーカリスト Bill Robinson、ギター / ボーカルの Matt Sotelo、ベース / ボーカルの Derek Boyer、Hate Eternal を脱退したばかりだったドラマー Tim Yeung の 4 人で本作をレコーディング。Suffocation からの強い影響を感じるそのサウンドは、タムを多用しながらメリハリのあるプレイが印象的なドラミングを軸に、竜巻のようにうねるリフ、自由なタッチでさりげない存在感を放つベースラインがバランス良く交錯。圧倒的な整合性の高さと徹底したブルータルさが異様なオーラを放つ衝撃的なデビュー・アルバム。

Decrepit Birth
Diminishing Between Worlds

◉アメリカ / カリフォルニア
🅐 Unique Leader Records ⏺ 2008

5 年振りのリリースとなったセカンド・アルバム。Tim と Derek が脱退。ドラマーには Odious Mortem に在籍した KC Howard が加わり、ゲスト・ギタリスト Matt がベースを兼任する形でレコーディングに参加、ミックス / マスタリングは Zack Ohren が手掛けている。前作で見せたブルータル・デスメタルの構築美はそのままに、Death や Cynic、Atheist を彷彿とさせるプログレッシヴなメロディック・フレーバーが大幅に増加。プログレッシヴ / メロディック・デスメタルとの親近性を感じさせ、Decrepit Birth のスタイルに新たな道筋を示した。

Decrepit Birth
Polarity

◉アメリカ / カリフォルニア
🅐 Nuclear Blast ⏺ 2010

2 年振りのリリースとなったサード・アルバム。KC Howard と共に Odious Mortem でベーシストとして活動していた Joel Horner が新たに加入。Matt と Zack Ohren がミックスを担当し、マスタリングは Jamal Ruhe が手掛ける。魅惑的なメロディの波が覆うようにしてテクニカル・デスメタルを色彩豊かに演出、ほのかに燻らせたオーケストレーションやアコースティック・ギターの音色も優美な雰囲気を盛り立てる。それでいてストロングなドラミングと轟然と繰り広げられる Bill のガテラルが不気味な影を落とす。比類なきメロディック・テクニカル・デスメタルを確立した快作。

Decrepit Birth
Axis Mundi

◉アメリカ / カリフォルニア
🅐 Nuclear Blast ⏺ 2017

7 年振りのリリースとなった 4 枚目フルレングス。本作からベーシストが元 Rings of Saturn の Sean Martinez に、そしてドラマーが元 Abigail Williams の Samus Paulicelli にスイッチしており、Stefano Morabito がミックス / マスタリングを担当している。前作で作り上げたメロディックなスタイルに初期のブルータルさをミックスさせたキャリアの集大成ともいうべき作品で、芳醇なオーケストレーションをまとった「The Sacred Geometry」はアルバムの中でも一際輝きを放つ。実験的なボーカルパートの作りも芸術性の高い作品に深みを与えている。

超絶技巧タッピングフレーズ動画でデスコアにまで衝撃を与える！

Brain Drill

🕐 2006 年　　🌐 アメリカ・カリフォルニア州サンタクルーズ　　👤 Dylan Ruskin
👥 Burn at the Stake, Darkside of Humanity, Vile
🎵 Origin, Viraemia, Rings of Saturn, Archspire
◎ ギター、ベースがユニゾンする高速タッピングフレーズ
💀 死、社会、ゴア、ハルマゲドン

　2006 年に Burn at the Stake というバンドに在籍していた Dylan Ruskin が、バンド解散をきっかけにサイド・プロジェクトとして Brain Drill を始動。その後、セッション・ドラマーを探していた Dylan は、当時 Vital Remains や Vile のライブ・メンバーだった Marco Pitruzzella を誘い、セッションをスタート。数ヶ月後にボーカリスト Steve Rathjen が加入し、Brain Drill はバンドとして歩みを始めた。

　デビュー EP『The Parasites』を Unfun Records からリリースした後、Steve に代わり Andre Cornejo が加入、ベーシストには後に Six Feet Under へ参加する腕利きのミュージシャン Jeff Hughell が加入し、ライブ活動を本格的にスタートするようになっていった。Andre はすぐに脱退してしまったが、Steve が復帰することになった。2006 年の 8 月に彼らの拠点であるカリフォルニア州サンタクルーズのライブ会場で行われた Andre 在籍時のデビュー・ライヴの映像がファンによって 2023 年に公開され、彼らの登場がいかにシーンにとって衝撃であったかを感じることが出来る。

　Brain Drill の凄まじいテクニックは『The Parasites』リリース後、ライブや YouTube を通じてすぐに話題となった。彼らの噂はどんどんと広まり、2007 年には Cannibal Corpse の Alex Webster の紹介で、大手メタルレーベル Metal Blade Records と契約を果たす事となった。2008 年にデビュー・アルバム『Apocalyptic Feasting』をリリースすると、その圧倒的なスピードと驚愕のタッピングフレーズが見事に融合したサウンドでさらに注目を集め、知名度をワールドワイドに拡大。この頃には Cannibal Corpse や Dying Fetus、

Necrophagist、The Black Dahlia Murder、Animosity といったあらゆるメタル・シーンのトップバンドらと共演を果たしている。その後、ベーシストとして後に Deeds of Flesh や Arkaik へ加入する Ivan Munguia、ドラマーとして Inanimate Existence 結成前だった Ron Casey が加入し、2009 年にはセカンド・アルバム『Quantum Catastrophe』を完成させ、翌年発売した。

シングル「Monumental Failure」はアルバムのリードトラックとしてプロモーションに用いられ、またミュージックビデオになった「Beyond Bludgeoned」は彼らの超絶技巧パフォーマンスを広めるのに大きな役割を担った。2010 年はテクニカル / エクスペリメンタルなデスコアがトレンドでもあったことから、メタルシーンを飛び出し、Brain Drill を評価するリスナーもどんどんと増えていった。

大規模なツアーなどは行われず、定期的にライブを行いながらマイペースな活動を展開していた Brain Drill だったが、2015 年に Dylan 以外のメンバーが脱退。一時は活動休止状態となったが、Decrepit Birth などで活躍したドラマー Alex Bent と Atheist のライブ・ボーカリストだった Travis Morgan が加入し、3 ピース体制で再び動き出した。

『Boundless Obscenity』は自主制作でリリース。そのサウンドは変化することなく、これまで以上にシャープな音像でコンパクトにまとめられた Brain Drill の純粋な暴虐性を味わうことが出来る作品で、多くのファンは彼らの復活を喜んだが、その後目立った活動はなく、2019 年には解散を発表した。

Brain Drill
Apocalyptic Feasting

◎アメリカ / カリフォルニア
🅰 Metal Blade Records ◎ 2008

2006 年サンタクルーズで結成。ギタリスト Dylan Ruskin、Six Feet Under や Rings of Saturn での活躍で知られるベーシスト Jeff Hughell、Jeff と親交があり、同じく Six Feet Under で活躍したドラマー Marco Pitruzzella、ボーカリスト Steve を中心に制作をスタートさせた。満天の星空の如く詰め込まれたタッピングによるメロディのスターダスト、それらを彩るようにきめ細かく叩き込まれる至極のドラミングは聴くものを圧倒する。世界最高峰のテクニックをメタル・シーンに見せつけ、衝撃を与えたデビュー・アルバム。

Brain Drill
Quantum Catastrophe

◎アメリカ / カリフォルニア
🅰 Metal Blade Records ◎ 2010

新メンバーに Arkaik、Flesh Consumed、Rings of Saturn などで活躍したドラマー Ron Casey、同じく Arkaik でプレイし、Deeds of Flesh、Odious Mortem などテクニカル系からデスコアまでこなす凄腕ベーシスト Ivan Munguia が加入。リフのヘヴィさよりも、ギター / ベースのユニゾン・メロディにフォーカスした作品となっており、耳馴染みの良さよりも、テクニカルなフレーズを炸裂させることに重きを置いた Brain Drill の独自性が際立った作品に仕上がっている。とどまることを知らない創造性はファンの大きな期待を軽々と超えていった。

Brain Drill
Boundless Obscenity

◎アメリカ / カリフォルニア
🅰 Independent ◎ 2016

Metal Blade Records を離れ、自主制作したサード・アルバム。Dylan 以外のメンバーが脱退。新たに Trivium を始め、Arkaik や Decrepit Birth、Rings of Saturn などで活躍したドラマー Alex Bent とボーカリスト Travis が加入。Dylan がベースを兼任する形でレコーディングが行われ、Zack Ohren がエンジニアリングを担当している。これまでリリースしたアルバムに比べ、やや落ち着いた印象を持つが、各パートのスキルは終始圧倒的で、そこにドラマ性が加わったことで迫力を何倍にも増すことに成功している。

Abnormality
Contaminating the Hive Mind

◉アメリカ／マサチューセッツ
🅐 Severed Records ◎ 2012

2005 年マールボロで結成。本作は女性ボーカリスト Mallika Sundaramurthy、ギタリストの Jeremy Henry と Ben Durgin、ベーシスト Josh Staples、ドラマー Jay Blaisdell の 5 人体制でレコーディングされている。Mallika のグロウルはウェットでダーティな耳触りで強烈なインパクトを放っており「Fabrication of the Enemy」ではマシーンのように叩き込まれるドラミングに負けない存在感を放っている。Dying Fetus を彷彿とさせるフックが、高速で繰り広げられるビートに食らいついていくエネルギッシュなデビュー作。

Abnormality
Sociopathic Constructs

◉アメリカ／マサチューセッツ
🅐 Metal Blade Records ◎ 2019

2016 年にセカンド・アルバム『Mechanisms of Omniscience』を発表。およそ 3 年振りのリリースとなった本作は彼／彼女らのサード・アルバムで最後の作品となった。Cryptopsy の『None So Vile』を Abnormality なりに再構築したかのような作りで、予想不可能な展開をひたすら繰り返しながら、異次元のグルーヴを徐々に盛り立てていく。特に「A Catastrophic and Catalyzing Event」や「A Seething Perversion」におけるブラストビートの揺れ感は独特で心地良い。残念ながら 2020 年に解散を発表した。

ゲーム業界でも知られる Abnormality のボーカリスト Mallika

Mallika Sundaramurthy

2020 年、15 年間の活動に終止符を打った Abnormality。紅一点ボーカリスト Mallika Sundaramurthy は、刺々しいガテラリストであり、華のあるパフォーマンスでバンドの中心人物として活躍した。彼女は Abnormality 解散後もデスメタル・シーンにおり、女性メンバーのみで Emasculator というバンドを結成。このバンドでは歌詞の恐ろしさと激しさを通して、世界中の女性たちが日々直面している問題や闘い、特に女性の権利が大きく遅れている世界各地の問題を提起。女性に対する暴力、レイプや殺人の事例を数え切れないほど研究し、憎しみや否定的な考えをすべてデスメタルの歌詞に変換し世に放った。2022 年からは Unfathomable Ruination にボーカリストとして正式に加入。私生活でも Epicardiectomy の Serge Gordeev と結婚しており、夫婦で Ultimate Massacre Productions を運営するなど、筋金入りのデスメタル人生を今も歩んでいる。

デスメタル一筋と言わんばかりのキャリアを持つ彼女だが、実は、ビデオゲーム業界のプロのグラフィック・アーティストとしても知られており、「Rock Band」などの大ヒット・ゲームにも関わっている。いわゆる「Guitar Hero」のような音楽ゲームである「Rock Band」シリーズには Abnormality の「Visions」も収録されている。その後、グラフィック・アーティストとして Techona という会社で働いた後、独立。シュルレアリスムな作風を生かしたダーク・ファンタジーな作品を描いている。グラフィック、そしてデスメタル。レーベル運営にゲーム開発、そして母親でもある Mallika。誠実で勤勉な彼女のクリエイティヴな仕事は、これからも多くのリスナーを楽しませてくれるだろう。

Allegaeon
📍アメリカ / コロラド
Fragments of Form and Function 🅐 Metal Blade Records 🅒 2010

2006 年に結成された Allegiance を母体とし、2008 年から Allegaeon へ改名している。ギタリストの Greg Burgess を中心に、ボーカリスト Ezra Haynes、ギタリスト Ryan Glisan、ベーシスト Corey Archuleta、ドラマー Jordon Belfast の 5 人体制で活動をスタート。Dave Otero をプロデューサーに起用した本作は、血管が千切れる程の熱量を持った疾走感のあるメロディック・スタイルで幕を開けると、テクニカルフレーズ満載のリード・トラック「Biomech」を挟みながら、エンディングまで駆け抜けていく。

Allegaeon
📍アメリカ / コロラド
Formshifter 🅐 Metal Blade Records 🅒 2012

Jordan が脱退、ゲスト・ドラマーに John Paul Andrade を迎えてレコーディングした本作は、As I Lay Dying や Winds of Plague などメタルコアを得意とするプロデューサー Daniel Castleman をエンジニアとして起用している。メロディック・デスメタルをベースに、煌めきながら疾走する Greg と Ryan のギターソロをふんだんに盛り込んだテクニカル・サウンドが終始炸裂。ライブの熱気が目に浮かぶキラーチューン「A Path Disclosed」や「Iconic Images」など、Allegaeon を代表する楽曲がずらりと並んだ快作。

Allegaeon
📍アメリカ / コロラド
Elements of the Infinite 🅐 Metal Blade Records 🅒 2014

コンスタントにリリースを続ける Allegaeon であったが、Greg と共にサウンドの根幹を担ってきた Ryan が脱退。本作から新たにギタリスト Michael Stancel が加入、さらに正規ドラマーとして Brandon Park が参加している。Dave Otero をエンジニアとして起用した本作は、オーケストレーションを手掛ける Joe Ferris の尽力もあり、これまでのアグレッシヴな熱血テクニカル・メロディック・デスメタルから若干テンポダウンしたスケールの大きな楽曲が増加。先行シングルとして発表された「1.618」は、格段にレベルアップした Allegaeon の世界観をパーフェクトに表現。

Allegaeon
📍アメリカ / コロラド
Proponent for Sentience 🅐 Metal Blade Records 🅒 2016

Ezra が脱退、新たに Inanimate Existence で活躍した Riley McShane が加入。前作と同様 Dave Otero がエンジニアリング、Joe Ferris がオーケストレーションを手掛けた。アルバムの幕開けを飾る「Proponent for Sentience I - The Conception」からも分かるように、初期のファストで熱気溢れるスタイルからは脱却、オーケストレーションを交えながら持ち前のテクニカル・スタイルを駆使したメロディック・デスメタルへと進化を遂げている。ツアーにフェス、精力的なライブ活動もこなしていくきっかけになった出世作。

Allegaeon
📍アメリカ / コロラド
Apoptosis 🅐 Metal Blade Records 🅒 2019

長らくバンドを支えてきた Corey が脱退、新たに Brandon Michael が加入。Allegaeon 第 6、7 メンバーとも言える Dave、Joe も参加し磐石の布陣で挑んだ本作は、「Apoptosis（細胞死）」というダークなアルバム・タイトルを掲げ、初期のパッションを思い起こさせるどす黒いエナジーに溢れた仕上がりとなっている。火の粉を撒き散らしながら繰り広げられるリード・トラック「Metaphobia」をはじめ、ガットギター奏者 Christina Sandsengen とのコラボ曲「Colors of the Currents」などアルバム全体を通じ、味わい深さが増している。

Allegaeon
📍アメリカ / コロラド

Damnum 🅐 Metal Blade Records 🕒 2022

結成からコンスタントにリリースを続ける彼らの 6 枚目のスタジオ・アルバム。新たにドラマーとして Aversed や Unflesh で知られる Jeff Saltzman が加入。長らくAllegaeon サウンドの可能性を拡大してきたゲスト・ミュージシャン Joe は参加しておらず、純粋にバンド・アンサンブルで勝負した作品になっている。程良くテクニカルでありながら、クリーン・ボーカルを組み込み、話題となった先行シングル「Into Embers」や、持ち前のメロディックフレーズを惜しげもなく注ぎ込んだ「Vermin」など、メインストリーム・メタルのトップシーンで勝負出来る完璧なメタル・アルバムを完成させた。

Alterbeast
📍アメリカ / カリフォルニア

Immortal 🅐 Unique Leader Records 🕒 2014

2010 年サクラメントにて Gary Busey Amber Alert として結成。その後 2013 年に改名し、ギタリストの Andrew Lamb を中心に、本作からボーカル Cam、ギタリスト Rusty、ベーシスト Michael、Decrepit Birth や Obscura、The Faceless のライブ・ドラマーで知られるドラマー Gabe の 5 人体制で制作がスタート。メロディック・デスメタルをベースにしつつ、タッピング・フレーズがどっさりとブレンドされたテクニカル・パートが終始炸裂。熱くほとばしる Cam のハイピッチ気味のボーカルも Alterbeast に上手くフィットしている。

Alterbeast
📍アメリカ / カリフォルニア

Feast 🅐 Unique Leader Records 🕒 2018

Andrew 以外のメンバーが脱退し、新たに Flub のメンバーで Equipoise のライブ・メンバーとして知られるボーカリスト Michael Alvarez ひとりを正規メンバーに加え、ゲスト・ドラマーに Trivium の Alex Bent が参加する形でレコーディングが行われた。Andrew がベースを兼任、前作に続き Zack Ohren がエンジニアリングを担当している。Alterbeast の持ち味とも言えるドラマ性は健在、メロディック・デスメタル、そしてブラックメタルをも飲み込み、自身の世界観に投影。様々なジャンルのファンから高評価を得た 1 枚となっている。

Anomalous
📍アメリカ / カリフォルニア

Ohmnivalent 🅐 Brutal Bands 🕒 2011

2001 年サンフランシスコで結成。Ontogeny のギタリスト Max、ボーカル / ドラム・プログラミング Tim、ベーシスト Nate によって活動をスタート。2006 年にEP『Cognitive Dissonance』を経て、2010 年に Six Feet Under や The Faceless、Brain Drill などでの活躍で知られるドラマー Marco Pitruzzella が加入したことをきっかけに、本作のレコーディングがスタート。流麗なギターソロにタッピング・フレーズが、マス / プログレッシヴに展開する複雑怪奇なテクニカル・サウンドにねっとりとまとわりついていく。時折 Djent な雰囲気も。

Arkaik
📍アメリカ / カリフォルニア

Existential Chaos 🅐 Independent 🕒 2007

2004 年リバーサイドで結成。ボーカル Jared Christianson を中心に、Deeds of Flesh のギタリスト Craig Peters、ドラマー Keith Roylance、ギタリスト Justin とChance の 5 人体制で本格的に始動。EP『The Divine Manifestation』を経て発表された本作は、Alterbeast などに代表されるメロディック・デスメタルのドラマ性を持ちながらも、暴虐的に叩き込まれるドラミングに絡みつくようなギターリフがラウドに響く。ここから始まっていく Arkaik の躍進において重要なポイントとなったデビュー作。

Arkaik
📍アメリカ / カリフォルニア

Reflections Within Dissonance
🅤Unique Leader Records　⊙2010

Justin に代わり、Annihilated や Flesh Consumed に在籍していたことで知られる
ベーシスト Eric Cohen が加入。Unique Leader Records との契約を果たし、プロ
デューサーに Samur Khouja を起用しレコーディングを行った。ぐっと整合感を増
したサウンドからは、前作では感じることに出来なかったプログレッシヴ・メタル
の美的感覚が随所に感じられるようになった。Craig のきめ細やかなリフワークは
Arkaik サウンドの肝となっており、じわじわと展開していく面白さに耳を奪われる
ような、フレッシュな魅力がたっぷりと詰まった作品に仕上がっている。

Arkaik
📍アメリカ / カリフォルニア

Metamorphignition
🅤Unique Leader Records　⊙2012

本作からベーシストに Deeds of Flesh や Brain Drill、Suffokate などを渡り歩いて
きた重鎮 Ivan Munguia、Brain Drill や Monumental Torment に在籍し、Decrepit
Birth のライブ・ドラマーとして活躍する当時弱冠 19 歳だった Alex Bent が加入。
プログレッシヴさに磨きをかけ、変幻自在にテンポチェンジを繰り返す楽曲が目立
つようになった。初期に得意としていたドラマ性は薄れ、暴虐なテクニカル・スタ
イルへと姿を変え、話題となった。バンドを次のフェーズへと推し進めるきっかけ
となった、Arkaik のターニングポイント的な 1 枚。

Arkaik
📍アメリカ / カリフォルニア

Lucid Dawn
🅤Unique Leader Records　⊙2015

前作『Metamorphignition』以降、Unique Leader Records が企画する大規模ツアー
や各国のメタルフェスティバルに出演。レーベルを代表するバンドの一つへと成長
した。本作から Craig が Deeds of Flesh に専念する為に脱退した為、ギタリスト
には Aenimus などで活躍する Greg Paulson と、Suffokate の Miguel Esparza が加
入した。引き締まったサウンドからは初期のドラマ性が再び感じられるようになり、
濃厚なメロディを持つプログレッシヴなギター・フレーズも味わい深い。派手さは
なくとも、しっかりとコクのある作品に仕上がっている。

Arkaik
📍アメリカ / カリフォルニア

Nemethia
🅤Unique Leader Records　⊙2017

本作から正規メンバーが Jared と Greg の 2 名となり、Greg がギターとベース
のプログラミングを兼任する形で制作が行われた。ゲスト・ドラマーには The
Kennedy Veil の Gabe を起用、さらにギターのソロパートには元メンバーの Craig
Peters、Burning the Masses の Arde、Psycroptic の Joe が参加している。これま
で培ってきた Arkaik サウンドの全てを注ぎ込んだとも言える程、綿密に構成され
た各パートを、老練の技術を注ぎ込みパッケージしたような作品と言えるだろう。
Arkaik のブルータルな魅力を見事に引き出した 1 枚。

Arkaik
📍アメリカ / カリフォルニア

Labyrinth of Hungry Ghosts
🅐The Artisan Era　⊙2022

The Artisan Era へと移籍、Greg が脱退し、新たにドラマーとして Singularity や
Alterbeast で活躍した Nathan Bigelow、過去に Arkaik でライブ・ギタリストを担
当した経歴のある Alex Haddad が加入。ゲスト・ベーシストに Inferi の Malcolm
Pugh を招き、録音された。前作の延長線上にあるスタイルであるが、迫力に
磨きがかかり、プログレッシヴでありながらブルータルな仕上がりとなってい
る。「To Summon Amoria」ではヴァイオリン、フルート奏者をフィーチャー、
Necrophagist を彷彿とさせるサウンド・デザインに挑戦した。

Burning Inside
📍アメリカ / フロリダ

Apparition　　🅰 Crash Music　🅾 2001

1995 年ミズーリ州スプリングフィールドで結成。後に本場フロリダへと拠点を移し、1999 年にデビュー作『The Eve of the Entities』を発表。本作は、ベース / ボーカル Jamie Prim、ギタリストの Steve Childers と Michael Estes、キーボードを兼任するドラマー Richard Christy の 4 人で録音された。ドカドカと疾走し続けるドラミングに、覆い被さるようにして刻み込まれていくブラッケンド・スタイルのリフがもっさりと重々しい。プログレッシヴとはまた違ったトリッキーな構築美も魅力の一つ。Steve は 2016 年に、Michael は 2020 年に死去。

Capharnaum
📍アメリカ / フロリダ

Reality Only Fantasized　　🅰 Independent　🅾 1997

1993 年コネチカットで結成。その後はバンド活動の本格化に伴い、フロリダへと拠点を移していく。本作はボーカリスト Tony、メタルコアやデスコアの名プロデューサーとして知られるギタリストの Jason Suecof と Ryan、ベーシスト Shawn、Jason の兄弟であり、後に Infinity の名でポップ・ミュージックの名プロデューサーとなるドラムの Jordan の 5 人で制作された。Nocturnus の影響下にあるスタイルで、オールドスクール・デスメタルにシンフォニックなオーケストレーション、そして強烈な輝きを放つヒロイックなギターソロを詰め込んだ。1997 年の作品とは思えない完成度を誇る。

Capharnaum
📍アメリカ / フロリダ

Fractured　　🅰 Willowtip Records　🅾 2004

1999 年に活動休止。2003 年には Suecof 兄弟を中心にメンバーが集められ、ボーカリストに Trivium の Matt Heafy、当時 Martyr、Gorguts と渡り歩いていたギタリスト Daniel Mongrain、Monstrosity のベーシスト Michael Poggione が加入し、5 人体制で制作された。前作の延長線上にあるメロディックなテクニカル・デスメタルは、各パートの著名ミュージシャン達の個性が色濃く反映されており、その技術を味わうだけでも聴く価値がある。Daniel と Jason のギターのコンビネーションはこのアルバムの鍵となる、驚くべきアイデアに満ち溢れている。

Cattle Decapitation
📍アメリカ / カリフォルニア

Homovore　　🅰 Three One G Records　🅾 2000

1996 年サンディエゴで結成。ドラマー Dave Astor、ギタリスト Gabe Serbian、ギター / ボーカル Scott Miller の 3 ピース体制で活動をスタート。反動物虐待・反環境破壊を掲げたデモ、EP で脚光を浴びると、Three One G Records と契約を果たしアルバム『Human Jerky』をリリース。続く本作はグラインドコアからデスメタルへと傾倒しながらテクニカルなフレーズが顔を覗かせ始めている。複雑怪奇な転調をところどころに配し、血生臭いデスメタリックなリフが渦巻きながら、非人間的なガテラルを炸裂させる。Gabe は本作後に脱退、2022 年に自殺。

Cattle Decapitation
📍アメリカ / カリフォルニア

To Serve Man　　🅰 Metal Blade Records　🅾 2002

Metal Blade Records へと移籍。これに伴い Dave、Travis 以外のメンバーが入れ替わり、ギタリスト Josh Elmore、ベーシスト Troy Oftedal が加入し 4 人体制となった彼らは Juan Urteaga をプロデューサーに迎え、本作のレコーディングを行った。力技で叩き込まれ続けるドラミングが生み出す不気味さ、よりユニークに刻み込まれるリフとデモニックなギターソロは彼らのゴア志向を表現している。レイプ犯を去勢することを歌った「Testicular Manslaughter」で幕を開け、ホラー映画『Chunk Blower』を歌ったエンディングまで生臭いデスメタルが炸裂。

Cattle Decapitation
アメリカ / カリフォルニア
Humanure
Metal Blade Records 2004

唯一のオリジナルメンバーであった Dave が脱退し、Travis 主導のバンドへ活動へ舵を切ることになったバンドには、新たにドラマー Michael Laughlin が加入。Bill Metoyer をプロデューサーに迎え、制作をスタートさせた。『Humanure = 家畜の堆肥』と名付けられたアルバムは、牛の肛門からどろどろに腐敗した人間の破片が垂れ流れている強烈なアートワークで、彼らが何を歌うかを視覚的にシーンに訴えた。現在まで続く Cattle Decapitation の独自性が表現されはじめた作品であり、メランコリックな旋律を導入し、ドラマティックかつカオティックなフレーズが鮮やかに交差する。

Cattle Decapitation
アメリカ / カリフォルニア
Karma.Bloody.Karma
Metal Blade Records 2006

2005 年にはピットブルがボーカルを勤めた犬のメタル・バンド Caninus とスプリット EP を発表。反人間中心主義思想はすっかりバンドのメインテーマとしてユニークな形で表現されるようになっていった。『Karma.Bloody.Karma（Karma= 不合理だと思ってもやってしまう宿命的な行為）』と名付けられた本作は、物悲しい響きと、強烈なグロウル・ヴォイスを轟かせながら疾走。デス・グラインドと呼ばれることにも納得なスピードと転調も非常に練られており、Cattle Decapitation らしさを決定付けるデスメタル・アルバムとして話題となった。

Cattle Decapitation
アメリカ / カリフォルニア
The Harvest Floor
Metal Blade Records 2009

Cattle Decapitation がテクニカル・デスメタル・バンドとして認知されるのに最も寄与したアルバム。チリ出身のドラマー David McGraw が新たに加入したことは、バンドの創造性がグッと高まっていたことに大きく影響している。人間が食肉加工工場へ連行されるかのようなアートワークもリリース前から大きな波紋を呼んだ。Travis のガテラルはもはや人間の叫びには聴こえず、動物的な何かの怨念のような塊にも思えるような、ゾッとする恐怖感を帯びており、アルバム全体をグッと引き締める。チェロの音色までも組み込み、悲哀に満ちた深みのあるメロディがテクニカルに展開する快作。

Cattle Decapitation
アメリカ / カリフォルニア
Monolith of Inhumanity
Metal Blade Records 2012

バンドの中で最も人気の高いアルバム。本作からベーシスト Derek Engemann が加入。『Monolith of Inhumanity（残酷な一枚岩）』と題されたアルバムのアートワークには廃棄物の山に突き刺さる一枚岩、それに破壊される人間とゴリラがミックスされたゾンビが描かれている。初期はユニークなものとして受け取られていた彼らの環境への眼差しはこの頃からシリアスなものへと変わっていった。ノイズ・ミュージシャン John Wiese がアンビエンスを担当、Dave Otero によるエンジニアリングも本作における彼らの驚くべき創造性を表現するのに大きな影響をもたらしている。

Cattle Decapitation
アメリカ / カリフォルニア
The Anthropocene Extinction
Metal Blade Records 2015

大きな反響をもたらした『Monolith of Inhumanity』から 3 年振りのリリースとなった本作は『The Anthropocene Extinction（人類が絶滅した時代）』と題され、岸辺に打ち上げられた人間の死体の腹部からプラスチックのゴミが溢れ出ている。Dave Otero とのタッグにより、スポークンワードの導入やバンドの持つ芸術性の表現技巧が格段にレベルアップしており、テクニカル・フレーズはもちろんであるが、全体をまとうアトモスフィアの特異性には終始驚かされる。リード曲「Clandestine Ways（Krokodil Rot）」の MV は必見。

Cattle Decapitation
アメリカ / カリフォルニア
Death Atlas — Metal Blade Records — 2019

初期のアニマルライツ思想から次第に環境問題へも言及し始めた Cattle Decapitation。本作からセカンド・ギタリスト Belisario Dimuzio が加入し、5 人体制となっている。『Death Atlas』のアートワークやコンセプトからは血肉や死体といったものは消え、絶望から来る地球の滅亡などに言及する楽曲などが散見されるようになってきた。バンドの圧倒的な個性とも言える Travis のボーカルも、大々的にクリーンパートが武器となっている楽曲が軸になっている。リリース後にはコロナ・パンデミックに陥った社会を描いた「Bring Back the Plague」の MV も公開され、話題に。

Cattle Decapitation
アメリカ / カリフォルニア
Terrasite — Metal Blade Records — 2023

アルバム・タイトルの『Terrasite』は "terra-"（ラテン語 = "earth"）+ "-sitos"（ギリシャ語 = "food"）の造語で、アルバム・カバーにも登場する地球を喰らうクリーチャーを意味する。環境への負荷を続けてきた人間が荒廃した世界にこの姿で転生し、いよいよ地球を滅ぼす存在として悪行の限りを尽くすというコンセプトのもと制作が行われた。また 2022 年に亡くなった Gabe Serbian へのトリビュートの意も込められている。『Death Atlas』よりはマイルドな仕上がりではあるものの、細部に至るまでこだわり抜かれたテクニカル・サウンドはキャリアを重ね、ここまで進化した。

Cognitive
アメリカ / ニュージャージー
Cognitive — Pathologically Explicit Recordings — 2014

2011 年ジョブスタウンにて結成。Waking the Cadaver を脱退したばかりだったギタリスト Rob Wharton を中心に、ボーカリスト Scheenier、Amorphic Form のギタリスト Jake、ベーシスト Pate、ドラマー Mike の 5 人体制で活動をスタート。自主制作 EP『The Horrid Swarm』を経てリリースされたデビュー・アルバムとなる本作から Burial in the Sky のボーカル Jorel、ベーシスト Art にスウィッチしている。強烈なグロウルのインパクトもさることながら、予測不能の展開を続けるブルータルなテクニカル・サウンドが素晴らしい。

Cognitive
アメリカ / ニュージャージー
Deformity — Unique Leader Records — 2016

新たに Unique Leader Records と契約してリリースされた本作から Frost Giant や Depletion で活躍したベーシスト Ian、同じく Depletion に在籍し、Blasphemous や Kill the Evidence といったバンドでギターを務めた Harry が加入。マス・フレーバーがふわりと香る予想不可能な展開美はそのまま、エグみを増したブルータルなリフ、デスメタリックなギターソロがドラマティックに楽曲を彩る。リードトラック「Birthing the Deformity」は Cognitive らしさがたっぷりと詰まった一曲で、ミュージックビデオにもなっている。

Cognitive
アメリカ / ニュージャージー
Matricide — Unique Leader Records — 2018

2 年振りのリリースとなったサード・アルバム。本作からドラマーに Frost Giant、Fully Consumed、Insatanity、Omnihility などで活躍したドラマー Armen、Proletariat で活躍したボーカリスト Shane が加入。前任ボーカリストの Jorel と同じく、ハイとローを巧みに使いこなす Shane のボーカルが上手く Cognitive サウンドにフィットしており、全体的にスピードアップした印象があり、エネルギッシュ。新加入の Armen がバンド・サウンドにもたらした影響は大きく、知名度拡大に繋がったターニングポイント的アルバム。

Cognitive
●アメリカ / ニュージャージー

Malevolent Thoughts of a Hastened Extinction ● Unique Leader Records ● 2021

3 年振りのリリースとなった 4 枚目フルレングス。またもメンバーチェンジがあ
り、The Kennedy Veil、Dismal、Burn the Empire に在籍した経歴を持つベーシス
ト Tyler、前作でレコーディングエンジニアを務め、Ophidius、Total Ruination で
活躍したドラマー AJ が加入している。これまで Cognitive サウンドの武器だった
マス要素は薄れ、テクニカル・デスメタルのダイナミズムを純粋に追求した作風に
なっている。先行シングルとしてリリースされた「Eniac」「From the Depths」は
新加入のメンバーの個性も出た良曲。

Continuum
●アメリカ / カリフォルニア

Designed Obsolescence ● Unique Leader Records ● 2019

2009 年カリフォルニアを拠点にデスメタル・シーンのカリスマ達によって結成さ
れた。ドラムは Son of Aurelius の Spencer、ギタリストは Decrepit Birth で活躍
した Chase と、Arkaik、Deeds of Flesh、Brain Drill などを渡り歩いてきた Ivan、
ボーカルは Inanimate Existence などに在籍した Riley が務め、ベースは Flesh
Consumed の Nick という布陣で構成されている。そのサウンドは言うまでもなく
完璧なテクニカル・ブルータル・デスメタルであり、各パートの個性が光る素晴ら
しい作品となっている。

Covenance
●アメリカ / メリーランド

The Wasting ● Galy Records ● 2007

2005 年アナポリスで結成。本作は彼らが解散する直前にリリースしたセカンド EP
で、Dying Fetus のドラマー Trey Williams と元 Dying Fetus のギタリストで 2022
年に死去した Bruce Greig、Cattle Decapitation や Unmerciful での活躍で知られ
るベーシスト Derek Engemann、後に Visceral Disgorge へ加入するボーカリスト
Eric Little という豪華なラインナップで制作された。ほのかに叙情的なメロディを
燻らせつつ、ハードコアのダンサブルなリフワークを要にテクニカルなグルーヴを
炸裂させていく。

Crown Magnetar
●アメリカ / コロラド

The Codex of Flesh ● Independent ● 2021

2016 年コロラド・スプリングスで結成。本作は 2018 年の EP『The Prophet of
Disgust』を経て、コアなデスコア・リスナーから支持を集めた。カルト的な人気
が高まる中でリリースされ、レーベル未契約で発表されたもののクオリティは世
界トップクラスと言えるだろう。卓越されたテクニックから繰り出される音速の
ドラミングには度肝を抜かれること間違いなし。Infant Annihilator や Ophidian I な
ど、様々なジャンルに人間離れしたドラマーがいるが、Crown Magnetar の Byron
London のプレイには誰もが衝撃を受けるはずだ。

Crown Magnetar
●アメリカ / コロラド

Everything Bleeds ● Unique Leader Records ● 2023

デスコア・シーンから登場し、その枠を超えていく超絶技巧が大きな話題となり、
Unique Leader Records との契約を果たした Crown Magnetar。アルバムリリース
に先駆けて公開されたシングル「The Level Beneath」では、2020 年代のデスコア・
ムーヴメントのトレンドと言えるブラッケンド・スタイルにテクニカルな要素を加
え、ジャンルの可能性を拡大。スッキリとしたサウンド・プロダクションによって
クリアに浮き彫りとなる各ミュージシャンの卓越したスキルに、思わず聴き惚れて
しまう。デスコアとテクニカル・デスメタルの新たな架け橋となる存在としてグロー
バルな人気が高まっている。

Darkside of Humanity
Brace for Tragedy
●アメリカ / カリフォルニア　◎ Independent　○ 2022

Sleep Terror、Six Feet Under など 20 を超えるバンドでドラムを務める Marco Pitruzzella と、同じく Six Feet Under に在籍し、Brain Drill や Rings of Saturn でも活躍したギタリスト Jeff Hughell、元 Severed Savior のボーカリスト Dusty Boisjolie というアンダーグラウンド・スーパースターらによるデビュー作。火炎放射器のように放たれるギターのタッピングの嵐、ベース、ピアノを兼任する Jeff がグルーヴィなデスメタルの上で発狂するかのように己のサウンドを炸裂させる。ユニークで飽きない展開は流石だ。

Demonicon
Bloodlust
●アメリカ / ミネソタ　◎ The Root of All Evil Records　○ 2003

1998 年ミネアポリスにてスタート。1993 年から活動していた Dominion が母体となっており、改名する形で始まった。2001 年にデビュー・アルバム『Condemned Creation』をリリース、本作は彼らのセカンド・アルバムで、ボーカリスト Brandon、ギター / ボーカル Brian、元 Anal Blast のギタリスト Anthony、ベーシスト Patrick、ドラマー Corey で制作された。あばら骨が浮き出るほどの息づかいで残虐なガテラルを繰り広げる Brandon のボーカルはもちろん、複雑怪奇なリフは Demonicon のブルータルさを限界まで加速させる。

Destroying the Devoid
Paramnesia
●アメリカ / カリフォルニア　◎ Unique Leader Records　○ 2016

2014 年、バーバンク在住で Deeds of Flesh、Arkaik のギタリストとして知られる Craig Peters のソロ・プロジェクトとして始動。2013 年に Arkaik を脱退し、同年 Deeds of Flesh として『Portals to Canaan』を発表したのち、自身の湧き上がるクリエイティビティを発揮する為に Destroying the Devoid が立ち上がった。Craig が全ての演奏、そしてボーカルも担当している本作は、ストリングスを盛り込みながらも、デスメタリックなギター・ソロ主体の仕上がりとなっており、彼のテクニックをたっぷりと味わうことが出来る。

Dismal Lapse
Eon Fragmentation
●アメリカ / カリフォルニア　◎ Deepsend Records　○ 2009

2001 年サクラメントで結成。当時は Bled という名前を名乗っていたが、2008 年に発表した EP『The Nameless Faceless』をきっかけに Dismal Lapse へと改名している。Flesh Consumed に在籍していた Chris Barnum がドラム / ボーカルを担当し、Mucus Membrane の Tom Persons がギター、Jason Brehm が多弦ベースを務めるトリオ編成で、本作が彼らの唯一のアルバムである。微細に蠢くベースラインのうねりに呼応するかのようなギターのリフもそれぞれに聴きどころが役割分担された構成で、聴くたびに発見が得られる味わい深さがある。

Divine Heresy
Bleed the Fifth
●アメリカ / カリフォルニア　◎ Roadrunner Records　○ 2007

2005 年ロサンゼルスを拠点に Fear Factory で活躍するギタリスト Dino Cazares を中心に結成。その後、Hate Eternal や Morbid Angel で活躍したドラマー Tim Yeung、Bad Wolves のボーカルとして知られる Tommy Vext が参加し、本格スタート。多彩なゲストと共に作り上げた本作は、Fear Factory を彷彿とさせるインダストリアルなサウンド・デザインが施されているものの、Tim のファストなドラミングがそれをテクニカルに響かせる。2009 年にアルバム『Bringer of Plagues』を発表するも、現在は活動がストップしている。

Equipoise
Demiurgus

⦿アメリカ／ペンシルバニア
🌀 The Artisan Era ⦿ 2019

2015年ピッツバーグにて結成。Beyond Creation のフレットレス・ベーシスト Hugo、Inferi などに在籍し Obscura のライブ・ボーカリストを務めた経歴もある Stevie、ドラム・プログラミングからギター、ソングライティングを担当する Nick Padovani を中心に、本作までにキーボーディスト Jimmy、ドラマー Chason、Wormhole のギタリスト Sanjay が加入し、レコーディングが行われた。スペーシーでありながらネオクラシカルな響きを随所に差し込んだ上品な仕上がりで、プログレッシヴという言葉が持つ意味を拡大させるほど斬新なサウンド・メイキングで話題を呼んだ。

Equipoise インタビュー

新しい時代を担うテクニカル・デスメタルの凄腕ミュージシャンが集まる Equipoise。バンドの歴史から、彼らが所属するレーベル The Artisan Era についても聞いてみた。

Q：こんにちは！　まず初めに、Equipoise について、自己紹介と現在のメンバー、そしてバイオグラフィーを教えてください。

A：インタビューをしてくれて、本当にありがとう！　とても光栄だよ。俺は Nick Padovan で、バンドの創設者だよ。2015年8月、大学在学中に友人の Zack とギターでジャムっていた時に Equipoise を始めたんだ。彼とジャムっていた音楽が次第に気に入って、最終的にフルバンドになって、今に至るって感じかな。現在のラインナップはこんな感じだよ。ソングライティングとギターは Nick Padovani（Virulent Depravity, Kossuth, Ex-Distention）と Sanjay Kumar（Wormhole, Inferi, Greylotus）、

ボーカルと歌詞を書いているのが Stevie Boiser（Inferi, Tethys, Ex-Ashen Horde, Ex-Vale of Pnath, Ex-Dissonance in Design）、ベーシストは Hugo Doyon-Karout（Beyond Creation, Brought By Pain）、キーボードは Jimmy Pitts（Eynomia, Final Strike, NorthTale, The Fractured Dimension）、そしてドラムは KC Brand（Illucinus, The Odious Construct, The Ritual Aura）という布陣になっているよ。Equipoise は読者の皆さんもご存知のバンドメンバーが参加しているんだ。

Q：Equipoise というバンド名はユニークですよね。その由来と、バンドの誰がその案を思いついたのか教えてください。

A：このバンド名は、友人の Avanti が決めるのを手伝ってくれたんだ。

Q：前述の通り、Equipoise の現在のメンバー構成はとても印象的です。彼らとはどうやって知り合ったのですか？

A：多かれ少なかれ、最初は好きなバンドのメンバーに声をかけたんだ。最悪なのは断られることで勇気が必要だった。ベストなのは興味を持ってくれることだと思っていたんだけど、ありがたいことに後者だったので、感謝してもしきれないね。

Q：Equipoise は 2019 年にアルバム『Demiurgus』を The Artisan Era からリリースしましたよね。多くのリスナーが

Equipoise の登場に驚き、革新的なサウンドに引き込まれていきました。まずは曲作りについて。このアルバムの曲をどのように制作したのか教えていただけますか？

A：このアルバムに収録されている代表的な楽曲「Waking Divinity」は、オリジナル・ギタリストの Zack Hohn が最初の数小節を書いてくれたんだ。残りは俺が詰めていき完成した楽曲で、Equipoise の最初のバンド的ソングライティングだった。ありがたいことに、この曲はバンドで最も人気のある曲に成長したんだ。それ以外の曲作りは俺が担当したよ。ギター、ベースのほとんど、キーボードのアレンジの多くを書き、ドラムを構成していった。今の体制になってからは、Sanjay と俺が半分ずつ曲を書いていて、俺はあまりコントロールせず、信頼しているミュージシャンたちに任せるようにしているよ。

Q：『Demiurgus』のレコーディング・プロセスについてお聞きします。アルバムはどのようにレコーディングされたのですか？　誰かのスタジオで録音したのですか？　それとも自宅などで録音したのですか？　また、どのような機材を使ったのかも知りたいです。

A：このアルバムの全ての楽曲は、自分達の家でレコーディングしたよ！　インターネットと音楽機器の進歩は確かに素晴らしいものだと思う。Guitar Pro や DAW のおかげで、とても簡単に情報を送ることが出来て、制作はとてもスムーズに進んだんだ。機材に関しては、みんなインターフェイスを使い、The Artisan Era の共同運営者であり、Inferi、Enfold Darkness などに在籍したギタリスト Mike Low のスタジオで自分たちのトーンをリアンプしてもらったよ。彼はエンジニアとしての才能も豊かで、The Artisan Era 周辺のバンドのレコーディングに携わり、音作り、プロデュース、レコーディングのエンジニアリングからミックス、マスタリングまで何でも出来る。彼はこの周

辺シーンの制作における重要人物だと思うよ。

Q：Equipoise はペンシルバニア州ピッツバーグを拠点としていますよね。地元のシーンはいかがですか？　テクニカル・デスメタルのシーンと呼べるものはありますか？

A：エリアにおけるシーンというよりは、やはり The Artisan Era というシーンとでも言うべきものはあり、The Artisan Era 所属バンドは大好きだし、仲間のように感じているよ。ピッツバーグには俺らの他にテクニカル・デスメタルのバンドが 1 つあって、それは Victims of Contagion だよ。EP しかリリースしてないけど、彼らはクールな人たちで、かなりテクニックも優れたミュージシャンだよ。

Q：テクニカルなサウンドを奏でるには多くの練習が必要ですが、Equipoise のメンバーは普段どのような練習をしているのでしょうか？　Equipoise のメンバーは普段何を練習していて、あなたのような良いテクニックを身につけるためには何を練習すべきだと思いますか？

A：正直に言うと、俺はバンドメンバーの中では練習をサボっている方なんだ。練習というよりソングライティングへの比重が高いからだと思う。そして、他のメンバーや、The Artisan Era のメンバー、その他多くのテクニカル・デスメタルのミュージシャン達がどのような練習をしているのか、まったくわからないんだ。そういう知恵を共有するということはほとんどなく、みんな一人一人、その人にあった方法で練習を重ね、極めているのだと思う。俺らのギタリストである Sanjay がウォームアップやドリル練習をしているのは知っているよ。あのテクニックはドリル練習によって維持されていると感じる。他のメンバーもかなり練習しているが、それをひけらかすようなことをしないんだ。

Entheos
📍アメリカ / カリフォルニア
Time Will Take Us All
🅐 Metal Blade Records 🄯 2023

大手メタル・レーベル Metal Blade Records へ移籍してリリースされたサード・アルバム。正式メンバーは Navene と Chaney の 2 人だけになったが、Fallujah のベーシスト Evan Brewer がレコーディングに参加（Navene がドラムとギターを兼任している）、エンジニアリングは Navene と Zack によって行われている。生々しい弦楽器のオーガニックな響きがタイトなドラミングと華麗にグルーヴを生み出しながら、トレードマークと言うべき Chaney のボーカルが Entheos の独創性を立ち上がらせる。多種多様なメタル・リスナーを唸らせる魅力を持つ快作だ。

Eschaton
📍アメリカ / マサチューセッツ
Sentinel Apocalypse
🅐 Unique Leader Records 🄯 2015

2006 年ローウェルにて Deeds of Flesh や Arsis で活躍したドラマー Darren Cesca を中心に結成。2010 年にデビュー EP『Wake of the Ophidian』のリリースを経て、ボーカリスト Jason Viteri、ギタリストの Joshua Berry と Jared の 4 人体制で本作のレコーディングをスタート。ブルータリティ溢れるサウンドは、ぶつ切りしたリズムが痙攣を起こしたかのように展開。Darren が中心人物だけあって、超絶ドラミングを肝としたテクニカル・スタイルで、Eschaton のオリジナリティを見事に表現している。

Flub
📍アメリカ / カリフォルニア
Flub
🅐 The Artisan Era 🄯 2019

2013 年サクラメントにて結成。Equipoise のライブ・メンバーでもあるボーカリスト Michael Alvarez、Vale of Pnath などで活躍したギタリスト Eloy Montes、Rivers of Nihil 他、カリフォルニアのデスメタル・シーンで存在感を放つドラマー Jared Klein を中心に活動がスタート。シングル /EP のリリースを続けながら、ベーシスト Matthew が加入し、体制が整う。幻想的な世界観を想起させるアートワークをそのままサウンドへ落とし込んだかのように、メロディアスなツインリードとオーケストレーションが印象的なテクニカル・デスメタルをプレイしている。

Gutsaw
📍アメリカ / カリフォルニア
All Lives Splatter
🅐 Independent 🄯 2022

2003 年コロナで結成されたベテランであるが、2004 年にリリースしたデビュー・アルバム『Progression of Decay』以来アルバムのリリースはなく、本作は 2018 年振りに発表されたセカンド・アルバムとなる。オリジナル・メンバーであるベース / ボーカル David とギター / ボーカル Necro に加え、Vampire Squid のドラマー Mark Rivas が加わり、レコーディングされた。ツインボーカルで絶え間なくガテラルを掛け合いながら、テクニカル・デスグラインドとも言うべきサウンドを爆速で繰り広げていく。時折挟み込まれるバウンシーなフレーズもフックが利いている。

Hate Eternal
📍アメリカ / フロリダ
Conquering the Throne
🅐 Wicked World Records 🄯 1999

1997 年タンパで結成。1996 年まで Morbid Angel に在籍していたギタリスト Erik Rutan が、自身が在籍していた Ripping Corpse の楽曲名をバンド名に使用。メンバーに Suffocation に在籍していたギタリスト Doug Cerrito、ベーシスト Jared Anderson、ドラマー Tim Yeung を迎え制作された。Morbid Angel をさらにブルータルに、そしてテクニカルにしたようなスタイルで、アクセルを限界まで踏み込み突進。支配的なチェーンソーリフはファストでありながらしっかりとグルーヴを生み出し、Hate Eternal の鍵となる存在感を放っている。

Hate Eternal
King of All Kings
🔴アメリカ / フロリダ
🅐 Earache Records 🅒 2002

3年振りのリリースとなったセカンド・アルバム。Tim, Doug が脱退。新たに
Malevolent Creation のドラマーとして活躍していた Derek Roddy を迎え、3ピー
ス体制でレコーディングが行われた。Eric がミックス / マスタリングまでを手掛け、
その録音にほとんど編集を加えなかったと豪語する本作は、生々しくその暴虐性を
真空パックしたかのような作品に仕上がっている。大気圏に突入し、灰になる寸
前まで上昇した真っ赤なエネルギーをエンディングまでキープ。驚異的なカオス・
サウンドを超人的なテクニックで演出する。本作リリース後に脱退した Jared は、
2004年自宅で睡眠中に死去。

Hate Eternal
I, Monarch
🔴アメリカ / フロリダ
🅐 Earache Records 🅒 2005

3年振りのリリースとなったサード・アルバム。2004年に不慮の事故で死去した
Jared の後任には、Gigan のギター / ボーカルを担当した Randy Piro がベーシスト
として加入。スピードを限界まで追求し、カオスの渦とも言うべきサウンドを鳴ら
した前作と比べれば、本作はトリオ編成によって各パートがくっきりとミックスさ
れている。不協和音が随所に散りばめられており、それが楽曲の肝として機能した
タイトル曲「I, Monarch」のエンディング・パートは Hate Eternal の新たな方向性
を示した。ボーカル・スタイルもバラエティに富んだ掛け合いが増え、様々な挑戦
が垣間見える。

Hate Eternal
Fury & Flames
🔴アメリカ / フロリダ
🅐 Metal Blade Records 🅒 2008

Eric 以外のメンバーが脱退し、新たに Ripping Corpse で活躍し、Dim Mak のギタ
リストとして新たなキャリアを積んでいた Shaune Kelley、Hate Eternal のドラム・
プレイスルー動画を投稿したことがきっかけで加入したドラマー Jade Simonetto
が加わり、Cannibal Corpse の Alex をゲスト・ベーシストに迎え、レコーディン
グが行われた。Eric と Shaune のコンビネーションはひたすらブルータルで、前作
から新たな魅力として登場した不協和音のリフも、深く微細な働きをしている。そ
して何より Jade の機械のような正確なドラミングが圧倒的。

Hate Eternal
Phoenix Amongst the Ashes
🔴アメリカ / フロリダ
🅐 Metal Blade Records 🅒 2011

3年間隔でリリースを続ける彼らの5枚目フルレングス。弱冠23歳ながら驚愕の
ドラミングで注目を集めた Jade と Erik、そして前作で不在だった正規のベーシス
トとして Divine Rapture の J.J. Hrubovcak が加入し、再びトリオ編成でレコーディ
ングに挑んだ。狂ったような凶暴性を全面に押し出した初期の Hate Eternal と、
不協和音を交え始めた前2作の Hate Eternal がバランス良くミックスされており、
加えて J.J. の加入もギターリフとの親和性が非常に高く、自然に馴染んでいる。
『Fury & Flames』の延長線上にありながら、また違った魅力を放つ作品。

Hate Eternal
Infernus
🔴アメリカ / フロリダ
🅐 Season of Mist 🅒 2015

4年振りのリリースとなった6枚目フルレングス。前2作でドラムを務めた Jade
が脱退し、新たに Chason Westmoreland がドラマーとして加入。Chason は後に
The Faceless、Equipoise と新世代テクニカル・デスメタル・バンドを渡り歩いて
いく人物で、元々デスコア・バンド Oceano のメンバーだった。Hate Eternal 最大
の魅力であるスピードは健在、そして J.J. の波打つようなベースラインが強いア
クセントとなり、鮮烈な魅力となって発揮されている。ブラックメタルにも接近す
るような青みがかった真っ黒なエモーションを爆発させ、しっかりと整合感のある
カオスが渦巻いている。

Hate Eternal
📍アメリカ / フロリダ

Upon Desolate Sands
Season of Mist ● 2018

7枚目フルレングス。本作では新たに Necrophagist、Obscura と渡り歩き Alkaloid に在籍していたドラマー Hannes Grossmann が加わり、レコーディングが行われた。Hannes のドラミングは Hate Eternal の伝統的なスタイルであるスピードを重視しつつも、細かく調整されたディテールの良さで立体感を生み出し、Erik、J.J. のコンビネーションに奥行きを持たせる。前作で見せたメロディアスな魅力もさりげなく引き出されており、全体的に荘厳な響きが漂っている。沸き続ける創作意欲、深く果てしないテクニカル・デスメタルの可能性を探り続ける貪欲さが感じられる。

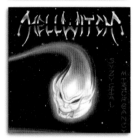

Hellwitch
📍アメリカ / フロリダ

Syzygial Miscreancy
Wild Rags Records ● 1990

1984 年フォートローダーデールで結成。本作はギター / ボーカルの Pat Ranieri、ベーシスト Tommy Buckley、ドラマー Joe Schnessel のトリオ編成でレコーディングされ、Scott Burns がエンジニアリングを担当した。これぞフロリダと言うべき「Thrash to Death」なサウンドをベースに、音数豊かな技巧が映えるスラッシーかつアヴァンギャルドなリフワーク、その狂人的なリフに合わせて獣性的にドカドカと叩き込むドラミングがカオスの渦を生み出していく。テンポの良さやコンセプト、そういったものを無視し、ただ溢れ出る奔放なエナジーに身を委ねたくなる快作かつ怪作。

Hellwitch
📍アメリカ / フロリダ

Omnipotent Convocation
Xtreem Music ● 2009

1998 年に一度解散したものの 2004 年に復活。前後に EP のリリースはあったものの、本作は 2019 年振りのリリースとなったセカンド・アルバム。Pat、Joe に加え、いずれもデビュー作発表後に加入していたベース / ボーカル Craig Shattuck、ギタリスト J.P. Brown の 4 人体制で制作、プロデュースは Jeremy Staska が担当した。伝統的なスタイルは健在で、高速スラッシュに傾倒しているものの、ねじれるリズムと火を噴くギターソロが邪悪な Pat のハイトーン・シャウトと共に止まることなく炸裂。本作発表後は 2017 年にシングル・リリースするなどマイペースであったが動き続けていた。

Hellwitch
📍アメリカ / フロリダ

Annihilational Intercention
Listenable Records ● 2023

2019 年振りのアルバムとなった『Omnipotent Convocation』から 2014 年。本作は Pat、J.P. に加え、当時 26 歳のドラマー Brian Wilson を迎えトリオ編成で制作され、地元のプロデューサー Jeremy Staska と共にレコーディングを行った。デスメタルの進化に抗うかのように、自身のスタイルを全く崩すことなく、神秘性の高いクラシックなテクニカル・デスメタルをプレイ。オープニングを飾る「Solipsistic Immortality」から壮絶なテンポチェンジを炸裂させ、誰もがどのようなエンディングを迎えるのか予想不可能なスリルを味わうことが出来る。Pat のボーカルも健在。

Inanimate Existence
📍アメリカ / カリフォルニア

Liberation Through Hearing
Unique Leader Records ● 2012

2011 年ベイエリアで結成。前年に Flesh Consumed を脱退したドラマー Ron Casey とボーカル Cameron Porras を中心に、ギタリストの Joel と Ian、当時 Ominous Ruin にも在籍していたベーシスト Mitch Yoesle の 5 人体制で活動をスタートさせた。本作は Zack Ohren がプロデュースを担当し、2016 年に死去したデザイナー Alex Colon がアートワークを手掛けている。冷ややかでミステリアスなメロディによって演出されるプログレッシヴな世界観と、無慈悲なブルータリティが大胆なコントラストで描かれた衝撃的なデビュー作。

Inanimate Existence
A Never-Ending Cycle of Atonement
◎アメリカ / カリフォルニア　🅐Unique Leader Records ⏱2014

Ian と Mitch が脱退、Joel と Cameron がギターとベースを兼任する形でレコーディングが行われ、新たにボーカリスト Riley McShane が加入している。クラリネット / フルート奏者である Steve Marshall やクラシカルな歌声が魅力の女性シンガー Kaitlyn をフィーチャーするなど、プロデューサー Zack Ohren によって、持ち前のブルータルさに加え、エレガントなプログレッシヴ・スタイルなテイストも含んだ高級感のある仕上がりになっている。リード・トラック「The Rune of Destruction」は、彼らの挑戦を余すことなく堪能できる 1 曲。

Inanimate Existence
Calling from a Dream
◎アメリカ / カリフォルニア　🅐Unique Leader Records ⏱2016

Riley McShane が脱退（その後 Allegaeon、Continuum へ加入）、当時 The Kennedy Veil に在籍していたシンガー Taylor Wientjes、Desecrion からベーシスト Scott Bradley が加入し制作された本作は、これまでの Inanimate Existence から大きく変化。アルバムのタイトル・トラック「Calling from A Dream」では、プログレッシヴ・メタルだけでなく、プログレッシヴ・ロックのエッセンスまでも取り込み、圧倒的な個性で唯一無二のスタイルを確立している。計り知れない彼らの創造性に大きな注目が集まった作品。

Inanimate Existence
Underneath a Melting Sky
◎アメリカ / カリフォルニア　🅐The Artisan Era ⏱2017

The Artisan Era へと移籍、前作から僅か 1 年でリリースされた本作は、シンガー Taylor が脱退した穴を Cameron と Scott が埋めており、3 ピース体制で制作された。本作は『Calling from a Dream』の延長線上にあり、多種多様なプログレッシヴなルーツをブルータルなテクニカル・デスメタルに惜しみなく注ぎ込んでいく。タイトル・トラック「Underneath a Melting Sky」は、一瞬の気の緩みも許さない緊張感が漂っており、素朴なオーケストレーションが沁みるように楽曲に馴染んでいる。印象的なアートワークは Justin Abraham によるもの。

Inanimate Existence
Clockwork
◎アメリカ / カリフォルニア　🅐The Artisan Era ⏱2019

コンスタントにアルバムリリースを続ける Inanimate Existence。Ron、Cameron、Scott というがっちりと安定したメンバーラインナップに加え、彼らのコンセプトを司るアートワーカー Justin、そして長きに渡り制作を手掛ける Zack Ohren との慣れ親しんだ共同作業がハイペースでリリースを続けられる要因の 1 つと言えるのかもしれない。スピーディに叩き込まれるドラミングの上を柔らかく優雅に舞うクラシカルなギター。大きな変化はないが、Inanimate Existence らしさをしっかりと誇示。強固なファンから高い支持を得た。

Inanimate Existence
The Masquerade
◎アメリカ / カリフォルニア　🅐The Artisan Era ⏱2022

3 年振りのリリースとなった 6 枚目フルレングス。メンバーチェンジもなく、アートワーカー、エンジニア共に前作から同じ布陣で量産体制に入った Inanimate Existence。インスピレーションの泉がこんこんと湧き出す彼らの創作は、ブルータルな小技であるブラストビートとガテラルが良いエッセンスになっている。First Fragment を彷彿とさせるネオクラシカルなギターソロをたっぷりと組み込み、どこか「テクニカル & プログレッシヴ組曲」のような上品さが感じられる。「Into the Underworld」は彼らの魅力を端的に表現したフックの利いたキラーチューン。

Inferi
Divinity in War

○アメリカ / テネシー
Ⓐ Independent ○ 2007

2005 年ナッシュビルで結成。元々 Death Looks Promising というバンドで活動し
ていたメンバーを中心に、ギタリストの Malcolm Pugh と Chris Brocius、ベース
/ ボーカルの Josh Harrell、ドラマー Eric W. Brown の 4 人で活動をスタート。デ
ビュー・アルバムとなる本作は、糸を引くように粘っこいメロディアスなリフが、
ファストなビートに絡みつきながらドラマティックに展開。まだまだ荒削りなとこ
ろも散見されるが、既に Inferi らしさを確立していると言えるだろう。オンライン
ベースで活動していたこともあり、フィジカルは CD-R で限定 50 枚のみ販売。

Inferi
The End of an Era

○アメリカ / テネシー
Ⓐ Independent ○ 2009

ベーシスト Nevin O'Hearn が加入し、Josh がボーカリストへとパートチェン
ジ。ゲストには Swashbuckle や Helcaraxë のシンガー Pat Henry、当時 Enfold
Darkness に在籍していた Mike Low と Matt Brown が参加しており、ミックス /
マスタリングは重鎮 Zack Ohren が手掛けている。シンフォニックなアレンジに
よって増強された Inferi のエレガントなドラマ性がしっかりと引き出された作風
で、各パートの技巧もパワーアップしている。2019 年には『The End of an Era |
Rebirth』として再録盤が発売された。

Inferi
The Path of Apotheosis

○アメリカ / テネシー
Ⓐ The Artisan Era ○ 2014

The Artisan Era の第 2 弾リリースとして発売された本作は、5 年のブランクを経て
完成させられた彼らの意欲作。Enfold Darkness のギター / ボーカル Mike Low と
ドラマー Jack Blackburn が正式加入、多彩なゲストを迎え、Malcom と Mike によっ
てプロデュースされている。卓越されたテクニックによって華麗にプレイされるテ
クニカルな技巧の数々、Xanthochroid の Matthew Earl が担当したオーケストレー
ションにより奥ゆかしさを増したサウンドは、映画のようなスリリングな展開も見
せながら色彩豊かに繰り広げられる。

Inferi
Revenant

○アメリカ / テネシー
Ⓐ The Artisan Era ○ 2018

Adelaide、Animality と渡り歩いてきたボーカリスト Sam Schneider、Virulent
Depravity で Malcom らと共に制作した経歴を持つベーシスト Joel Schwallier が新
たに加入。これまでアルバム毎にオーケストレーションを増強してきた彼ら、本作
では Malcom がオーケストレーションを担当し、躍動するギタープレイを支えるよ
うな形で Inferi サウンドを優しく形造る。収録曲「Behold the Bearer of Light」で
は The Black Dahlia Murder の Trevor をフィーチャー、キートラックとして存在感
を放っている。

Inferi
Vile Genesis

○アメリカ / テネシー
Ⓐ The Artisan Era ○ 2021

Malcom、Mike 以外のメンバーが脱退。新たに Vale of Pnath、Equipoise に在籍
してきたボーカリスト Stevie、韓国系アメリカ人ベーシスト Andrew、ドラマー
Spencer が加入。自身でプロデュースを行うことが増えてきていた Inferi であるが、
本作はプロデューサーに Allegaeon などを手掛けてきた Dave Otero を起用。彼ら
の武器と言えるギターソロはクラシカルな響きもみせ、トップレベルのバンド達に
も引けを取らない技巧レベルまで到達している。MV にもなっている「Heirs of the
Descent」は、彼らの現在地を示したキラーチューン。

Isolation in Infamy
🔵アメリカ / カリフォルニア

Isolation in Infamy
🔵Independent 🔵2011

2006 年チャッツワースにて結成。後に Enfold Darkness や Abysmal Dawn で活躍するボーカル / ギタリスト Andy Nelson を中心に、Aparia のギタリスト Shadi Absi とベーシスト Chris Audish、ドラマー Tim の 4 人で活動をスタートさせた。本作は Isolation in Infamy が残した唯一の作品で、インスト含む全 6 曲で構成されている。ダイナミックでクセになるリフが力強く楽曲を牽引し続け、荒々しくもセンスを感じる。Andy はバンド分裂後、Abysmal Dawn などでさらに洗練されたプレイを続けた。

Katholik
🔵アメリカ / カリフォルニア

Entropic Evolution
🔵Amputated Vein Records 🔵2023

2019 年サクラメントで結成。ボーカリスト Andrew Courtwright、Wastewalker のギタリスト Joel Barrera、Arkaik のライブ・メンバーという経歴を持つベーシスト Curtis Rielley、Hexalter のドラマー Mitchell Bauder の 4 人体制をとり、これがデビュー・アルバム。Andrew 以外は元々 Wurm Flesh で活動を共にしており、息のあったグルーヴがずっしりとした安定感を醸し出す。隙間なく詰め込まれたデモニックな雰囲気溢れるリフは休むことなく刻まれ続け、ほとんどスピードダウンすることなくテクニカルに、そしてファストに疾走し続けていく。

Lecherous Nocturne
🔵アメリカ / サウスカロライナ

Adoration of the Blade
🔵Deepsend Records 🔵2006

1997 年グリーンビルで結成。ギタリストの Kreishloff を中心に、ボーカリスト Jason Hohenstein、ギター / ボーカル Chris Lollis、ベーシスト Michael Poggione の 4 人に加え、ゲスト・ドラマーに Nile の Dallas Toler-Wade を迎え、レコーディングが行われた。Deicide や Cannibal Corpse といったデスメタルの暴虐性を持ち、Nile に象徴されるような高等技術をもってして鳴らされるサウンドは、蛆虫の如くうねうねと蠢くリフ、グルーヴを無視して怪力で叩き込まれるドラミングがカオスを生み出し、聴くものを圧倒する。

Lecherous Nocturne
🔵アメリカ / サウスカロライナ

The Age of Miracles Has Passed
🔵Unique Leader Records 🔵2008

2 年振りのリリースとなったセカンド・アルバム。本作からドラマーに Jeremy Salvo が加入。Chris は Nile にベーシストとして加入しながらも、Lecherous Nocturne での活動ペースは落とさなかった。デスメタリックなダイナミズムは健在ながら、メリハリの利いたサウンド・プロダクションによって、Jeremy のブラストビートと Michael の多弦ベースによるプレイがうねるようにしてグルーヴを生み出していく。「Edict of Worms」から「The Age of Miracles Has Passed」の流れにおける残忍さは近寄り難い雰囲気さえ漂わせている。

Lecherous Nocturne
🔵アメリカ / サウスカロライナ

Behold Almighty Doctrine
🔵Unique Leader Records 🔵2013

5 年振りのリリースとなったサード・アルバム。本作では新たにギタリスト Ethan Lane、Cesspool of Vermin や Atrocious Abnormality で活躍するベーシスト James O'Neal、ドラマー Alex Lancia がラインナップされている。ブラックメタル・バンドで活躍した新メンバーの影響だろうか、Immolation を彷彿とさせるダークな野蛮さに溢れたサウンド・プロダクションがおどろおどろしさを醸し出している。闇より深く真っ黒なイントロ・アウトロの響きも、彼らのサウンドをより不気味に感じさせてくれる要素になっている。

Lecherous Nocturne
📍アメリカ / サウスカロライナ
Occultaclysmic
🔊 Willowtip Records　📀 2018

5年振りのリリースとなった4枚目フルレングス。新たにボーカリストとして
Helgardh に在籍する Josh Crouse が加入。Willowtip Records へと移籍してリリー
スされた本作は、前作に引き続き Jarrett Pritchard がエンジニアリングを担当して
いる。他のテクニカル・デスメタルとは逆を行く残虐性を全面に押し出したサウン
ドは、制御不能に陥った暴走列車の如く、爆音で駆け抜けていく。邪悪なデスメタ
ルの霧の中に鳴る Kreishloff のギターは物悲しさもあり、聴くたびに違った表情を
見せてくれる。エンディングの「Planet of the Crossing」は圧巻。

Malignancy
📍アメリカ / ニューヨーク
Intrauterine Cannibalism
🔊 United Guttural Records　📀 1999

1992年ヨンカーズで結成。本作は、Mortician でギターを務める Roger J. Beaujard
がドラマーとしてラインナップされており、同じく Mortician からベーシスト
Desmond Tolhurst、ボーカリスト Danny Nelson、ギタリスト Ron Kachnic の4人
で録音された。地鳴りのような強烈なローで攻めるリフは Mortician に近い質感で
もっさりと畳み掛けてくる。絶妙にテンポチェンジしながら、休みなく叩き込むド
ラミングがグルーヴを支配し、ハードコアとの親近性を見せながら展開。ほとんど
怪獣と言うべきグロウルも時折ハイピッチ・ヴォイスでブルータルだ。

Malignancy
📍アメリカ / ニューヨーク
Inhuman Grotesqueries
🔊 Willowtip Records　📀 2007

8年振りとなったセカンド・アルバム。本作からドラマーが Mike Heller、ベーシ
ストが1990年代に Malignancy にギタリストとして参加した経歴のある Lance
Snyder にスウィッチ。Mike はドラム・ティーチャーとして Origin の John や
Aborted の Ken、Whitechapel の Kevin を教えていた経歴を持つ凄腕ドラマーで、
隙あればトリッキーな小技を捻じ込み、驚くべきテクニックを披露してくれる。崩
壊寸前まで加速するブラストビートに食らいつく狂気的なベースラインとノイジー
なリフは聴くものの脳髄を破壊し、鼓膜を破るほどのパワーを持つ。

Malignancy
📍アメリカ / ニューヨーク
Eugenics
🔊 Willowtip Records　📀 2012

5年振りのリリースとなったサード・アルバム。前作からメンバー・ラインナップ
に変更はないものの、驚くべき進化を遂げたサウンド・プロダクションで各
パートのテクニックが浮き彫りとなり、驚くべき超絶技巧を味わい尽くすことが出
来る作品に仕上がった。Mike のスネアはミッドピッチよりもやや低い音色に設定
され、全体的にタムにフォーカスして叩き込まれているのが印象的。Ron のギター
サウンドは、変わらずブルータルでピッキングハーモニクスなどのアクセントを多
用。悪魔的な Danny のガテラルが獣のように唸ったり、引き裂かれるように絶叫
したりと強烈だ。Mike はこの年 Fear Factory に加入。

Mordant Rapture
📍アメリカ / カリフォルニア
The Abnegation
🔊 The Artisan Era　📀 2018

2013年サンノゼで結成。ボーカリスト Rodrigo、ギタリストの Kent と Ben によっ
て活動がスタート。デビュー EP となる本作は、ゲスト・ドラマーに Darko US や
Emmure、Spite などで活躍するデスコア・シーンのカリスマ Josh Miller を迎え、
レコーディングされた。メロディック・デスメタルやシンフォニック・メタルの荘
厳なサウンド・デザインをテクニカルにプレイ。ネオクラシカルな旋律がドラマ
ティックに Mordant Rapture の世界観を演出してくれる。2019年にはベーシスト
Walter、ドラマー Nick が加入し、また少しずつ歩み出したところだ。

Monstrosity
Imperial Doom ○アメリカ / フロリダ ⚪ Nuclear Blast ⚪ 1992

1990 年フォートローダーデールで結成。本作は Malevolent Creation に在籍していたドラマー Lee Harrison、ベーシスト Mark Van Erp、ギタリスト Jon Rubin の 3 名と Cannibal Corpse 加入前の George "Corpsegrinder" Fisher がボーカリストとして参加し、4 人体制でレコーディングされている。フロリダ・デスメタルの伝統に忠実でありながら、Suffocation を彷彿とさせるテクニカルなフレーズを組み込んだようなスタイルで、獣的な Corpsegrinder の咆哮が幾度も幾度も殴りつけるかのように残忍に繰り広げられていく。

Monstrosity
Millennium ○アメリカ / フロリダ ⚪ Nuclear Blast / Conquest Music ⚪ 1996

4 年振りのリリースとなったセカンド・アルバム。本作からギタリストが Jason Morgan、ベーシストが同時期に Death に在籍した Kelly Conlon にスウィッチ。プロデューサーに Scott Burns を迎え、磐石の布陣でレコーディングが行われた。Jason による鋭く尖ったチェーンソーリフの鮮やかな刻み、Kelly の洗練されたベースラインが Monstrosity に新風を吹き込み、クリアなプロダクションによって浮かび上がる細やかなフックが楽曲を盛り立てていく。悪魔の巣窟を焼き払うかのような黒ずんだ真っ赤な咆哮は、前作よりも深く、そして低く鳴り響き、ブルータリティに溢れている。

Monstrosity
In Dark Purity ○アメリカ / フロリダ ⚪ Olympic Recordings ⚪ 1999

Corpsegrinder が Cannibal Corpse での活動に注力する為に脱退。さらに Jason もバンドを去った。本作から Eulogy のボーカルだった Jason Avery、ギタリスト Tony Norman が加入。Death や Cannibal Corpse などフロリダの様々なデスメタル・バンドのエンジニアリングを担当した Jim Morris と共にレコーディングを行った。Jason のボーカルは中音域のがなり声で、込み上げてくるような獣の怒り声とも言うべきどす黒いエネルギーを放っている。テクニカルなフレーズは減ったものの、Lee のドラミングは非常にタイトで残虐な遊戯のようである。

Monstrosity
Rise to Power ○アメリカ / フロリダ ⚪ Conquest Music ⚪ 2003

4 年振りのリリースとなった 4 枚目フルレングス。セカンド・ギタリストに Sam Molina（後に Terrorizer で活躍）、ベーシストに Michael Poggione を迎え、Lee によるプロデュースと Jason Suecof のエンジニアリングでレコーディングが行われた。初期のテクニカルさを取り戻し、ツインペダルを踏み込み続ける Lee のドラミングは重厚感があり、メロディックなリフとの相性も抜群だ。「The Exordium」や「A Casket for the Soul」といった目が眩むような高速キラーチューンから、ミドルテンポ主体の正統派なデスメタルまでバランス良く収めた一枚。

Monstrosity
Spiritual Apocalypse ○アメリカ / フロリダ ⚪ Conquest Music ⚪ 2007

4 年振りのリリースとなった 5 枚目フルレングス。Lee、Michael 以外のメンバーが脱退。本作からは新たに Divine Rapture のボーカリストで Hate Eternal の J.J. Hrubovcak を兄弟に持つシンガー Mike Hrubovcak、ギタリスト Mark English（後に Deicide で活躍）が加入。オープニングを飾るタイトルトラックから気が狂ったかのように火花を散らしながら爆走する Lee のドラミング、Nile や後期 Cryptopsy のドラマ性を感じさせながら、スペクタクルなサウンドを展開。古き良き Monstrosity の魅力を新メンバーでアップデートした。

Monstrosity
アメリカ / フロリダ

The Passage of Existence
Metal Blade Records ○ 2018

2011 年というブランクを経てリリースされた 6 枚目フルレングス。2010 年に
セカンド・ギタリスト Matthew Barnes を迎えてから初のアルバムで、『Spiritual
Apocalypse』の延長線上にありながら、非常に優れたバランス感覚で仕上げられ
ている。「Kingdom of Fire」における Mark と Matt のギターワークはエモーショナ
ルなメロディも織り交ぜながらプログレッシヴな雰囲気を醸し出す。「Dark Matter
Invocation」ではメロディック・デスメタルにも接近しながら威風堂々とした熟練
のテクニックでグルーヴを生み出していく。長いブランクを感じさせない作品だ。

Mortem Obscuram
アメリカ / フロリダ

The Wretched Divinity
Independent ○ 2023

2021 年、アメリカとカナダ在住のメンバーで結成され、2022 年からアメリカへと
拠点を移し、制作されたセカンド・アルバム。Dragoncorpse のギター / キーボー
ディスト Dale を中心に、ボーカリスト Mitchell、ギタリスト Trevor、ベーシスト
Alexander、Shadow of Intent などテクニカル・デスメタルだけでなくデスコア・シー
ンでも活躍するドラマー Bryce の 5 人体制でレコーディングが行われた。緊張の
糸がピンと張り詰めたようなオーケストレーションをまとい、Bryce のキレキレな
ドラミングとテクニカルリフがスタイリッシュに掛け合っていく力作。

Odious Mortem
アメリカ / カリフォルニア

Cryptic Implosion
Willowtip Records ○ 2007

1998 年サンフランシスコで結成。2005 年にアルバム『Devouring the Prophecy』
でデビュー。本作は彼らのセカンド・アルバムで、ボーカリスト Anthony Trapani、
ギタリスト Dan Eggers、ベーシスト Joel Horner、ドラマー KC Howard の 4 人体
制でレコーディングされた。音速で駆け抜けていくドラミングはブラストビートだ
けでなく、ユニークなシンバルをアクセントに楽曲にメリハリを持たせ、火を噴く
ほどに強烈なメロディアスなリフを追いかけていく。Anthony のボーカルも素晴ら
しく、血管が逆流するかのような真っ赤な熱量でインパクト大。

Odious Mortem
アメリカ / カリフォルニア

Synesthesia
Willowtip Records ○ 2020

2013 年振りのリリースとなったサード・アルバム。Anthony は Severed Savior、
Dan、Joel、KC は Decrepit Birth での活動を経て、再び Odious Mortem として制
作活動に着手。Jon Green がエンジニアリングを担当し、Richard Houghten がミッ
クス / マスタリングを手掛けた。バンド・グルーヴを生かしたオーガニックなプロ
ダクションだからこそ映える各ミュージシャンの技巧が味わえる作品で、特に KC
のドラミングは神がかっている。大きなスタイルチェンジはなく、奇想天外なテン
ポチェンジを鮮やかに彩る Odious Mortem 節炸裂、自信に満ちた復活作。

Ominous Ruin
アメリカ / カリフォルニア

Amidst Voices That Echo in Stone
Willowtip Records ○ 2021

2010 年サンフランシスコで結成。Leprous Divinity のシンガー Adam、Odious
Mortem のギタリスト Alex、元 Inanimate Existence のベーシスト Mitch を中心に
活動スタート。2020 年にドラマー Harley、そして Continuum などで活躍したギタ
リスト Joel が正式に加入し、本作のレコーディングが行われた。ファストであり
ながらもエレガントに鳴るシュレッド・リフ、ネオクラシカルなベースラインを軸
にスタイリッシュな雰囲気をまとったサウンドが印象的で、プログレッシヴとテク
ニカルがゴージャスにクロスオーバーした世界観に引き込まれていく。

テクニカル・ドゥームメタル
遅くてテクニカルとはどういうことか

スピードを追求することが永遠の課題

　スピードというのは一種テクニカルであることの証明だ。バスドラム、スネア、ハイハットを同時に（又は交互に）叩くブラストビートは、速くないと成立しないドラム奏法であり、そのスピードの限界を追求することはテクニカル・デスメタルの永遠の課題とも言える。

　このように、スピードを追い求める傾向にあるテクニカル・デスメタルが「遅さ」を追求することはほとんどない。楽曲を単体で見た時、ファストなパートを際立たせるためにミドル・テンポのパートを差し込むことはあれど、ドゥームメタルのようなスローな楽曲を主体とするテクニカル・デスメタル・バンドは聴いたことがない。

　視点を変えてみよう。先ほど出てきたドゥームメタルは、メタルのサブジャンルの中でもスローなテンポを主体としたサウンドで、音のヘヴィさやその空間の広がりを楽しむようなジャンルである。同じくストーナーメタルやスラッジメタルも遅く、沈み込むような感覚に重きを置いたジャンルで隣接したジャンルだ。彼らの中にテクニカルなフレーズを得意とするバンドがいたとすれば、それはテクニカルなドゥームメタルと言えるかもしれない。無論、テクニカル・ドゥームメタルというサブジャンルは存在していないので、ここで紹介するのは、遅さとテクニカルさを兼ね備えたサウンドを鳴らすバンドに限定してみる。

Ehnahre

　アメリカ・ボストンを拠点に活動するEhnahreは、アヴァンギャルドなドゥームメタル・バンドであるが、そのサウンド・スタイルは多岐に渡る。2008年にリリースされたアルバム『The Man Closing Up』

Ehnahre

では、ドゥーム / スラッジ・サウンドを基調としながら、次第にリズムが崩壊し、ノイズの洪水が押し寄せ、増していく音圧の中からブラストビートが出現してくるという前衛的な楽曲を聴くことが出来る。2020年のアルバム『The Scrape of a Keel』ではドローン・アンビエントとインプロヴィゼーションに挑戦するなど、ドゥームメタルだけをプレイするバンドではなさそうだ。

Baring Teeth

　同じくアメリカはテキサスを拠点に活動するBaring Teethは、ドゥーミーなディソナント・デスメタルがメインのスタイルとなっている。デビュー・アルバム『Atrophy』はWillowtip Recordsからリリースされ、アヴァンギャルド・メタル・リスナーから高評価を得た。このアルバムのエンディングに収録されている12分越えの楽曲「Tower of Silence」は、ドゥーム / スラッジメタルの真骨頂とも言える広がりのある遅さが魅力の楽曲で、じわじわとボルテージを高めていく中で、ファストなドラミングやアヴァンギャルドなメロディを組み込み、テクニカル

Confessor

なフレーズでドラマ性を演出している。

Confessor

　上記のバンドはマスコアとも分類出来る要素を持っているが、90年代のドゥームメタルに目を向けてみると少し様子が違ってくる。1986年にアメリカ・ノース・カロライナ州で結成されたConfessorは、1991年にデビュー・アルバム『Condemned』をEarache Recordsからリリース。1992年にToy's Factoryから『死刑宣告』という邦題でリリースされており、覚えている人もいるかもしれない。カルト的な人気を誇ったConfessorの『Condemned』は非常に難解な作品であることで知られていて、Black SabbathやAlice in Chains、そしてMeshuggahまでも彷彿とさせる内容だ。複雑に叩き込まれるドラミングはグルーヴを破壊寸前まで追い込むが、そこにねじ込むような変形リフがヘヴィに渦巻き不思議なうねりを生み出す。それでいてスラッシュメタル的なハイトーン・ボーカルであるからびっくりだ。Discogsの彼らのプロフィール・ページではそのサウンドを「Technical Doom Metal」と表現されており、無理矢理かもしれないがジャンルの枠に当てはめるとするなら、そのようにカテゴライズするのが最適なのかもしれない。少なからず遅くてテクニカルなデスメタルは存在するものの、ジャンルとして確立するだけのバンド、作品は存在しない。今後、メタルのマイクロ・ジャンルが誕生するとき、本格派テクニカル・ドゥームメタルが登場する可能性はゼロではない。

遅くてもテクニカル

　「遅くてテクニカル」であることに可能性を感じた事がある。パワーメタル・バンド、DragonForceのギタリストであるHerman Liは過去に「バラードのような遅い楽曲の方が、一つのフレーズにたくさんのメロディを詰め込む事が出来る」と発言していた事があり、それはパワーメタルにとって画期的なアイデアであったと共に、スピードを追求する傾向にあるテクニカル・デスメタルが、遅さを追求するドゥームメタルの中で発揮できるテクニカルさがあることを証明している。未開の音楽「テクニカル・ドゥームメタル」。いつか本格派と呼べるバンドが登場するかもしれない。

Oppressor
Solstice of Oppression

📍アメリカ / イリノイ
🔴 Red Light Records 🕐 1994

1991 年シカゴで結成。本作は、ベース、キーボードを兼任するシンガー Tim King、ギタリストの Jim Stopper と Adam Zadel、ドラマー Tom Schofield によって制作された。言いようのない神秘と不安に満ちたキーボードの静かな音色で幕を開け、ブルータルなテクニカルフレーズと交差しながら独創的な世界観を作り出していく。アルペジオの物悲しげなメロディは、じりりじりりと腐り落ちていくかのようにテンポを落としていくグルーヴに哀愁の影を落とす。アートワークも含め、その Oppressor のスタイルをシーンに見せつけたデビュー・アルバム。

Oppressor
Agony

📍アメリカ / イリノイ
🔵 Diehard Music 🕐 1996

2 年振りのリリースとなったセカンド・アルバム。当時 Broken Hope に在籍していたギタリスト Brian Griffin によってプロデュースされ、マスタリングは Jim Morris が担当。彼らは決してブラストビートの速度を加速させていくことはなく、ミドルテンポのドロドロしたオールドスクール・デスメタルをゆっくりと楽曲の後半に向けて腐敗させていくようなスタイルを得意とする。鼻を突く野獣の臭気が立ち込める中で、Jim と Adam のギターワークには光るものがあり、特にデスメタリックなギターソロには目を見張るものがある。

Oppressor
Elements of Corrosion

📍アメリカ / イリノイ
🟢 Olympic Recordings 🕐 1998

Olympic Recordings へと移籍してリリースされた 2 年振り 3 枚目フルレングス。本作も Brian Griffin がプロデュース、エンジニアリングを担当している。前 2 作は、オールドスクール・デスメタルのおどろおどろしさを複雑奇怪なデスメタルで表現していたが、本作は頻繁に訪れるブラストパートに雷が直撃したかのようなギターソロを差し込んでいる。後の Spawn of Possession や Origin といった印象的なスウィープやリフを主体とするテクニカル・デスメタルの原型とも言え、目まぐるしいテクニックとバウンシーなグルーヴのバランス感覚が優れた作品だ。

Parasitic
Disfiguring Symmetry

📍アメリカ / カリフォルニア
⚫ Independent 🕐 2023

2004 年サンディエゴで結成。その活動はマイペースで、デモや EP を自主制作したのち 2009 年に一度活動を終了。元 Condemned のボーカリスト Sam、ギタリストの Edgar と Carlos、元 Cattle Decapitation のベーシスト Troy Oftedal、Mortuus Terror や Armagedon で活躍するドラマー Sergio Carlos というラインナップで 2017 年に復活し、2018 年振りになる本作を完成させた。ブルータルなグルーヴの中で明滅するような狂気のチェーンソーリフとメロディの交わりは、隠れた聴きどころと言える。EP というサイズながら多様な魅力が感じられる見事な復帰作。

Pyrithion
The Burden of Sorrow

📍アメリカ / カリフォルニア
⚫ Metal Blade Records 🕐 2013

2012 年アゴウラヒルズにて結成。As I Lay Dying の Tim Lambesis がフロントマンを務め、ギタリストには元 Embodiment の Andrew と Allegaeon の Ryan が加入し本格始動。唯一リリースされた本作は、ベーシストとして As I Lay Dying の Josh、Death By Names のドラマー John がスタジオ・ミュージシャンとして参加している。As I Lay Dying では聴くことの出来ないファストでソリッドなリフ、音速で駆け抜けていくドラミングに呼応するかのような Tim の豪快なグロウルが炸裂。活動期間はわずか 1 年であったが、記憶に深く残るバンドだ。

Serpent of Gnosis
◉アメリカ/マサチューセッツ

As I Drink from the Infinite Well of Inebriation ◎ 1126 Records ◎ 2019

2010年代中期ボストンで結成。初期デスコアのトップ・バンド Job for a Cowboy のボーカリスト Jonny Davy、ギタリストの Alan Glassman と Tony Sannicandro、The Black Dahlia Murder のベーシスト Max Lavelle、Deeds of Flesh などで活躍したドラマー Darren Cesca という豪華ラインナップで制作された本作は、彼らがそれぞれのメインのバンドで鳴らすことのなかった、強靭なテクニカル・グルーヴをとことん追求した遊び心も感じる作品で、彼らのメイン・バンドのファンも楽しめる内容に仕上がっている。

Severed Savior
◉アメリカ/カリフォルニア

Brutality Is Law ◎ Unique Leader Records ◎ 2003

1997年に Christ Denied として結成、1999年からはサウス・サンフランシスコを拠点に Severed Savior として活動をスタート。本作はボーカリスト Dusty Boisjolie、元 Impaled のギタリスト Jared Deaver、ベーシスト Murray Fitzpatrick、ドラマー Troy Fullerton の4人体制でレコーディングされ、Maurice Acevedo がミックス/マスタリングを手掛けた。きめ細かいリフが乾いたスネアが織り成すブルータル・グルーヴの上をタイトに横断。変幻自在にアクセルとブレーキを踏み分けながら、強力無双の怪物のようにテクニカルなフレーズを炸裂させていく。

Severed Savior
◉アメリカ/カリフォルニア

Servile Insurrection ◎ Willowtip Records ◎ 2008

5年振りのリリースとなったセカンド・アルバム。新たに Odious Mortem のボーカリスト Anthony Trapani、Christ Denied 時代のメンバーであったギタリスト Mike Gilbert が加入。Zack Ohren がプロデュースからミックス/マスタリングまでを担当した。オープニングを飾る「Question」は、ジャジーなフレーズをトリッキーに挿入し、爆発力のあるフックを生み出すリフ、不気味なメロディまでを完璧にミックス。Cryptopsy かのように奇怪残虐な「Fuck the Humans」など、別世界へと迷い込んでしまったかのような異様な世界観を持つ楽曲がひしめく名作。

Slaughterbox
◉アメリカ/カリフォルニア

The Ubiquity of Subjugation ◎ Amputated Vein Records ◎ 2011

1999年に結成された Crushed というバンドを母体に、2005年サクラメントを拠点に始動。Anal Blast などで活躍したドラマー Pete Chavez と、Denunciation に在籍した経歴を持つギター/ベーシスト Nick Liuzzi のユニット体制を取り、2人は Chronaexus、Larry David、Minenwerfer というバンドでも一緒だった。本作は彼らが残した唯一の作品で、リードギターの驚くべきタッピング、スウィープが嵐の如く繰り広げられ、そこにバッキング・フレーズを入れないというカオスな仕上がりとなっている。Pete のガテラルも凄まじい。

Sleep Terror
◉アメリカ/ワシントン

Probing Tranquility ◎ Feeling Faint Productions ◎ 2006

2002年シアトルで結成。Luke Jaeger のソロ・プロジェクトとして始動し、本作もギター、ベース、キーボード、ドラム・プログラミングを Luke 一人で行っている。インストゥルメンタルで構成された Sleep Terror のデスメタルは、ジャズやフュージョンの演奏法をコラージュしながら、プログレッシヴに、ブルータルに、そしてテクニカルに展開を続けていく。一人コツコツとアイデアを構築しながら制作したことが感じられる自由な作風は、聴くものを圧倒。アンダーグラウンドなメタル・リスナーの間で大きな話題となった。アルバムに収録されていないいくつかのデモ音源は、さらに斬新なサンプリングが施されている。

Sleep Terror
Unihemispheria

⊙ アメリカ / ワシントン　🅐 Independent　📀 2015

9 年振りのリリースとなるセカンド・アルバム。前作発表後には、『The Cuts 2004-2010』『The Demos 2004-2014』と 2 枚のコンピレーション・アルバムをリリースしている。まるでいくつものキラーフレーズを継ぎ接ぎするかのように、複雑怪奇に展開し続ける Sleep Terror のサウンドは、真似したくても真似できない、不可思議なオリジナリティに満ち溢れている。オリエンタルなメロディとタフなリフがクロスオーバーしていく「Anabolic Salvation」やアフリカンな民族音楽の香り漂う「Somatoform Vortex」など面白い楽曲がずらりと並ぶ。

Sleep Terror
Above Snakes

⊙ アメリカ / ワシントン　🅐 Independent　📀 2021

カリフォルニア州サクラメントへと移住、これまでソロ・プロジェクトとして活動を続けてきた Luke 以外に、新たにドラマーとして Marco Pitruzzella が加入。ユニット体制となり、ライブ活動も行うようになった。2018 年に『El Insomne』、2019 年に『Abreaction』と 2 枚のアルバムをリリース、通算 5 枚目のアルバムとなる本作は、カントリー・ミュージックとテクニカル・デスメタルをクロスオーバーさせるという、奇想天外なコンセプト作品。「Above Snakes」のミュージックビデオの世界観に多くのファンが驚き、そして興奮した。

Sleep Terror
Railroad to Dystopia

⊙ アメリカ / ワシントン　🅐 Independent　📀 2023

前作『Above Snakes』から 2 年という短いスパンでリリースされた本作は、Luke と Marco というタレント性の高いミュージシャンの創造性に限界がないことを証明した、今まで聴いたことのないテクニカル・デスメタルに仕上がっている。カウボーイハットを被った骸骨が印象的なアートワーク、そしてアルバム・タイトルからも彼らが目指す路線ははっきりしており、サウンドにもハーモニカ、バンジョー、スチールギターの音色を巧みに絡めながら、これまで誰も作り上げることのできなかったカントリー・ミュージックとテクニカル・デスメタルのクロスオーバーを作り上げた。

Son of Aurelius
The Farthest Reaches

⊙ アメリカ / カリフォルニア　🅐 Good Fight Music　📀 2010

2009 年サンタクルーズで結成。デスコア伝説 Animosity を脱退したギタリスト Chase Fraser を中心に始動。名だたるデスコア / メタルコアを手掛けてきた Zack Ohren がプロデュースを担当した本作は、メロディック・デスコアとマスコアがクロスオーバーしたことで偶発的に生まれたテクニカル・デスメタルに仕上がっており、従来のテクニカル・サウンドとは一味違った技巧派サウンドを味わうことが出来る。本作後 Chase は Decrepit Birth へ加入、そのほかのメンバーも Continuum や Odious Mortem などへ加入するなど各メンバーに転機をもたらした作品だ。

Suffocation
Effigy of Forgotten

⊙ アメリカ / ニューヨーク　🅐 Roadrunner Records / R/C Records　📀 1991

1988 年ロングアイランドで結成。本作はボーカリスト Frank Mullen、ギタリストの Terrance Hobbs と Doug Cerrito、ベーシスト Josh Barohn、ドラマー Mike Smith の 5 人体制で、プロデューサーに Scott Burns を迎え録音された。デスメタルにおけるブルータル、そしてテクニカルなスタイルを絶妙なバランスでクロスオーバーさせた第一人者である。複雑でありながら抜群のタイミングで繰り出されるフック、Terrance と Doug のコンビネーションの良さ、爆発的なエネルギーを生み出すドラミング、そして Frank の強烈なガテラルも全編に渡って終始炸裂する。

Suffocation
Breeding the Spawn
○アメリカ / ニューヨーク
🅐 Roadrunner Records ⊙ 1993

2年振りのリリースとなったセカンド・アルバム。本作から新たにベーシストが Pyrexia のメンバーであった Chris Richards にスウィッチ。前作の延長線上にあるテクニカルでブルータルなデスメタルは、生々しさにフォーカスしたサウンド・デザインで、特に Frank のガテラルは今にも檻を破壊し飛び出てきそうな猛獣のように、鋭い牙を剥き襲い続けてくる。うねり波打つ Chris のベースラインはさりげない存在感を放ち、隙間なく叩き込む Mike のドラミングに絡みつく。ハードコアの香りもほのかに燻らせつつ、上質な構築美で計り知れないポテンシャルをシーンに見せつけた。

Suffocation
Pierced from Within
○アメリカ / ニューヨーク
🅐 Roadrunner Records ⊙ 1995

Mike が脱退し、新たにドラマー Doug Bohn が加入。再び Scott Burns をプロデューサーに迎え、名だたるデスメタルの名作を手掛けた Mike Fuller がマスタリングを担当している。サウンド・プロダクションは飛躍的にアップデートされ、バンド・サウンドに好影響を与えている。Terrance、Doug Cerrito のリフは滑らかにグルーヴを生み出し、小技を組み込みながら職人技の如く刻み込まれている。テンポを操る新加入 Doug Bohn のドラミングも見事で、テクニカル・ブルータル・デスメタルの可能性をこれまで以上に拡大することに成功している。

Suffocation
Souls to Deny
○アメリカ / ニューヨーク
🅐 Relapse Records ⊙ 2004

1998年に活動休止、2002年に Frank、Terrance を中心にメンバーが再編され、本作から新たに Pyrexia、Internal Bleeding で活躍したギタリスト Guy Marchais、ドラマーに Mike Smith が復帰。レコーディングでは Terrance と Mike がベースも兼任した。忙しなく叩き込まれる Mike のドラミングは不変の迫力で、Frank のグロウルとの相性は抜群だ。リード曲「Surgery of Impalement」など複雑なだけでなく、デスメタリックなムードを醸し出すメロディアスなリフによってドラマ性を放つ楽曲も多く、オーバーグラウンドでの人気も高い作品。

Suffocation
Suffocation
○アメリカ / ニューヨーク
🅐 Relapse Records ⊙ 2006

正規ベーシスト不在のまま制作された前作のメンバー・ラインナップに加え、新たに Decrepit Birth や Disgorge、Dying Fetus と名だたるバンドに在籍してきたベーシスト Derek Boyer が加入。シーンきっての名手が集い、バンド名を冠した本作は、スローなパートが大幅に増加し、メロディアスなリフ、曲間に少しのサンプリングが盛り込まれるなど実験的要素も感じられる。「Bind Torture Kill」はこのアルバムで Suffocation が目指すサウンドを凝縮したような作りで、緩急とドラマ性、それらを巧みなテクニックで演出。聴くたびに発見がある。

Suffocation
Blood Oath
○アメリカ / ニューヨーク
🅐 Nuclear Blast ⊙ 2009

Relapse Records を離れ、新たに Nuclear Blast のファミリーに。前作からメンバー・ラインナップに大きな変更はなく、プロデューサーも『Souls to Deny』から同郷の Joe Cincotta が担当。Zack Ohren がミックスし、John Scrip がマスタリングを施した。前作よりもスローに、そしてドゥーミーにアップデートされたのはテンポだけではない。おどろおどろしいベースラインが浮き立つブルータルなサウンド・デザインも同様で、真っ赤に染まったアートワークがそれを視覚化する。老練の小技はさりげなく、それでいてフックの爆発力は最大。

Suffocation
Pinnacle of Bedlam

⊙アメリカ / ニューヨーク
Ⓐ Nuclear Blast Ⓒ 2013

4年振りのリリースとなった7枚目フルレングス。Mike が脱退。本作では1998年の EP『Despise the Sun』でドラムを叩いた Dave Culross を迎え、プロデュースは引き続き Joe、ミックス / マスタリングは Zeuss が手掛けている。ドラマーの交代は Suffocation に大きな変化をもたらし、ブルータル成分は減少。「Sullen Days」や「Purgatorial Punishment」といったメロディックなリフをダイナミックに表現するテクニカル・デスメタルへとスタイルチェンジ。ただそのサウンドの骨格は紛れもない Suffocation の伝統的スタイルのままである。

Suffocation
...of the Dark Light

⊙アメリカ / ニューヨーク
Ⓐ Nuclear Blast Ⓒ 2017

新たに元 Pyrexia で The Merciless Concept で活躍するギタリスト Charlie Errigo、Blind Witness などに在籍したカナダ出身のドラマー Eric Morotti を迎え、制作をスタート。オープニングを飾る「Clarity Through Deprivation」ほか、ブレイクダウンをがっつり搭載した楽曲もあり、若いメンバーが加入した影響が感じられるだろう。ただ Suffocation は自身のスタイルを崩すことはなく、そのブレイクダウンをアクセントに加速し、ブラストビートを踏み込み、ブルータルなリフを刻み込んでいく。本作をもって Frank が引退した。

Suffocation
Hymns from the Apocrypha

⊙アメリカ / ニューヨーク
Ⓐ Nuclear Blast Ⓒ 2023

ボーカリスト Frank が「引退」し、バンドには新たに Disgorge などでの活躍で知られる Ricky Myers が加入。6年振りとなる本作で新たなスタートを切った彼らはプロデューサーに Cryptopsy の Christian Donaldson を起用、アルバムのエンディングを飾る「Ignorant Deprivation」にはスペシャル・ゲストとして Frank がクレジットされており、ファンを驚かせた。大きく路線変更することはなく、伝家の宝刀とも言えるブルータル・リフが複雑怪奇に渦巻ながら、Ricky のディープなガテラルも地を這うようにして Suffocation サウンドにフィットしている。

The Faceless
Akeldama

⊙アメリカ / カリフォルニア
Ⓐ Sumerian Records Ⓒ 2006

2004年ロサンゼルスで結成。ギタリスト Michael Keene を中心に、Cynic のライブ・メンバーだったベーシスト Brandon、As Blood Runs Black や Animosity のライブ・メンバーを務めたドラマー Brett、ボーカル Derek Rydquist、ギタリスト Steve で本作を制作。疾風の如く駆け抜けるブラストビートは落ち着きを放ち、Michael が奏でる滑らかなギターソロを静かに支えている。シンフォニック、プログレッシヴ、メロディック・デス他、多種多様なデスメタルのサブジャンルを見事に The Faceless らしく調合したデビュー・アルバム。

The Faceless
Planetary Duality

⊙アメリカ / カリフォルニア
Ⓐ Sumerian Records Ⓒ 2008

本作からドラマーに Lyle Cooper が加入。前作に続き Michael がプロデュースを手掛けており、アートワークは Pär Olofsson が担当している。地球外生命体をはじめとする SF をテーマにした David Icke の著書『The Children of the Matrix』にインスパイアされた本作は、ブルータル・デスメタルのフィルターを通じて鳴らされるプログレッシヴでテクニカルなサウンドが魅力となっている。当時盛り上がり始めたデスコアとも共鳴するグルーヴィなリフを導入し、テンポ良く展開。「The Ancient Covenant」は、後の The Faceless の礎とも言える仕上がりだった。

The Faceless
Autotheism 　　　　　●アメリカ / カリフォルニア
🔊 Sumerian Records ● 2012

4 年のブランクを経て、Michael と Lyle 以外のメンバーが脱退、新たに Kamikabe のボーカル Geoffrey、Black Crown Initiate、Glass Casket で活躍したギタリスト Wes、Animosity や Reflux などで活躍したベーシスト Evan Brewer が加入している。プログレッシヴ・メタルへと傾倒、ファストなスタイルを捨て、荘厳なオーケストレーションを至る所に組み込んだスタイルへとアップデートしている。サクソフォーン奏者をフィーチャーした「Deconsecrate」は、新しい The Faceless の魅力が感じさせた 1 曲と言えるだろう。

The Faceless
In Becoming a Ghost 　　　　　●アメリカ / カリフォルニア
🔊 Sumerian Records ● 2017

Michael 以外のメンバーが脱退。本作では Abigail Williams の Ken Sorceron がボーカルを務め、The Zenith Passage の Justin McKinney がギター、Equipoise や Hate Eternal、Oceano で活躍した Chason がドラマーとして参加している。Depeche Mode の「Shake the Disease」をカバーするなど、Michael の挑戦的な試みが詰まっており、アルバムからの先行シングル「Digging the Grave」は、まるで物語のように展開する楽曲に本格的なオーケストレーションが組み込まれており、注目を集めた。

The Kennedy Veil
The Sentence of Their Conqueror 　　　　　●アメリカ / カリフォルニア
🔊 Independent ● 2011

2009 年サクラメントで結成。 当時 Wretched Dawn を脱退したばかりだったドラマー Gabe Seeber、Forktung のギタリスト KC Childers を中心に活動スタート。その後、ベースに Shawn、ボーカルに Cody が加入し本作のレコーディングが行われた。暴れ回る火の粉のように目まぐるしく叩き込まれる Gabe のドラミングを軸に、Cody の野獣のようなガテラルがその勢いを加速させていく。それでいて粒の細かいリフや、転調の妙を上手く組み込み、テクニカルさを損なうことなく、持ち前のカオスを響かせる。デスコア・シーンからの注目も高かった渾身のデビュー作。

The Kennedy Veil
Trinity of Falsehood 　　　　　●アメリカ / カリフォルニア
🔊 Unique Leader Records ● 2014

ボーカリストが Cody から Taylor Wietjes にスウィッチ。Unique Leader Records と契約を果たし制作された本作は、プロデューサーに Flub、Interloper などを手掛けた事で知られる Nick Botelho を起用。前作『The Sentence of Their Conqueror』の延長線上にある迫力のサウンドは、緩急のついたメリハリのある展開を武器に、スピードとグルーヴを共存させる事に成功している。リードトラック「King of Slaves」はミュージックビデオにもなっており、鮮やかなプレイを確認することが出来る。アートワークは Ken Sarafin によるもの。

The Kennedy Veil
Imperium 　　　　　●アメリカ / カリフォルニア
🔊 Unique Leader Records ● 2017

Taylor が Inanimate Existence へ加入する為に脱退、新たに Alterbeast から Monte Barnard が加入。ベーシストは Internal Decapitation の Tyler Hawkins にスウィッチした。名プロデューサー Zack Ohren を迎え制作された本作は、シンフォニックなオーケストレーションをふんだんに導入し、堂々たる風格に満ちている。ゲストに The Black Dahlia Murder の Trevor や Aborted の Sven、Infant Annihilator の Dickie が参加。バンドにとってターニングポイントと言える作品に仕上がっている。

The Odious Construct
Shrine of the Obscene
📍アメリカ / カリフォルニア
🅰 The Artisan Era 📀 2018

2015 年サクラメントで結成。2016 年にセルフタイトルの EP をリリース、セカンド EP となる本作は、元 Embodied Torment のボーカル Casey、ギタリストの Wes と Ben、The Kennedy Veil のライブ・サポートを務めた経歴のあるベーシスト Sam、Dream Void のドラマー KC の 5 人体制で制作された。シンフォニックなアプローチを得意とし、「They Came Through the Mirrors」では Equipoise や Inferi などの作品にも参加したヴァイオリン奏者 Ryan Cho をフィーチャーしている。クラシカルな旋律の美しさに目が眩む。

The Zenith Passage
Solipsist
📍アメリカ / カリフォルニア
🅰 Unique Leader Records 📀 2016

2012 年結成。現在は The Faceless に在籍するギタリスト Justin を中心に、Dog Eats Flesh の Greg、Antagony のドラマー Luis、All Shall Perish のライブ・メンバーを務めた事もあるギタリスト Rob の 4 人体制で活動スタート。2013 年に Total Deathcore からリリースされた EP『Cosmic Dissonance』はプログレッシヴ・メタル・リスナーを唸らせ、見事 Unique Leader Records と契約を果たした。Ken Sarafin のアートワークが印象的な本作は、切れ味鋭いチャギング・リフとキーボードを搭載したメロディックフレーズが炸裂。独創性の高い世界観を創造する。

The Zenith Passage
Datalysium
📍アメリカ / カリフォルニア
🅰 Metal Blade Records 📀 2023

Justin 以外のメンバーが総入れ替えとなり、The Faceless で活躍したボーカリスト Derek Rydquist とベーシスト Brandon Giffin、Dreamer のギタリスト Christopher Beattie が加入、ドラムは Justin によるプログラミングで Ryan Williams をプロデューサーに迎え、制作された。歯切れの良いリフの刻みは Djent ほか、プログレッシヴ・メタル・シーンを見渡しても彼ら以上のサウンドを鳴らすバンドはいないだろう。微細にエディットされ浮き彫りとなった高等技術に酔いしれることが出来る作品で、バンドにとってターニングポイントとなった傑作。

The Last of Lucy
Moksha
📍アメリカ / カリフォルニア
🅰 Transcending Obscurity Records 📀 2022

2007 年ハンティントン・ビーチでギタリスト Gad Gidon によって立ち上げられた。本作までにボーカル Josh、ギタリスト Christian、ベーシスト Derek、Ominous Ruin のライブ・ドラマーや To Violently Vomit でもドラムを務める Josef Hossain-Kay の 5 人体制になっている。摩訶不思議な地球外生命体のアートワークもそそられるが、そのサウンドもどこか不気味。ハードコア譲りのボーカルにきめ細やかなリフをメロディアスに展開していく。The Zenith Passage のようなジャリジャリとした質感の刻みに妙な心地良さを覚える。

Unmerciful
Unmercifully Beaten
📍アメリカ / カンザス
🅰 Unique Leader Records 📀 2006

2001 年トピーカで結成。Origin のオリジナル・ベーシストである Clint Appelhanz が、1999 年に Origin 脱退後にギタリストとして Unmerciful を立ち上げる。同じく Origin でも活躍した Jeremy Turner と James King が加入し、ボーカルは Tony Reust が務めた。同時期の Origin サウンドと比べると瓜二つであるが、決定的な違いはリフだろう。Clint と Jeremy が Unmerciful で鳴らすリフは、デスメタリックなチェーンソー・リフで、ブルータルさが高い。より血生臭さを感じさせてくれる路線でコアなファンを沸かせたデビュー作。

Unmerciful
📍アメリカ / カンザス

Ravenous Impulse
🅐 Unique Leader Records 📀 2016

10年振りのリリースとなったセカンド・アルバム。長いブランクの間、Jeremy
は Origin に一時的に復帰するなどしていた。本作からは新たに Origin のドラマー
John Longstreth が加入し、ギタリスト Justin Payne とボーカル Kris Bolton も加
え5人体制となった。ギターリフが渦巻き続ける圧巻のブルータル・サウンドは、
Dying Fetus を彷彿とさせるキャッチーなグルーヴもあり、テクニカル・デスメタ
ル初心者にもオススメな仕上がりだ。「Sociopathic Predation」他、粘っこいリフ
が執拗にうねり続ける嵐のようなアルバム。

Unmerciful
📍アメリカ / カンザス

Wrath Encompassed
🅐 Willowtip Records 📀 2020

4年振りのリリースとなったサード・アルバム。本作から Willowtip Records へ
と移籍、新たに Marasmus や Crematorium に在籍したドラマー Trynt Kelly が加
入、ボーカルはゲストとして 2017 年からライブ・ボーカリストを務めてきた Karl
Schmidt が参加している。前作は John がドラムを叩いていたこともあり、Origin
のスタイルへと接近していたものの、本作は Trynt のデスメタリックなプレイがお
どろおどろしさを加速させてくれている。リードトラック「Wrath Encompassed」
の Clint のギターソロはこれぞテクニカル・デスメタルというべき名演なので必聴
だ。

Vale of Pnath
📍アメリカ / コロラド

The Prodigal Empire
🅐 Willowtip Records 📀 2011

2006 年デンバーで結成。バンド名は怪奇小説家 H.P. Lovecraft の作品の中から用
いたもの。Abigail Williams で知られるギタリスト Vance Valenzuela を中心に活
動がスタートし、本作はデザイナーとしても活動する Ken Sarafin、ギタリスト
Mikey、ベーシスト David を迎え、ゲスト・ドラマーには Jeremy Portz を起用し、
レコーディングを行った。まるで生き物のように躍動するタイトなリフがダークな
メロディック・サウンドをブルータルに演出。暗く澱んだ世界観を美しく表現。

Vale of Pnath
📍アメリカ / コロラド

II
🅐 Willowtip Records 📀 2016

前作から5年の月日を経てリリースされたセカンド・アルバム。Vance 以外のメン
バーが脱退。新たにボーカリスト Reece Deeter、Flub のギタリスト Eloy Montes、
オリジナル・メンバーで一時離脱していたベーシスト Alan Paredes、Inferi に在籍
していた経歴のあるドラマー Eric W. Brown が加入し再始動。アートワークの世界
をそのままテクニカル・デスメタルに落とし込んだかのような、吸い込まれるよう
なブラッケンド・スタイルは健在。神秘的なオーケストレーションをアクセントに
しながら、オリジナリティを追求したヘヴィな作品。

Vampire Squid
📍アメリカ / カリフォルニア

Reinventing the Eel
🅐 Independent 📀 2020

2013 年コロナで結成。Interloper に在籍し、The Faceless のライブ・メンバーと
しても知られるボーカル / ギタリスト Andrew Virrueta、Gutsaw などに在籍するド
ラマー Mark Rivas、ベーシスト Jake Sprinkle を中心に活動をスタート。「無駄な
労力」を意味する "Reinventing the Wheel" をもじったクスッと笑えるアルバム・
タイトルからも分かるように楽曲名やサウンドにはユーモアが溢れている。うなぎ
のようにヌメヌメしたイントロで幕を開ける「C.C.C.C.C.C.」は Vampire Squid
のひねくれた魅力が端的に感じられる良曲。

Viraemia

Viraemia

●アメリカ / アリゾナ

🔺 Independent 🔘 2009

2008 年フェニックスで結成。本作は職人の超絶技巧とも言える異次元のテクニックを炸裂させ、新時代テクニカル・デスメタルとしてシーンに強い影響力を与えた。プログレッシヴなタッピングフレーズを中心に、あらゆるテクニカルな奏法を駆使して奏でられるリフ、ベースラインの数々をみっちりと詰め込み、ソリッドなスラムパートにおいても豊麗多彩なタッピングのメロディが縦横無尽に駆け巡り、スピードダウンすることはない。目眩がするほどテンポチェンジを繰り返すエクスペリメンタルな楽曲は聴くほどに癖になるはずだ。残念ながら 10 弦ベーシスト Scott は 2019 年に自殺してしまったが、新たなラインナップで再び動き出している。

追悼 Scott Plummer (Viraemia)

2008 年にアリゾナ州フェニックスから登場し、プロモ音源と EP『Viraemia』だけでテクニカル・デスメタル・シーンに衝撃を与えた Viraemia。このバンドのベーシストであり、楽曲「Disseminated Intravascular Coagulation」のプレイスルー動画たった一本だけでトップ・プレイヤーと呼ばれるようになった Scott Plummer は、10 弦ベースという見たこともない特殊なベースを巧みに操り、テクニカル・デスメタル・サウンドに変革をもたらした。彼の超高速タッピング、そしてスウィープ奏法は、後の Rings of Saturn、同時期に登場した Brain Drill などに影響を与えている。Scott は 2019 年 5 月、自殺したことが同バンドのギタリスト Josh Hernandez の Facebook で追悼コメントと共に投稿された。Scott の YouTube ビデオは死後もそのまま残されている。198 万回（*2024 年 1 月時点）も視聴されている彼らの人生を変えた動画「10 string Pathologic Technical Death metal, Viraemia」をはじめ、「266 low D0 bass 10 string」という、10 弦に 266 ゲージの弦を張り Low D チューニングを施した超個性的なベースの奏法を紹介する動画など、現在も再生されコメントが残されている。Scott の生きた証を通じてテクニカル・デスメタル・リスナーがコミュニケーションをとる場所のような機能さえ果たしている。34 歳で夭折したカリスマ・多弦ベーシスト、Scott Plummer。彼がテクニカル・デスメタルのスピードに限界がないことを、その超絶技巧でシーンに提示したことは、テクニカル・デスメタルというジャンルの可能性を大きく拡張した。

Virulent Depravity

Fruit of the Poisoned Tree

●アメリカ / テネシー

🔺 The Artisan Era 🔘 2017

2015 年ナッシュビルで結成。Inferi の中心人物であり、The Artisan Era のオーナー Malcom Pugh と Enfold Darkness や The Ritual Aura などの作品にゲスト参加している Colin Butler によるユニットとして活動をスタート。ゲスト・ドラマーには Benighted の Kévin Paradis が参加、The Artisan Era 界隈のギタリスト達も各楽曲でギターソロを披露している。とにかく Malcom と Colin が弾きまくる事にフォーカスした作品で、叙情的な要素を限りなく排除した乱暴なテクニカル・デスメタルに仕上がっている。

テクニカル・デスメタルとプログレッシヴ・デスメタルの違い

スラッシュメタルとして始まった Death

　テクニカル・デスメタルに隣接するジャンルで、テクニカル・デスメタルとの境界線が分かりにくいとされているのが、プログレッシヴ・デスメタルとブルータル・デスメタルだ。

　まず初めに、本書におけるテクニカル・デスメタルは、その時代のデスメタルと比較してテクニカルであるものをテクニカル・デスメタルと定義している。本書の冒頭に登場する Death や Atheist、Nocturnus というバンドは、1980 年代後半から 1990 年代初頭にかけて、それまでのデスメタルに比べ、テクニカルなスタイルで注目を集めている。

　Atheist と Nocturnus は 共 に 1990 年 にデビュー・アルバムをリリースしている。Atheist はそのサウンド・プロダクションこそ 1980 年代後半から盛り上がり始めたフロリダ・デスメタルのスタンダードであるが、予想の出来ない転調、フロリダ・デスメタルをシンプルにエクストリームに押し進めたスピード感とそれを織り成す圧倒的テクニックで注目を集めた。Nocturnus のデビュー・アルバム『The Key』は、Atheist が『Piece of Time』をリリースした 3 ヶ月後の 10 月に発表され、キーボードを導入した最初のデスメタル・バンドとして注目された。そのサウンドは Atheist にも通ずるような自由奔放に転調を繰り返しながら、デスメタリックでスラッシーなギターソロ、そしてキーボードのコズミックな音色を差し込む奇抜さで、Atheist と共に話題を集めた。1990 年にリリースされた他のデスメタル・アルバム、例えば Obituary の『Cause of Death』や Deicide の『Deicide』、Cannibal Corpse の『Eaten Back to Life』や Entombed『Left Hand Path』と比べれば、明らかに異質なアルバムであることが感じられるだろう。

Death は 1983 年 Mantas というスラッシュメタル・バンドとして始まり、1991 年にリリースしたアルバム『Human』まで、スラッシュメタルの影響が色濃く反映されたサウンドをプレイしていた。『Human』の直前、1990 年にリリースしたアルバム『Spiritual Healing』は、デスメタルとスラッシュメタルの中間をいく、いわゆるデスラッシュとも言うべき作品だ。本作後に Death を脱退したギタリスト James Murphy はその後、Obituary、Testament とデスメタル、スラッシュ・シーンを代表するバンドを渡り歩いていったことから、『Spiritual Healing』リリース後、Death の中心人物である Chuck Schuldiner の目指すサウンドに変化があったことが伺える。『Spiritual Healing』リリース時点では、Death をスラッシュメタル・バンドと認識していたリスナーも多かったのではないだろうか。

Cynic メンバー参加でプログレッシヴ化

　『Human』の制作に伴い、Chuck 以外のメンバーが総入れ替えとなった。プログレッシヴ・デスメタル・バンド Cynic のメンバーであったギタリスト Paul とドラマー Sean、フレットレスベーシスト Steve を迎えレコーディングされた『Human』は、Paul、Sean、そして Steve によって巧みに繰り出されるプログレッシヴなグルーヴと Chuck のワイルドなデスメタル / スラッシュメタルの構成体が複雑に融合している。これは、同年リリースされた Cannibal Corpse の『Butchered at Birth』 や Morbid Angel の『Blessed Are the Sick』、Autopsy の『Mental Funeral』や Immolation の『Dawn of Possession』などのアルバムと比べれば、非常に複雑なスタイルで、驚くべき変貌を遂げた事が分かる。

プログレッシヴ・デスメタルとの差が広がる

　Death、Atheist といったテクニカル・デスメタルの始まりと言われるこれらのバンドだが、プログレッシヴな要素をもち、事実、プログレッシヴ・デスメタルにも強い影響を与えている。しかしながら、本書で彼らをテクニカル・デスメタルと定義したのはなぜか。そして、Cynic や Pestilence といった同世代に登場したバンドをプログレッシヴ・デスメタルとした理由はなんだろうか。その差異について考えてみたい。

　Cynic のメンバーは、テクニカル・デスメタルの礎とも呼ばれる Death の『Human』に参加しながらも、本作以降は Cynic に戻り、1993 年にアルバム『Focus』をリリースしている。この『Focus』は、ジャズやフュージョン、伝統的なプログレッシヴ・メタル、あるいはロックのグルーヴや楽曲構築から大きな影響を受けており、当時のテクニカル・デスメタルに代表されるようなスピード、スラッシーなリフやギターソロには強く影響されておらず、作品の中で中心となるフレーズとして登場しない。Pestilence も 1993 年の『Spheres』でプログレッシヴなテンポチェンジやコズミックなキーボードを導入し、Cynic と同様プログレッシヴ・メタルあるいはロックとデスメタルを融合させており、肉体的な限界を追求するようなテクニカルに聴かせるフレーズはほとんど登場しない。プログレッシヴ・デスメタルは、近未来的なヴィジュアルやコズミックなサウンド・デザインを得意とし、プログレッシヴ・メタルやロックの雄大なグルーヴとデスメタルを掛け合わせている。それに対し、テクニカル・デスメタルは変拍子や展開の妙といったところでプログレッシヴ・デスメタルと共通する部分はあるものの、肉体的な限界を追求するようにテクニカルな技法を盛り込み、デスメタルをエクストリームに押し進めていった。

ジャズ・フュージョンからも影響

　プログレッシヴ・デスメタルは前述の通り、プログレッシヴ・メタル、あるいはロックとデスメタルがクロスオーバーしたサウンドを指し、Cynic や Pestilence を筆頭に、Sadist や Gojira、Edge of Sanity や Opeth などといったバンドが代表として挙げられる。いわゆるプログレッシヴ・メタルの拍子の変化や綿密なシンコペーションといったグルーヴに焦点を当てながら、フュージョンやジャズといった音楽ジャンルからも大きな影響を受け、長大で幻想的な楽曲構成、実験的なハーモニーといったものが特徴として挙げられるだろう。そしてそこに、デスメタルのグロウルやリフ、ラウドなドラミングを掛け合わせながら、プログレッシヴ・メタルのサブジャンルのようにして、プログレッシヴ・デスメタルは発展していった。故に、Djent やメタルコアといった世代の異なるシーンへの影響も独特な強さを持っており、Between the Buried and Me は世代の橋渡し的な役割を果たしたバンドとして知られている。

　テクニカル・デスメタルとの違いは音楽的なところだけではないだろう。バンドロゴもブルータル・デスメタルやテクニカル・デスメタルのような刺々しく読みづらいデザインではなく、丸みを帯びスタイリッシュさなものが多い。アルバムのアートワークもデスメタルに代表されるようなグロテスクなもの、例えば死体や骨、血といったものからはかけ離れており、宇宙や仮想空間などといったものが中心だ。デスメタルとは言え、音楽的に、そしてヴィジュアル的にもデスメタルらしさはないが、多彩な音楽からの影響を巧みに表現するのに必要なテクニックは相当のものだろう。近いようで遠い、このジャンルの違いをイメージして聴いてみるのも面白いはずだ。

CHAPTER 2

CANADA

LATIN AMERICA

1990 年代初頭、フロリダのデスメタル・シーンの盛り上がりに呼応するかのように、カナダ、特にケベック州を中心に多くのテクニカル・デスメタル・バンドが出現。1991 年にGorguts が『Considered Dead』でデビュー、1994 年にはCryptopsy がアルバム『Blasphemy Made Flesh』で衝撃をもたらした。特に Cryptopsy のドラマー Flo の影響力は強く、後発のバンドに多大な影響を与えた。個性豊かなバンドがひしめき合い、互いに影響し合うシーンからは、シーンの新時代を担う Archspire や Beyond Creation といったバンドが現れ、現在では、テクニカル・デスメタルの中心地としても語られる事が多い。アメリカやカナダを中心とするテクニカル・デスメタルの盛り上がりは南米にも及んでいくが、スラッシュメタルやブラックメタルは未だ南米メタルの中心ジャンルである。そのようなエリアからは、モイスチャーなサウンド・プロダクションを持つ南米デスメタルらしさがありながらも、テクニカルなスタイルを持つバンドがブルータル・デスメタル、プログレッシヴ・デスメタル・シーンに多く存在する。

Gorguts

🕐 1989 年　　🌐 カナダ・ケベック州シャーブルック　　👤 Luc Lemay
👥 Negativa, Dysrhythmia
🎵 Cryptopsy, Demilich, Imperial Triumphant
💿 アヴァンギャルドなリフが複雑に絡み合う前衛芸術的デスメタル・サウンド
💬 (初期) 死、病 / (後期) 神秘主義、伝説、歴史、政治

　ギター / ボーカルの Luc Lemay、ギタリストの Sylvain Marcoux、ベーシストの Éric Giguère、ドラマー Stephane Provencher の 4 人で結成。デビュー作『Considered Dead』は当時 Cannibal Corpse の Chris Barnes や Death の James Murphy がソロ奏者として作品に参加していた事で、広く認知されるようになった。
　1993 年には Roadrunner Records から『The Erosion of Sanity』を発表。この作品は複雑で難解なフレーズが多く、前作以上の評価を得る事はなかった。その後、およそ 5 年間ライブを行う事はなかった。
　1993 年には次作の楽曲制作は終わっていたが、レーベルが決まらずリリースは大幅に遅延。Luc はメンバーラインナップを大幅に刷新し、アルバム『Obscura』をリリース。これまでで最もアグレッシヴでエクスペリメンタルな内容で、この手のジャンルでは重要な作品として語り継がれている。
　2001 年に『From Wisdom to Hate』をリリースしたものの、1993 年に加入した Steve MacDonald がうつ病を再発し、翌年自殺。この事件はバンド解散にまで繋がった。Luc は田舎へ移住し、音楽活動からも引退し、林業に専念するようになっていた。Luc はこれまでの活動に満足しており、やり切った思いでいたという。2006 年、Steeve Hurdle が彼が在籍していた Negativa に Luc を誘ったことをきっかけに音楽活動を再開。そして Gorguts の再結成を決意した。2012 年に 1993 年から 6 年間在籍していた元メンバー Steeve Hurdle が手術の合併症で死去するという出来事があったものの、2013 年『Colored Sands』をリリース。彼らの復活は大いに歓迎された。

Gorguts　　　　　　　　　　　　　　　　　　　　　　　🔴カナダ
Considered Dead　　　　　　　　　　　　　　🔘 R/C Records 🔘 1991

1989 年ケベック・シャーブルックで結成。本作は数度のメンバーチェンジやデモ音源を経て、ギター / ボーカル Luc Lemay、ギタリスト Sylvain Marcoux、ベーシスト Éric Giguère、ドラマー Stéphane Provencher というラインナップで制作されたデビュー・アルバムだ。Death や Malevolent Creation、Obituary ほか 90 年代初頭のオールドスクール・デスメタルを手掛けた名プロデューサー Scott Burns が手掛けた本作は、おどろおどろしいデスメタルに前衛的とも言える芸術性を持ち込み構築された作品で、リリースから 30 年以上が経過した今も新鮮な輝きを放つ。

Gorguts　　　　　　　　　　　　　　　　　　　　　　　🔴カナダ
The Erosion of Sanity　　　　　　　　　🔘 Roadrunner Records 🔘 1993

前作から僅か 1 年 3 ヶ月という短いスパンでリリースされたセカンド・アルバム。Steve Harris によってプロデュースされ、マスタリングは Eddy Schreyer が担当。現在の Gorguts スタイルに通ずる不気味さはこのアルバムから始まっており、特に「Condemned to Obscurity」や「The Erosion of Sanity」ではそれを武器として、リフ、展開に落とし込んでいる。Suffocation の複雑さと Atrocity のダークなメロディをクロスオーバーさせ、ブルータルに仕立てたような Gorguts サウンドは、完成度が高く、作りの良さが美しい佇まいとして表れている。

Gorguts　　　　　　　　　　　　　　　　　　　　　　　🔴カナダ
Obscura　　　　　　　　　　　　　　　　🔘 Olympic Recordings 🔘 1998

5 年振りのリリースとなったサード・アルバム。前作から Luc 以外のメンバーが脱退。本作からは新たにギター / ボーカル Steeve Hurdle、ベーシスト Steve Cloutier、ドラマー Partick Robert を迎え 4 人体制でレコーディングが行われた。オープニングの「Obscura」から大きな異変に気付くはずだ。不気味な恐ろしさ溢れるアヴァンギャルドでディソナントなリフ、じわりじわりとボルテージを高めていくグルーヴ。前衛的なメロディやグルーヴを炸裂させる超絶技巧の嵐に、言いようのない恐怖さえも感じる。

Gorguts　　　　　　　　　　　　　　　　　　　　　　　🔴カナダ
From Wisdom to Hate　　　　　　　　　🔘 Olympic Recordings 🔘 2001

3 年振りのリリースとなった 4 枚目フルレングス。このアルバムからドラマーが Steve MacDonald に、そして Steeve に代わりギタリストが Daniel Mongrain にスウィッチ。本作は『Obscura』で見せた不気味なアヴァンギャルド / テクニカル・デスメタルをベースに、更にトリッキーなグルーヴ、珍妙な小技などを淡々と炸裂させていく。その奇怪さは聴き進めていくうちにフックとして機能していくのが感じられる「Inverted」のアウトロなど、超人技としか言いようがない。独自性を追求しデスメタル未開の道を歩み続ける彼らだったが、リリースの翌年にドラマーの Steve がうつにより自殺してしまった。

Gorguts　　　　　　　　　　　　　　　　　　　　　　　🔴カナダ
Colored Sands　　　　　　　　　　　　　🔘 Season of Mist 🔘 2013

2005 年に活動を休止。Luc は新たに Negativa というバンドで音楽活動を再開したが、元 Gorguts のメンバーで Negativa で一緒だった Steve Hurdle の助言により、Gorguts を復活させる。新たにギタリスト Kevin Hufnagel、Behold the Arctopus などで知られるベーシスト Colin Marston、ドラマー John Longstreth が加わった新生 Gorguts は、冥府のように静まり返った闇の中で鳴っているかのようなドゥーミーなアトモスフィアの上で、複雑で奇怪なリフが痙攣しながらすり潰すように刻み込まれる。誰も近づけないオーラ溢れる作品だ。

ドラミングで圧倒させるテクニカル・ブルータル・デスメタルの元勲!

Cryptopsy

🕐 1992 年　🌐 カナダ・ケベック州モントリオール　👤 Flo Mounier
👥 Necrosis
🎵 Suffocation, Cattle Decapitation, Gorguts
◎ 予測不能な楽曲展開の要となるカリスマ・ドラマー Flo Mounier のテクニック
🏷 ホラー、冒涜、ゴア、死、切断、狂気、殺人

Lord Worm

Cryptopsy の歴史の 1 ページ目は、1988 年 4 月に結成された前身バンド Necrosis まで遡る。ドラマーの Mike Atkin、ギタリスト Steve Thibault、ボーカリスト Lord Worm（本名 Dan Greening）の 3 名が中心となって始まり、ベーシストに John Todds を加え、活動をスタート。バンドは Obsessive Compulsive Disorder という名前で始まったとも言われている。1992 年までに 3 本のデモテープを制作し、ギタリストに Dave Galea を加え、精力的に動き出したが、Mike が音楽性の違いにより脱退。新たに Flo Mounier が加入したタイミングで、バンド名を Cryptopsy へと改め、再出発した。

John に代わり Kevin Weagle が加入。1993 年に Cryptopsy 名義としては初となる音源『Ungentle Exhumation』を制作すると、アンダーグラウンド・デスメタル・シーンで話題となった。Kevin に Martin

Fergusson、Dave に 代わり Jon Levasseur が加わり、デビュー・アルバム『Blasphemy Made Flesh』を制作した。

アルバムは高く評価され、ツアーにも多くのファンが駆けつけていたものの、リリース元の Invasion Records と金銭面でトラブルとなり、レーベルを離脱。この頃、Steve と Martin が脱退し、新たにベーシスト Eric Langlois を 加 え、4 人体制となった。Eric はファンク・シーンでベーシストとしてのキャリア

「2007 年の Cryptopsy」

を積んでおり、Cryptopsy にスラップベースのフレーズを持ち込み、変化をもたらした人物だ。

1996 年にアルバム『None So Vile』をリリース。この作品がブルータル・デスメタル・シーンに与えた影響は凄まじく、ソングライティングのセンスはもちろん、各パートのスキルも高く評価された。バンドはツアーに向けてサポートギタリスト Miguel Roy を迎え、『None So Vile』のリリースツアーに出発。

このツアー後、Lord Worm が健康面に問題を抱え脱退。後任には Infestation で活動していた Mike DiSalvo が加わっている。バンドはアルバムリリースツアーを経て、いくつもフェスに出演しながら、ファンベースを拡大。

1998 年には Century Media Records と契約し、アルバム『Whisper Supremacy』をリリース。Miguel が正式に加入し、『None So Vile』で完成させたサウンドにジャズやフュージョンのエッセンスを加えながら独創性の高いスタイルを追求。Mike のボーカルはカリスマ性の高かった Lord Worm と比べられてしまう事が多かったが、初のアメリカツアーを成功に収めるなど、Cryptopsy の顔としてその実力を発揮した。

2001 年に『...And Then You'll Beg』をリリース。前作から正式加入していた Miguel に代わり、Alex Auburn が加入している。これまでブルータル・デスメタルとして評価されてきた Cryptopsy であったが、予想のつかない展開を見せるエクスペリメンタルな楽曲構成を持ち味としたスタイルを発展させていった。リリース後に Mike は脱退してしまうが、新たに Martin LaCroix が加入し、ツアーを継続。ヨーロッパや日本でもツアーを成功させている。

2004 年 の 夏、Lord Worm が 復 帰。Gorguts の Dan Mongrain をサポートに迎え、カナダツアーを行った。翌年、Jon が音楽活動から引退する為、バンドを脱退。Dan がライブ・メンバーとして Cryptopsy をサポートした。

2005 年にリリースしたアルバム『Once Was Not』は、Lord Worm、Flo、Eric、Alex の 4 名で制作。ツアーには Christian Donaldson を迎え、Suffocation や Despised Icon らと北米ツアーを開催。その後もオーストラリア、ヨーロッパなど世界をツアーしてまわり、Christian は正式なメンバーとして Cryptopsy に加入。

2007 年、Lord Worm が再び Cryptopsy を脱退。バンド

Christian Donaldson

は新たに 3 Mile Scream のボーカリストだった Matt McGachy、キーボーディスト Maggy Durand を迎え、6人体制で『The Unspoken King』を制作。デスコアのグルーヴを随所に組み込んだ新しいスタイルは賛否両論巻き起こすも、彼らの人気は衰える事はなかった。

2009年に Alex が脱退したが、オリジナルメンバーの Jon がバンドに復帰する事になった。Eric も次いで脱退を発表し、Youri Raymond が加入したが、2012年には Neuraxis で活躍した Olivier Pinard にスイッチしている。同年、セルフタイトル・アルバムをリリースし、ぐっとテクニカル・デスメタルを主体としたサウンドへと回帰、2023年のアルバム『As Gomorrah Burns』は長いブランクを感じさせない抜群の安定感でファンを魅了している。

Necrosis
○カナダ

Realms of Pathogenia
⊙ Independent　○ 1991

1988年ケベックで結成。本作は Cryptopsy へと改名する前に Necrosis 名義でリリースした唯一のアルバムとなっている（1988年は当初 Obsessive Compulsive Disorder と名乗り、Cryptopsy 改名直前には Gomorra へと改名したとか）。本作はボーカリスト Lord Worm、ギタリスト Steve Thibault、ベーシスト John Todd、ドラマー Mike Atkin の4人で制作された。Lord Worm の若さ溢れるハイピッチ・シャウトは初々しいながらも他とは違うカリスマ的な輝きが感じられる。1992年に Flo らが加入となる。

Cryptopsy
○カナダ

Blasphemy Made Flesh
⊙ Invasion Records　○ 1994

前身バンド Necrosis を母体とし1992年にケベックで結成。本作はボーカリスト Lord Worm、ギタリストの Steve Thibault と Jon Levasseur、ベーシスト Martin Fergusson、ドラマー Flo Mounier の5人で制作された。オープニングを飾る「Defenestration」から Cryptopsy の類まれな才能が発揮されており、変幻自在の転調を生み出す圧倒的な Flo のドラミングと Martin のスラップ、血に飢えた猛獣のように牙を剥き出しにして咆哮する Lord の異形の風体に思わず足がすくむ。スピード、テクニックにおいて他を圧倒したデビュー・アルバム。

Cryptopsy
○カナダ

None So Vile
⊙ Wrong Again Records　○ 1996

Steve と Martin が脱退。本作からは新たにベーシスト Éric Langlois を迎え、プロデューサーに Pierre Rémillard を起用し、録音された。『Blasphemy Made Flesh』がリミッターの限界ギリギリにそのテクニックとブルータルさを見せつけているとしたら、このアルバムはリミッターを完全に突破、破壊してしまっている。Flo のドラミングはソリッドな高速リフを追い越しそうになりながら叩き込まれ、追いかけるように黒煙を上げるデスメタリックなメロディが刻み込まれていく。「Slit Your Guts」はテクニカル・ブルータル・デスメタルの金字塔とも言える名曲。

Cryptopsy
○カナダ

Whisper Supremacy
⊙ Century Media Records　○ 1998

衝撃的なガテラルで頭一つ抜きん出た存在感を見せた Lord Worm が脱退。新たにボーカリスト Mike DiSalvo、そしてセカンド・ギタリスト Miguel Roy が加入し、再び5人体制で本作のレコーディングが行われた。ハードコアやグラインドコアへの親近性を打ち出した Cryptopsy の新しいサウンドは Mike の声質との相性が良く、前のめりに暴走し続けるブラストビートとの対比によってメリハリのある展開が目立つようになった。ひたすら漆黒のカオスが渦巻いていたこれまでの彼らとは違い、構築的な美しさとデスメタルのグルーヴを融合させることに成功した作品と言えるだろう。

Cryptopsy
And Then You'll Beg
○カナダ ♠ Century Media Records ○ 2000

Miguel に代わり、ギター / ボーカリスト Alex Auburn が加入。本作は、彼らがこれ
までの 3 枚のアルバムを通じて表現してきたスピードとテクニック、複雑怪奇な
フレーズを見事に展開させていく斬新なアプローチが、見事なバランス感覚でミッ
クスされていく。まるで土砂崩れのようにリフやドラムが展開されながら、そこ
にグラインドコアにも似たうねりを加え、狂気的な興奮を生み出す。「Voice of
Unreason」にあるようなクリスピーなベースのアクセント、「Soar and Envision
Sore Vision」の奇怪なボーカルなど実験的なアイデアも多く面白い。

Cryptopsy
Once Was Not
○カナダ ♠ Century Media Records ○ 2005

5 年振りのリリースとなった 5 枚目フルレングス。Jon が脱退してしまったものの、
オリジナル・ボーカルの Lord Worm が復帰。前 2 作で見せたハードコア、グライ
ンドコアへの親近性は影を潜め、凄まじい狂態の Lord のボーカルへ寄り添うよう
に複雑でアヴァンギャルドなスタイルとなり、猛烈なカオスが終始渦巻いている。
Flo のドラミングはサウンド・デザインから他のテクニカル・デスメタル勢とは一
線を画し、ジャズ、フュージョンにも聴こえてくる個性的なスタイルで叩き込まれ
ていく。『Blasphemy Made Flesh』や『None So Vile』の混沌としたスタイルへと
回帰を果たした作品。

Cryptopsy
The Unspoken King
○カナダ ♠ Century Media Records ○ 2008

再び Lord Worm が脱退。バンドは大きくラインナップチェンジを遂げ、3 Mile
Scream のボーカリスト Matt McGachy、ギタリスト Christian Donaldson、キーボー
ディスト・サンプラーとして初の女性メンバー Maggie Durand を迎え、6 人体制
となった。Cryptopsy は再びグルーヴ溢れるスタイルへと戻り、デスコアへ接近し
ながらフレッシュなアプローチをたっぷりと取り入れた。Matt のボーカルは糸を
引くようにスクリームをハイピッチ / ロービッチと使い分けながら、楽曲にドラマ
性を植え付けていく。当時のデスコア・トップバンド達を凌駕するパワーと創造性
を見せつけた。

Cryptopsy
Cryptopsy
○カナダ ♠ Independent ○ 2012

Century Media Records を離れ、自主制作でリリースした 7 枚目フルレングス。
Alex が脱退し、Jon Levasseur が復帰。ベーシストも Éric から Olivier Pinard にス
ウィッチしている。デスコア的なアプローチが多かった Matt のボーカル・スタイ
ルはダークに、そしてブルータルなものへとスタイルチェンジし、獣的なガテラ
ルが地を這うようにしてリフ、ドラミングと交差しながら展開されていく。また
「Red-Skinned Scapegoat」のように Flo のジャジーな小技の利いた楽曲もあり、
彼らの暴虐性とグルーヴィな 2 つの魅力が上手く融合した仕上がりとなっている。

Cryptopsy
As Gomorrah Burns
○カナダ ♠ Nuclear Blast ○ 2023

2011 年振りとなる 8 枚目フルレングス。Nuclear Blast と契約してリリースされた
本作は Flo、Christian、Matt、Olivier の 4 人体制でレコーディングが行われ、プロ
デューサーとしてのキャリアも長い Christian がミックス、マスタリングまでを手
掛けている。長いブランクはあったものの、充実したライブ活動によって本作のメ
ンバーラインナップはファンからの信頼も厚く、それぞれの個性も Cryptopsy らし
さの大事なピースとなった。先行シングル「In Abeyance」の驚異的なスピード、
鮮やかなテンポチェンジは、確かな Cryptopsy らしさが充満しており、作品の真髄
と言える。

テクニカル・デスメタルのカリスマ・ドラマー、Flo Mounier、そのキャリアとプレイ・スタイル

フランス系カナダ人、アメリカ育ち

　テクニカル・デスメタルを代表するドラマーと言えば、カナダを拠点とするバンド、Cryptopsy のドラマー、Flo Mounier（フロ・ムーニエ）だ。1974 年生まれ、端正な顔立ちでフランス系カナダ人の彼は、平然としたプレイ・スタイルでありながら力強くファスト、クセのあるドラミングで 90 年代から現在に至るまで、デスメタル・シーンで確固たる影響力を持っている。彼のキャリアを振り返りながら、Flo Mounier のドラミングが他と異なる魅力を持っている理由について考えてみたい。

　彼のドラマーとしてのキャリアは比較的早いものであったが、最初からその才能が開花した訳ではなかった。幼少期をフランスで過ごした彼は 6 歳の頃、初めてドラムに触れる機会を得た。地元のドラム教室に行き、ドラム・レッスンを受けたものの、手解きを受けたインストラクターは彼にとって決して優れた教師ではなかった為、ドラムに興味を持つに至らなかったようだ。

　10 代の半ばになる頃、家庭の都合でアメリカ・シカゴへ移住。それが再びドラムとの出会いを彼にもたらした。通っていた学校にいくつか楽器があり、Flo はスクール・バンドを結成する為に何か楽器に挑戦してみることにした。ピアノやギター、サックスなどを試したが、最終的に彼が興味を示したのがそれらの楽器の中に並んでいたスネアだった。彼はバンドで何をやりたいか尋ねられ、ドラムを選ぶことにした。これが Flo のドラム・キャリアの出発点になっている。

　それからおよそ 1 年後、父親が中古で手に入れたスリンガーランドのドラム・キットを修理し、ドラムにのめり込んでいくようになる。当時はまだ、遊びで叩いていた程度であったというが、たまにレッスンを受けていたという。

初期のキャリア

　本格的にバンドに所属してドラマーとして活動を始めたのは、10 代の中頃にカナダ・ケベックへと本国してからだ。Flo は King Diamond のようなロック・オペラから Slayer、そして母国が誇るプログレッシヴ・メタルの巨匠 Voivod へとメタルを聴き進めながら、様々なバンドで演奏するようになり、1992 年には Necrosis のメンバーとしてデモを録音したり、Decay というバンドに参加したりしていた。Necrosis は Cryptopsy の前身バンドとして知られてお

り、1988年から活動をスタート。もともと別のドラマーが在籍していたようだが、当時流行り始めていたデスメタルへ移行することをきっかけにFloが加入することになったという。

Cryptopsy のドラマーとして活躍

　この頃からFloは他のドラマーとは一味違った志向を持っていた。当時影響を受けたバンドとしてNapalm DeathやPestilence、Suffocationなど挙げているが、それらのバンドよりも「より速く」「よりヘヴィな」サウンドを目指す為にバンド全体がソングライティングに取り組むようになっていた。Floにとってスピードを極めることは容易であったそうだが、スピードを極める為に何をすべきか、そしてどんな目標を持って練習に取り組むべきかの明確なビジョンを持ち、トレーニングに取り組まなければ、1994年のデビュー・アルバム『Blasphemy Made Flesh』や次いでリリースされ、テクニカル／ブルータル・デスメタルのマスターピースとも言える名作『None So Vile』は完成されなかっただろう。

ドラム教則DVDをリリース

　2005年に発売されたFloのドラム・テクニックを収めたDVD『Extreme Metal Drumming 101』では、Cryptopsyとしてテクニカル・デスメタルのドラミングに大きな影響を与えるようになっていた彼のテクニックやドラムへの取り組み方について実際の演奏、そしてドラム・クリニックの模様が収められている。メトロノーム（クリック）を使用して練習することの大切さからブラストビートよりも速いグラヴィティブラストに関するものまで、Floのテクニックが詳細に語られているが、それらに取り組む上で情熱を持って誰よりも多くの練習をすることが大切であることを念押している。現在ではパー

Extreme Metal Drumming 101

ソナル・トレーニングの資格を持ち、ドラミングに関連した身体に関する指導やワークショップも数多く行っている。長年のワークショップを通じて、カナダ、特にケベックは優秀なドラマーを輩出するテクニカル・デスメタル大国へと成長したと言っても過言ではない。

ジャズドラムの影響

　Floはプロ・ドラマーとして、ジャンル問わず優れたプレイヤーから様々なテクニックを学び、自身のプレイ・スタイルに取り入れてきた。特段、ジャズからの影響は大きく、Cryptopsyのサウンドをより個性的なものへと進化させた。Floはジャズ・ドラマーから手が疲れず、汗をかかずにスピードを出すコツを研究した。そしてリラックスして心地良く演奏することを心掛けながら、集中力は欠かさずに正しい動きにエネルギーを使うテクニックを手に入れた。

　Floは影響を受けたドラマーとしてSean Reinert（Cynic）、Gene Hoglan（ex. Death、Dark Angel）、Kenneth Schalk（ex.Candiria）といったメタル・シーンのドラマーに加え、Led ZeppelinのJohn Bonham、ジャズやフュージョン、ラテン音楽で活躍するDennis Chambers、Paul Simonのバック・ドラマーを務めた

ドラムクリニックの様子

フュージョン・ドラマー Dave Weckl、近年 Beck のライブ・ドラマーを務めている Chris Coleman の名前を挙げている。デスメタルとは一見、関係のなさそうなジャズやフュージョンのアプローチを探究することで、Flo にしか鳴らせないオリジナリティ、独特なタッチが加わったスピーディなテクニカル・ドラミングを可能にしているのだ。複雑なフィルの異常なスピードを平然と演奏する彼に観客は釘付けになる。

事実上 Cryptopsy のリーダー

　Cryptopsy は誰がリーダーであるか、それを公言したことはないが Flo がバンドの顔であることは誰も否定しないだろう。そしてそれはライブ・パフォーマンスだけでなく、ソングライティングにおいても変わらない。基本的に Cryptopsy の制作において Flo はグルーヴを担当する。2005 年からバンドに加入したギタリストの Christian Donaldson とのタッグは安定感があり、クリエイティヴである。驚くべきことに、Flo は時折メロディックなアイデアを持ち込み、ハーモニーを取り入れることを提案するという。アルバム『The Unspoken King』に収録されている「The Plagued」という楽曲にはドラマー Flo のアイデアであるメロディが組み込まれているとのこと。

　世界中をツアーして周り、2023 年には久しぶりに来日も果たした。30 年を超える Cryptopsy としてのキャリアを通じて放たれるプレイは多くのファンを魅了した。彼の独創性、そして探究心はこれからドラムを始めたいと考えている多くのドラマー達を刺激し続けるだろう。

テクニカル・デスメタルとブルータル・デスメタルの違い

決定的な違いであるスラミング

　ブルータル・デスメタルはテクニカル・デスメタルと同様にスピードを追求しており、デスメタリックなギターソロも、テクニカル・デスメタルと呼ばれている多くのアーティストの礎になっている。本書にレビューを掲載した Suffocation はブルータル・デスメタルの代表的なアーティストであり、彼らが 1991 年にリリースした『Effigy of the Forgotten』は現在まで続くブルータル・デスメタルのマスターピースと言える。彼らのスピード、特にブラストビートは時にテクニカル・デスメタルよりも速く、ギターの運指の複雑さもテクニカル・デスメタルに引けを取らない。しかしブルータル・デスメタルをブルータル・デスメタルたらしめる、特徴深い要素がある。それがスラミングというパートの存在だ。

　スラミングは急激なテンポダウンによって、モッシュを誘発する、いわゆるハードコアでいうブレイクダウンのようなパートで、そこに技術の高さはさほど必要なく、モッシュまたはヘッドバンギングさせるパートである。Suffocation は 1991 年の『Effigy of the Forgotten』の段階で多少のスラミングパートを導入しているが、当時はまだスラミングという概念がなく、次第にスラムパートに特化したスラミング・ブルータル・デスメタルと呼ばれるサブジャンルが誕生。Suffocation などのようなスラミング・ブルータル・デスメタルが確立されるまでのブルータル・デスメタル・バンドで、特にテクニカルなものは本書にも掲載している。

　スラミング・ブルータル・デスメタルというジャンルが浸透してくると、スピードやテクニックを重視したブルータル・デスメタルとの二極化がはじまったが、その線引きはとても曖昧で、ファストなスタイルを持つバンドであっても、スラムパートを組み込むことはよくある。スラミングに特化したサブジャンルは誕生したものの、スラムパートは依然ブルータル・デスメタルの重要な要素であることは間違いないようである。

テクニカル・ブルータル・デスメタルも存在

　本書ではスラムパートに特化したようなスラミング・ブルータル・デスメタルは排除しているが、スラムパートは組み込まれているものの、スピードやテクニックにフォーカスしている、いわゆるテクニカル・ブルータル・デスメタルに分類されるようなバンドについてはページの許す限り掲載している。代表格と言える Deeds of Flesh は、初期こそ純粋なブルータル・デスメタルであったが、次第にプログレッシヴな手法をヒントに現在のテクニカル・デスメタルと呼ばれる音楽の土台を作った。そして、バンドの中心人物であった Erik Lindmark はテクニカル・デスメタルの重要レーベルである Unique Leader Records を立ち上げ、シーンの形成に大きく尽力した人物であった。1990 年代後期に登場した Disgorge や Brodequin などについては、もちろんテクニカルではあるものの、ブルータル・デスメタルとして語られることがほとんどで、2016 年に執筆した『ブルータルデスメタルガイドブック』で詳細に掲載した。

　このようにテクニカル・デスメタルと、隣接するプログレッシヴ・デスメタル、そしてブルータル・デスメタルとの境界線は非常に曖昧であるが、それぞれに何を重要視しているか、どんなルーツを持ったデスメタルであるかが、違いを見分けるポイントになっている。

オペラのように荘厳で、クラシックのように雄大！

Augury

🕐 2002 年　🌐 カナダ・ケベック州モントリオール　👤 Mathieu Marcotte, Dominic Lapointe, Patrick Loisel
　💿 Spasme, Merfolk, First Fragment
　🎧 Cynic, Neuraxis, Obscura, Gorod
　🎵 プログレッシヴ・メタルの美的感覚とシャープなテクニカル・デスメタルのオーガニックな融合
　💬 陰謀論、ポーラーシフト、歴史改変 SF

　2002 年カナダ・ケベックで結成。もともと 1997 年頃には Augury として結成する兆しがあったものの、Mathieu Marcotte がギタリストとして在籍していた Spasme が 2002 年に解散したタイミングで本格的に動き出す事となった。Spasme は、1994 年に結成され、Mathieu がオリジナルメンバーとして参加していたテクニカル・ブルータル・デスメタル・バンドで、Cryptopsy に在籍していた Martin Lacroix も一時期参加していた。Spasme は解散後、Mathieu 以外のメンバーがメロディック・ブラック・デスメタル・バンド Rostrum を立ち上げるなど、元々音楽性の違いを抱えていた。

　Mathieu は Augury 立ち上げに向けオーディションを行った。バンドには女性ボーカリストの Arianne Fleury、80 年代にスラッシュメタル・バンド Foreshadow のメンバーで、当時はデスメタル・バンド Kralizec で活動していたギター / ボーカルの Patrick Loisel、Satanized のベーシスト Dominic Lapointe、メロディック・デスメタル・バンド Decadawn などに在籍していたドラマー Mathieu Groulx の 5 人が採用され、楽曲制作をスタート。すぐに 6 曲を完成させ、デビューライブを行った。しかし Mathieu Groulx が音楽性の違いにより脱退。結局 Disembarkation のドラマーだった Étienne Gallo が加入する事になり、2004 年デビュー作『Concealed』をリリースした。

　その後の楽曲制作は Patrick、Dominic、Mathieu がそれぞれに行う形で進められていった。その為、アルバムの為に制作され、集められた楽曲はバラエティに富んでおり、各メンバーの個性が生き生きと発揮され

た作品にまとまった。Augury が制作していたこの作品は、Kataklysm のメンバーによって Nuclear Blast に届けられ、それを気に入ったレーベルは Augury と契約。

セカンド・アルバム『Fragmentary Evidence』は 2009 年にリリースされたが、長きに渡って Augury を支えた Dominic が脱退。新しくベーシスト Christian Pacaud がライブメンバーとして参加し、同じタイミングでドラマーが Neuraxis で活躍した Tommy KcKinnon にスウィッチ。Augury は新しいメンバーで、The Black Dahlia Murder や Obscura がヘッドライナーを務めた北米ツアーに出演。カナダではヘッドライナーでショウを行うなどした。

2013 年には Étienne と Dominic がバンドに復帰。Étienne は 2016 年に再び脱退したが、2009 年から 2012 年まで在籍していた Antoine Baril が復帰している。オリジナルメンバー 3 人が揃い、9 年振りに制作されたサード・アルバム『Illusive Golden Age』は、当時の新鋭レーベル The Artisan Era からリリースされ、シーンの若いファンベースからも高く評価された。

バンドを牽引する Mathieu は、Augury 結成前の Spasme から数えると 30 年以上カナダのテクニカル・デスメタル・シーンの中で活躍してきた人物であり、Cryptopsy や Gorguts と共に語られるべき存在だ。アルバムのタイトル曲「Illusive Golden Age」のミュージックビデオでは、ベテランでありながら初期衝動に突き動かされ続けているかのように、汗だくになりながらスクリームし、複雑なタッピングフレーズを華麗に決めるとメロイックサインを掲げるなど、純粋なテクニカル・デスメタルへの愛に胸を打たれる。

Augury
🔵カナダ

Concealed
🅐 Galy Records 🕒 2004

2002 年モントリオールで結成。ギタリストの Mathieu Marcotte とボーカルを兼任する Patrick Loisel、ベーシスト Dominic Lapointe を中心メンバーとして動き出し、本作からドラマー Étienne Gallo が加入、ソプラノ・シンガー Arianne が参加し制作が行われた。オペラのように荘厳なオーケストレーションがピンと張り詰めた緊張感を演出、オープニングを飾る「Beatus」から、Augury の流麗なクラシカルさが発揮されている。Arianne のソプラノがテクニカル・デスメタルに自然に溶け込むサウンド・プロダクションも味わい深い。

Augury
🔵カナダ

Fragmentary Evidence
🅐 Nuclear Blast 🕒 2009

衝撃的なデビューから 5 年、Nuclear Blast へと移籍。Arianne は参加していないものの、同郷シーンから多彩なゲスト・ボーカリストらが参加しており、中には Unexpect の女性シンガー Roxanne も Augury サウンドに華を添えてくれる。本作は、デビュー・アルバムの神秘性を保ちながら、サウンドはより複雑で難解にアップデートされている。それはまるで同郷の Quo Vadis のクラシカルさと Gorguts のアヴァンギャルドさをクロスオーバーさせたかのようにも聴こえる。エンディングを飾る「Oversee the Rebirth」では 11 分に及ぶ Dominic の熱演に度肝を抜かれる。

Augury
🔵カナダ

Illusive Golden Age
🅐 The Artisan Era 🕒 2018

9 年という時を経てリリースされたサード・アルバム。2009 年から 3 年間だけ在籍していたドラマー Antoine Baril が復帰し、Cryptopsy の Christian Donaldson がプロダクションを担当する形でレコーディングが行われた。前作が非常に複雑であったのに対し、キャッチーでフックのあるグルーヴを軸に、ストレートなドラマ性が高い楽曲が多く、聴きやすく感じる。ミュージックビデオにもなっている「The Living Vault」は Dominic の荒ぶるベースが炸裂し、それに呼応するようなギターの静かなる熱演も生々しく豊かな味わいが感じられる。

本物のオーケストラも使用したネオ・クラシカル・テクデス！

Beyond Creation

🕐 2005 年　🌐 カナダ・ケベック州モントリオール　👤 Simon Girard
👥 First Fragment, Equipoise, Brought by Pain, Chthe'ilist
💿 Obscura, First Fragment, Rivers of Nihil, Inanimate Existence, Fallujah
◉ フレットレス・ベースが重心を支えるネオクラシカルな旋律を持ち味とした、芸術性の高い楽曲構築
🌐 SF、神秘、政府、戦争、社会、政治

2005 年、ギター / ボーカルの Simon Girard とギタリスト Nicolas Domingo Viotto によってケベック・モントリオールを拠点に活動をスタート。当初は Behind Human Creation というバンド名を名乗り、2 人で楽曲制作をしながらメンバーを探していた。

2007 年にギタリスト Kevin Chartré、2008 年にドラマー Guyot Begin-Benoit が加入（Nicolas は 2007 年に脱退）。リハーサルを重ねながら、Augury を脱退した Dominic Lapointe がベーシストとして 2010 年に加入したタイミングで、Beyond Creation へと再び改名、（2009 年には Behind Creation へと改名していたと言われている）Beyond Creation へと改名した頃から、バンド体制でのライブ活動をスタートさせた。

PRC Music と契約し『The Aura』をリリース。Cryptopsy で活躍した Youri や Christian がゲストとして参加したことや、Dominic のベースプレイのファンを中心に注目を集めた。2012 年には Guyot に代わり、Simon の従兄弟だったドラマー Philippe Boucher が加入。彼は 2010 年から First Fragment でも活躍していた。

2013 年には Season of Mist と契約を果たし、『The Aura』を再発、世界に向けて発売した。その後、Decibel Magazine 主催の北米ツアーに帯同し、Cannibal Corpse らと共演。このツアーをきっかけに Beyond Creation の名は広く知れ渡る事になった。

2014 年にはセカンド・アルバム『Earthborn Evolution』をリリース。アルバムのアートワークは Cryptopsy にボーカリストとして在籍した経歴を持ち、グラフィック・デザイナー兼タトゥーアーティスト

として活動していた Martin Lacroix が手掛けており、Beyond Creation サウンドの高い芸術性を巧みに表現（Martin は 2024 年に死去）。発売前から注目を集めていたこのアルバムのツアーは、アメリカ大陸のみならずヨーロッパなどでも行われ、グローバルな人気獲得のきっかけにもなった。2015 年からは Dominic に代わり、Hugo Doyon-Karout がベーシストとして加入。彼は Equipoise など 2010 年代後期のテクニカル / プログレッシヴ・デスメタル・シーンにおいて重要なバンドにも同時期に加入。Brought By Pain や Conflux といったバンドにも参加しており、シーンの重要人物として引っ張りだこであった。6 弦ベーシストの使い手と知られる Hugo は、そのテクニックを以てして、バンドの核となるスタイリッシュなサウンドを築き始めた。Hugo 加入以降は、「The Summer Slaughter Tour」に参加し、Arch Enemy や Born of Osiris、Veil of Maya や Cattle Decapitation らと共演、さらにレーベルメイトだった Hate Eternal のヘッドライナーツアー「The Infernus World Tour」にも参加するなど北米ツアーやメキシコを始めとする南米諸国での公演などを精力的に行った。

　以降、メンバーチェンジもなく、Obscura の『Akróasis』ヨーロッパツアーに帯同するなどしながら、シーンにおける信頼を獲得し、テクニカル・デスメタル / プログレッシヴ・デスメタルを代表するバンドへと成長。2018 年にリリースしたアルバム『Algorythm』では、ストリングスを交えたダイナミックなアレンジで話題を呼んだ。

Beyond Creation
カナダ
The Aura　PRC Music / Season of Mist　2011

2005 年ケベック州モントリオールで結成。本作からギター / ボーカル Simon Girard、ギタリスト Kévin Chartré、ベーシスト Dominic Lapointe、ドラマー Guyot Begin-Benoit の 4 人体制となり、Christian Donaldson がプロダクションを手掛けた。彼らの最たる魅力は Dominic のベースプレイ。6 弦フレットレス・ベースを使用し、ヘヴィなテクニカル・デスメタルの中でエレガントな存在感を放っている。もちろん各パートのスキルも高く、特に Simon のボーカルは Decrepit Birth の Bill を彷彿とさせる獰猛な雰囲気を持っている。

Beyond Creation
カナダ
Earthborn Evolution　Season of Mist　2014

前作リリース後に Season of Mist と契約。『The Aura』の再発を経て発表された本作は、ドラマーとして First Fragment に在籍していた Philippe Boucher が加入。ファストな楽曲が多くブルータルなイメージが強かった前作と比べ、「Theatrical Delirium」のようなミドルテンポのプログレッシヴ色の強い楽曲が増え、ベースラインを引き立たせるソングライティングが増加していることがよく分かる。多くのテクニカル・デスメタル・バンドがおり、フランス語圏であることからフランス語のタイトルの楽曲もあり、ユニークな心地良さがある。

Beyond Creation
カナダ
Algorythm　Season of Mist　2018

4 年振りとなった本作では、これまでバンドの強烈な個性だったベースを担う Dominic が脱退し First Fragment へ加入した為、新たに Equipoise にも在籍する Hugo Doyon-Karout が参加している。初期の Beyond Creation と比べ、サウンドは非常にマイルドになり、ブルータルからプログレッシヴへとその魅力を転換している。Hugo のベースとツインギターのハーモニーは深みがあり、互いに作用しながらコクのあるサウンドを演出。特にタイトルトラック「Algorythm」は、新体制となった彼らの挑戦的なアイデアが随所に組み込まれた仕上がりで、落ち着いたトーンもしっくりくる。

人間離れしたスピードとショットガン・ボーカル！

Archspire

🕐 2009 年　🌐 カナダ・ブリティッシュ コロンビア州バンクーバー　👤 Oliver Rae Aleron, Dean Lamb, Tobi Morelli, Spencer Prewett
📷 Defenestrated, Gremory
🎵 Beneath the Massacre, Ophidian I, Rings of Saturn
◎ 人間離れしたスピードと整合感溢れるサウンドの上で、圧倒的な存在感を放つ Oliver のショットガン・ボーカル
🌐 SF、エイリアンの侵略

　2007 年、Gremory、Cryobiosis、Crepitus、Artep など 2000 年代初頭から様々なバンドでドラムを叩いてきた Spencer Prewett によって、Defenestrated という名前で立ち上げられ、2009 年からメンバーが加わり Archspire として活動がスタート。

　結成時のメンバーは、Mitochondrion や Gremory で活動していたボーカリスト Shawn Hache、同じく Gremory のベーシスト Jaron Evil、ギタリスト Tobi Morelli と Seven Year Storm のギタリスト Dean Lamb。多くのメンバーが在籍した Gremory は、2004 年に Acherontic として結成され、2005 年にデモテープをリリースしたのみで 2007 年に解散している。Gremory ではテクニカル・ブルータル・デスメタルをプレイしており、2007 年の解散後、Archspire とメロディック・デスメタル / パワーメタルバンド、Archon Legion へと分裂した形となる。

　動き出してすぐ、ボーカリストが Hunting Humans! などで活躍した Oli Peters に交代、2010 年にデビュー EP『All Shall Align』を発表。この作品をきっかけにバンドは Trendkill Recordings と契約し、同名のアルバムをリリースした。その後はライブ活動を続け、2013 年に Season of Mist と契約。2014 年の 4 月にリリースされたアルバム『The Lucid Collective』のスピードにフォーカスしたサウンドで多くのファンを獲得した。

　ベーシスト Jaron が前年に脳卒中を起こし、健康面から 2014 年に脱退。ライブメンバーとして Clayton Harder を加えツアーを行い、2016 年には Harvest the Infection のベーシスト Jared Smith が正式に加入。

この頃に Beyond Creation らに追いつく程の認知度を獲得し、その名はカナダから世界のテクニカル・デスメタル・シーンへと広まっていった。

2017 年にリリースされたアルバム『Relentless Mutation』は数々のメタル・メディアで取り上げられ、限界までスピードアップしたサウンドでシーンに衝撃をもたらした。ショットガン・ボーカルと呼ばれる Oli のボーカルは TikTok などソーシャルメディアを通じて広く知れ渡るなど、プロモーションもユニークだ。2021 年にリリースしたアルバム『Bleed the Future』の PR では、メンバーの母親が Archspire のホラー / スプラッター風のミュージックビデオを鑑賞する様子を公開して話題になった。スピードの限界を追求、テクニカル・デスメタルの可能性を拡大する存在として活躍している。

Archspire
All Shall Align ◎カナダ 🅐 Trendkill Recordings ⨁ 2011

2009 年バンクーバーで結成。2007 年にスタートした Defenestrated を母体とし、Gremory のドラマー Spencer Prewett、ベース / ボーカル Jaron Evil、ギタリストの Dean Lamb と Tobi Morelli、ボーカル Oliver Rae Aleron を中心に活動をスタート。本作は同郷の Stuart McKillop がプロデュースからミックス、マスタリングまでを担当している。彼らの代名詞とも言える音速のブラストビートはこの頃から健在。ぶつ切りで歯切れの良い刻みも、既に Archspire の楽曲の肝として効果を発揮している。

Archspire
The Lucid Collective ◎カナダ 🅐 Season of Mist ⨁ 2014

独創的なスタイルで異彩を放った彼らは Season of Mist と契約を果たし、前作同様 Stuart と共に本作のレコーディングを行った。Spencer の叩き込む閃光のようにスピーディなブラストビートがアクロバティックな転調を挟みながら突進、スウィープ奏法を多用した Dean と Tobi のギターが火花を散らしながら喰らい付いていく。二人のプレイをアシストするような Jason のベースラインも超絶技巧によって静かに Archspire サウンドを支えており、Oliver のラップのようなグロウル（ショットガン・ボーカル）もドライヴ感を上手く演出している。

Archspire
Relentless Mutation ◎カナダ 🅐 Season of Mist ⨁ 2017

ベーシスト Jason が脱退し、新たに Jared Smith が加入。本作は、これまで Archspire のプロダクションを担当してきた Stuart に代わり、Allegaeon や Cephalic Carnage などを手掛けてきた Dave Otero が務めている。グッと迫力を増したブラストビートは、Dean と Tobi のメロディアスなリフが絡みつき、新加入 Jared のベースラインも繊細なフレーズを華やかに増幅させる働きを見せている。まるで Spawn of Possession がハイになったようなサウンドの要になっているのはやはり Oliver のボーカルで、それはショットガン・ボーカルと形容された。

Archspire
Bleed the Future ◎カナダ 🅐 Season of Mist ⨁ 2021

4 年振りのリリースとなった 4 枚目フルレングスは、前作同様 Dave Otero がプロデュースを務めた。前作で、スピード、テクニック、グルーヴを究極のエクストリームに極めたが、本作はさらにその上を行く驚愕のサウンドを聴かせてくれる。機械のような整合感あるチャギング・リフと機関銃のようなブラストビートにボーカルが炸裂するオープニングトラック「Drone Corpse Aviator 」から、Opeth を彷彿とさせるクラシカルな響きを持つ「Drain of Incarnation」などテクニカル・デスメタルというジャンルでありながら、オーバーグラウンドの様々なメタルの旨みを吸収し昇華した傑作。

Akurion
○カナダ

Come Forth to Me ⊙ Redefining Darkness Records ○ 2020

2012 年ケベック州モントリオールで結成。ボーカリスト Mike DiSalvo、ギタリスト Robin Milley、ベーシスト Olivier Pinard、ドラマー Tommy KcKinnon の 4 人編成を取り、当時、Mike 以外は Neuraxis のメンバーによって構成されていた。元 Cryptopsy の Lord Worm や Gorguts の Luc Lemay ら豪華ゲストが参加した本作は、多彩なテンポで構成されたブラックメタルの影響下にある、メロディック・デスメタルをテクニカルにプレイ。荒くダークな中に見え隠れするテクニックには目を見張るものがある。

Apogean
○カナダ

Cyberstrictive ⊙ The Artisan Era ○ 2024

2021 年トロントで結成。EP『Into Madness』を経て The Artisan Era からドロップした彼らのデビュー・アルバムとなる本作は、Alterbeast に在籍していたボーカリスト Mac Smith、ギタリストの Gabriel Castro と Dexter Forbes、ベーシストの Robert Tam、ドラマー Jacob Wagner の 5 人で制作された。リード曲「Bluelight Sonata」は Apogean の魅力が詰まった 1 曲で、Archspire に匹敵するスピードとリフのダイナミズムを武器としながら、ネオクラシカルな旋律を交えたグルーヴィな仕上がり。

Atheretic
○カナダ

Adhesion, Aversion... ⊙ Neoblast ○ 2001

1999 年ケベック州アルマで結成。ボーカリスト Wayne McGrath、ギタリストの Dany LeBlanc と Stéphane Genest、ベーシスト Dominic Lapointe、ドラマー Jean-Sébastien Gagnon の 5 人体制で本格的に始動。勢い任せに叩き込まれるドラミングは巨大なシンバルワークが印象的で、カオティックな要素でひねりを加えている。ブルータルなリフは控えめながら良い仕事をしており、時折メロディアスにうねるベースラインにリードされながらも邪悪に刻み続ける。制御不能に見えて、それを上手くコントロールするテクニックは流石。

Atheretic
○カナダ

Apocalyptic Nature Fury ⊙ Galy Records ○ 2006

5 年振りのリリースとなった事実上ラスト・アルバム。Kataklysm、Ex Deo で活躍する Jean-François Dagenais がプロデュースを手掛け、Bernard Belley がマスタリングを担当。前作『Adhesion, Aversion...』では初々しいアグレッシヴなサウンドに埋没していたキラーフレーズがクリアに浮き出ており、アクセルとブレーキを騒々しく踏みかえるドラミングを操るかのようなリフ、そしてベースラインが生き生きと躍動する。一本調子であるのは否めないが、じっくりと聴きこみたくなる玄人向けのテクニカル・デスメタル隠れ名盤。

Beneath the Massacre
○カナダ

Mechanics of Dysfunction ⊙ Prosthetic Records ○ 2007

2004 年ケベック州モントリオールで結成。ボーカリスト Elliot Desgagnés、ギタリスト Chris Bradley、ベーシスト Dennis Bradley、ドラマー Justin Rousselle の 4 人体制で本格的に活動をスタートさせた。EP『Evidence of Inequity』を経て、Prosthetic Records と契約。Despised Icon のギタリスト Yannick をプロデューサーに迎え制作された本作は、熱気を帯びたスウィープがギターから、そしてベースから炸裂し、マシンガンのように叩き込まれるファストなドラミングと共にグルーヴを生み出していく。

Beneath the Massacre　　　　　　　　　○カナダ
Dystopia　　　　　　　　　　　　　○ Prosthetic Records　○ 2008

前作『Mechanics of Dysfunction』で魅せた音響彫刻とも言えるサウンドは大きな
話題となり、デスメタル·シーンだけでなく、当時盛り上がり始めたデスコア·シー
ンからも注目を集めた。前作の布陣に加え、メタルコア·シーンでその腕前を発揮
する Jason Suecof がミックスを務め、Alan Douches によるマスタリングが施され
た本作は、グッとデスコアへと傾倒。テクニカル·デスコアとも言うべき新たなサ
ブジャンルを形作るようなサウンドに仕上がっている。スペクタクルなテクニカル
フレーズがずっしりと、ヘヴィなデスコアの上を砂塵を巻き起こしながら疾走する。

Beneath the Massacre　　　　　　　　　○カナダ
Incongruous　　　　　　　　　　　○ Prosthetic Records　○ 2012

2010 年に EP『Marée Noire』のリリースを経て完成した通算 3 枚目のフルレングス。
本作は Cryptopsy のギタリスト Christian Donaldson がプロデュースしている事か
らも分かるように、前作のデスコア·スタイルから元のテクニカル·デスメタルへ
と回帰している。デモニックなブラストビートを軸とし、小さな粒子が宙を乱舞す
るように、メロディアスなギターフレーズがスウィープをふんだんに組み込みなが
ら展開。自身達の強みが何かを把握し、格段にスキルアップしアップデート、独自
の魅力を開花させたテクニカル·デスメタルのお手本とも言うべき作品。

Beneath the Massacre　　　　　　　　　○カナダ
Fearmonger　　　　　　　　　　○ Century Media Records　○ 2020

8 年というブランクを経て、新たに Century Media Records と契約しリリースされ
た 4 枚目フルレングス。2017 年に当時 23 歳だった若きドラマー Anthony Barone
が加入。Anthony は Beneath the Massacre と並行して Shadow of Intent でも活躍。
前作同様 Christian がプロダクションを手掛けた本作は、ファンの期待を超える超
人的なテクニックとスピードを贅沢に味わうことの出来る過去最高傑作となってい
る。テクニカル·デスコアのキャリアも含め、艶やかに輝き、しなやかに弾むメロ
ディの応酬、タフなブレイクダウンにリスナー達は言葉を失うだろう。

Disembarkation　　　　　　　　　　　○カナダ
Rancorous Observation　　　　　　　　　○ Neoblast　○ 2000

1995 年ケベック州ジョリエットで結成。1996 年にデモ音源『Effusion of Reality』
を制作、Neoblast と契約後ボーカリスト Martin Fréchette、ギタリストの Simon
Leblanc と Martin Prieur、ベーシスト Francis Ménard、ドラマー Étienne Gallo の
5 人体制となり、本作のレコーディングを行った。人間離れしたスクリーハで圧倒
しながら、ずっしりとヘヴィなドラミングを軸にノイジーなリフがけたたましく鳴
り響くパワフルな作品。2002 年に解散、ドラマー Étienne は後に Augury へと加入
している。

First Fragment　　　　　　　　　　　○カナダ
Dasein　　　　　　　　　　　　○ Unique Leader Records　○ 2016

2007 年ケベック州ロンゲールで結成。ボーカリスト David AB、ギタリスト
Philippe Tougas と Gabriel Brault-Pilon を中心に活動をスタート。本作までに何度
かメンバーチェンジがあったものの、ベーシスト Vincent が加入、レコーディング
には Severed Savior のドラマー Troy が参加し、制作が行われた。First Fragment
の強烈な個性であるフレットレス·ベースの轟くベースラインが高貴で崇高な雰囲
気を醸し出す。特にタイトルトラックである「Dasein」は、ツインギターの繊細
な輝きを捉えながらドラマティックに展開していくセンスに溢れた名曲だ。

First Fragment
⬤カナダ

Gloire éternelle
🅐 Unique Leader Records ⊘ 2021

5 年振りのリリースとなった本作から、Unleash the Archers でも活躍するギタリスト Nick Miller、Augury のベーシスト Dominic Lapointe、Pronostic のドラマー Nicholas Wells が加入。自身のサウンドを「ネオクラシカル・テクニカル・デスメタル」と形容し、持ち前の轟くベースラインを軸に、まるでクラシック音楽のデスメタル版を聴いているかのようなサウンドを展開。先行シングルとして公開された「Pantheum」を筆頭に、高潔なツインギターをたっぷりと盛り込み、神々しささえ感じさせてくれる独自性の強いサウンドを聴かせてくれる。

Fracturus
⬤カナダ

Versus the Void
🅐 Independent ⊘ 2023

2021 年ケベック州モントリオールで結成。Neuraxis のボーカル Alex LeBlanc、ギタリストの Greg Nicholls、ドラマー Alexis Serré、2022 年に加入したベーシストで Cryptic Forest でも活躍する Peter Hamm の 4 人体制で活動をスタート。デビュー・アルバムとなる本作は、奥域のあるサウンドスケープによってダイナミズムを増したヒロイックなリフが印象的で、時折ブルータルに転調しながら忙しないドラミングがグルーヴを牽引していく。タイトル曲「Versus the Void」ではスポークンワードを交えるなど、新鮮なアイデアで聴くものを引き込んでいく。

Harvest the Infection
⬤カナダ

Reassortment
🅐 Independent ⊘ 2015

2010 年バンクーバーで結成。2012 年にセルフタイトル EP を発表後、ボーカル Chris Thorpe、Archspire のギタリスト Jared Smith と Kyle Wagner、ベーシスト James Butler-Gray、ドラマー Paul Drummond という 5 人体制となり、Chris と James 以外はデス / スラッシュメタルバンド Civil Ruin で活動していた。彼らの最たるポイントは、まるでメロディック・ハードコアのシンガーのような Chris のボーカルで、語るようにしてグロウルする特殊なスタイルが聴きどころ。メロディック・デスメタルがベースになっているのもユニークだ。

Hatred Reigns
⬤カナダ

Awaken The Ancients
🅐 Independent ⊘ 2023

2015 年オタワで結成。2018 年に EP『Realm: I - Affliction』でのデビューを経て発表された本作は、Deformatory や Dichotic で共に活動してきたギタリスト Jeffery Calder とドラマー Neil Grandy、デスメタル・バンド Harvested のベーシスト Adam Semler とボーカリスト Mitchi Dimitriadis というラインナップで制作された。Dying Fetus といったグルーヴィなデスメタルを下地に、プログレッシヴなアクセントを加えたサウンドで、時折 Cryptopsy を思わせるカオティックさが顔を覗かせる。

Killitorous
⬤カナダ

The Afterparty
🅐 Independent ⊘ 2020

2006 年オンタリオ州オタワで結成。パーティや映画、コメディをテーマにしたバンドで、結成当初から幾多のメンバーチェンジがなされているが、本作はボーカル Mathieu、ベーシスト Xavier、Obery the Brave のドラマー Stevie の兄弟で Suffocation のドラムを務める Eric Morotti、そしてトリプルギターで Ill Niño のギターテックを務める Annihilator の Aaron、First Fragment の Nick、そして Marc の 6 人体制。ファニーなノリを武器にしながらも、その超絶技巧は桁違い。目眩がするほどの熱気をパッケージしたアルバムだ。

Martyr
Hopeless Hopes　🅐 Independent / Galy Records 🅓 1997　◯カナダ

1994 年ケベック州トロワリヴィエールにて結成。ギター / ボーカルの Daniel Mongrain、ベース / ボーカルの François Mongrain、ギタリスト Pier-Luc Lampron、Chronical Disturbance での活動を終えたドラマー François Richard によって本格スタートしレコーディングが行われた。Death の『Symbolic』を彷彿とさせるサウンド・プロダクションは、複雑でありながら整合感を放つ知的な響きを持っている。ニヒリスティックな歌詞も Martyr の重要な要素であり、聴き進めていくに連れ、その世界観にするするると引き込まれていく。

Martyr
Warp Zone　🅐 Galy Records 🅓 2000　◯カナダ

3 年振りのリリースとなったセカンド・アルバム。本作から Patrice Hamelin がドラマーとして加入。前作で感じられた Martyr の異質さは格段にレベルアップしたサウンド・プロダクションによって浮き彫りとなり、プログレッシヴという言葉だけでは形容できない不気味な展開美を、古き良きデス / スラッシュメタルの特徴を加えながら表現している。ただ、決して彼らは単なるオールドスクール・バンドではなく楽曲「Retry? Abort? Ignore?」のような現代的な感覚もしっかり捉えたバンドである。その計り知れないポテンシャルの高さは、これから時代を重ねるほど高く評価されていくに違いない。

Martyr
Feeding the Abscess　🅐 Galy Records 🅓 2006　◯カナダ

6 年振りのリリースとなった彼らのラスト・アルバム。Pier に代わり Martin が加入。Cryptopsy の『None So Vile』などを手掛けた Pierre Rémillard と Despised Icon の Yannick がプロダクションを担当した本作は、これまで張り詰めていた空気感を一変させるようなアグレッシヴなエナジーに溢れており、オールドスクール・デスメタルから援用し変形させた複雑なリフとリズム、ジャジーなアレンジが奇怪さを加速させている。Daniel は 2008 年に元々大ファンだったという Voivod へ加入、François が Ex Deo へ参加したことで 2012 年に Martyr は解散。

Neuraxis
Imagery　🅐 Neoblast Records 🅓 1997　◯カナダ

1994 年ケベック州モントリオールで結成。中枢神経軸を意味するバンド名を冠し、ボーカル Maynard、ギタリストの Steven Henry と Felipe、ベーシスト Yan Thiel、ドラマー Mathieu の 5 人で本作の制作が行われた。もっさりとしたサウンド・プロダクションの中、邪悪なガテラルがまるで怪物のようなおどろおどろしさを見せる。「Reasons of Being」や「Oscillated to Intelligence」など、面白いリフ・アイデアを聴くことが出来る作品に仕上がっている。リリース元の Neoblast Records は彼らの自主レーベル。

Neuraxis
A Passage Into Forlorn　🅐 Neoblast Records 🅓 2001　◯カナダ

Steven と Yan 以外のメンバーが脱退。新たにボーカリスト Ian Campbell、ギタリスト Robin Milley、Despised Icon や Obey the Brave のフロントマンであり、Despised Icon 加入前だった Alexandre Erian がドラムスとして加入。Yannick St-Amand が手掛けた本作は、Neuraxis が目指すサウンドが何であるのかを浮き彫りにするシャープな音像が印象的で、複雑怪奇なデスメタルの中に挑戦的なアイデアがたっぷりと詰まっている。「Unite」「Link」といった楽曲は後の Neuraxis へ続くサウンドの基礎とも言える仕上がり。

Neuraxis
○カナダ
Truth Beyond... 🄖 Galy Records 🄞 2002

Galy Records と契約、前作から間髪入れずに発表した本作は、前作と同じメンバー、プロデューサーという布陣で制作されている。これまで Neuraxis が得意としてきた暴虐性は、流麗なメロディックフレーズがふんだんに盛り込まれたことにより落ち着きを放っている。オープニングの「...Of Divinity」から、Cephalic Carnage の面々や Despised Icon の Steve がゲスト・ボーカルとして参加した「Impulse」への流れはお見事。プログレッシヴな魅力が引き出されたのは卓越されたテクニックがあるからで、それを見事にデスメタルにブレンドし新境地を開拓した。

Neuraxis
○カナダ
Trilateral Progression 🄦 Willowtip Records / Earache Records 🄞 2005

コンピレーション・アルバムのリリースを経て、3 年振りに発表された通算 4 枚目のスタジオ・アルバム。Nefastüs Diès に在籍していたドラマー Tommy McKinnon が新たに加入。引き続き Yannik がプロデュースを手掛けている。前作『Truth Beyond...』で新たなメロディック・デスメタルとも言える形を完成させ、アンダーグラウンドなリスナーから高い評価を獲得。本作はそのサウンドの延長線上にありながら、よりダイナミズムを増しスケールアップを目指したようなスタイルで、丁寧にかつドラマティックに展開を続けていく。

Neuraxis
○カナダ
The Thin Line Between 🄟 Prosthetic Records 🄞 2008

オリジナルメンバーの Steven、そしてフロントマンを務めた Ian が脱退。新たに Quo Vadis でゲスト・ギタリストとしてその腕前を発揮していた William Seghers、ボーカリスト Alex LeBlanc が加入。心機一転、新しくなった Neuraxis は、これまでのスタイルをより深化させながら、緩急の中で熟練のテクニックを隠し味として加えていく。程良くマイルドに仕上がったサウンドは、結果的にバンドのキャリアの中で最も高い評価を受けることになった。ミュージックビデオにもなっている「Darkness Prevails」はそんな新しい彼らを象徴する一曲と言えるだろう。

Neuraxis
○カナダ
Asylon 🄟 Prosthetic Records 🄞 2011

Yan と Tommy が脱退、Cryptopsy のベーシスト Olivier Pinard、後に Kataklysm や Ex Deo で活躍するドラマー Olivier Beaudoin が加入。本作は、Cryptopsy のギタリスト Chris Donaldson がプロデュースを手掛けている。これまで培ってきた Neuraxis のプログレッシヴかつテクニカル、そしてメロディアスなスタイルは健在で、Robin の卓越されたギタープレイも炸裂している。「Asylum」や「Left to Devour」など新加入のメンバーらが個性を発揮する楽曲で変わらぬ人気を見せつけたものの、2015 年に活動休止。

Plaguebringer
○カナダ
Diabolos 🄐 Independent 🄞 2019

2013 年アルバータ州カルガリーで結成。元々活動していたデスコア・バンド Colombian Necktie から改名する形でスタートし、ボーカル Fiaro、ギタリストの Aaron James、Roger と Oswin、ベーシスト Aaron Lang、ドラマー Greg のトリプルギター 6 人編成となり、本作が制作された。ヒロイックなギターソロは時折ツインリード、トリプルリードと変化しながら、疾走し続けるドラミングの上を駆け抜けていく。地味ではあるがフィンガースタイルで地を這うようにうねるベースラインも聴きどころの一つと言えるだろう。

Quo Vadis
Forever...
●カナダ
●VomiT ●1996

1993 年ケベック州エーモスで結成。ギター / ボーカルの Bart Frydrychowicz と
Arie Itman、ベーシスト Rémy Beauchamp、ドラマー Yanic Bercier の 4 人で本
格的に活動をスタートさせる。本作は、Cryptopsy の『No So Vile』を手掛けた
Pierre Rémillard がプロデュースを担当、Neuraxis の Steven Henry がゲスト・ボー
カルで参加した「Legions of the Betrayed」で幕を開けると、音速で駆け抜けるファ
ストなドラミングが印象的なメロディアスなデスメタルを展開。得体の知れない不
気味なサウンドで注目を集めた。

Quo Vadis
Day Into Night
●カナダ
●Hypnotic Records ●2000

4 年振りのリリースとなったセカンド・アルバム。前作と同じく Pierre をプロデュー
サーに迎え、キーボーディスト Claude Picard がゲスト参加している。Quo Vadis
の素晴らしさは、やはり Bart のリフと Yanic のドラミングのコンビネーションと
言えるだろう。テクニカル・スラッシュ / デスメタルと形容したくなる彼らのサ
ウンドは、シュレッド・リフと整合感のあるシンバル・ワークを肝に、優雅にア
クセルとブレーキを操るドライブ感が魅力。収録曲「Dysgenics」や「Night of the
Roses」は、他のテクニカル勢にはない Quo Vadis のオリジナリティが感じられる。

Quo Vadis
Defiant Imagination
●カナダ
●Skyscraper Music ●2004

Bart、Yanic 以外のメンバーが脱退、新たにボーカリスト Stéphane Paré を迎え、
3 ピース体制で制作された本作は、Pierre、そして Yannick St. Amand がプロデュー
ス / エンジニアリングを担当している。Anonumus の Marco と Oscar、Neuraxis
の Ian、Despised Icon の Alexandre がゲスト・ボーカルとして作品に参加するなど、
カナダのメタルシーンにおける信頼の高さがうかがえる。Que Vadis の集大成とも
言えるスラッシーでファストなテクニカル・サウンドが後続に与えた影響は大きい。
2010 年に解散を発表した。

Spasme
Deep Inside
●カナダ
●Independent ●2000

1994 年ケベック州ヴァルドールで結成。2001 年から 2 年間 Cryptopsy に在籍し
たボーカル Martin Lacroix、Augury のギタリスト Mathieu Marcotte、Rostrum から
ギタリスト Yan-Andre Chenier とベーシスト Jean-Sebastien Ouellette、ドラマー
Damien Helie が集まり、モントリオールへと拠点を移し、アルバムを制作した。
Martin のボーカルがおどろおどろしい Spasme スタイルの重心を支え、奇怪にテ
ンポチェンジしながら他にないテクニカル・デスメタルを聴かせてくれる。2002
年まで活動を続け、解散。

Tomb Mold
The Enduring Spirit
●カナダ
●20 Buck Spin ●2023

2015 年トロントで結成。これまでの Tomb Mold は Incantation を彷彿とさせるオー
ルドスクール・デスメタルで、リヴァイバルの中心的存在として、しばしばメタル・
メディア以外で語られることも多かった。ドラム / ボーカル Max Klebanoff、ベー
シスト Derrick Vella、ギタリスト Payson Power に加え、本作から Kecin Sia が加入。
バンド・サウンドは Payson と Max のプロジェクト Daydream Plus で追求したプ
ログレッシヴなスタイルを取り入れながら、これまでの Tomb Mold の魅力に加え、
芳醇なメロディック・フレーズを大胆に盛り込み、スケールアップした。

テクニカル・デスコアを代表するバンド達

本書の定義によるテクニカル・デスメタルを考えれば、テクニカル・プログレッシヴ・デスメタル、テクニカル・ブルータル・デスメタルの他にも「テクニカル」なデスメタルのサブジャンルが存在すると言える。そして現在、その中で最もアクティヴなのが主にデスコア・シーンで人気がある「テクニカル・デスコア」というマイクロ・ジャンルだろう。

デスコアという音楽については拙書『デスコアガイドブック』で細かく紹介しているが、ここではテクニカル・デスメタル・リスナーにもアプローチできるポテンシャルを持ったテクニカル・デスコア・バンドをいくつかピックアップしてみたいと思う。

Beneath the Massacre

カナダ・ケベックを拠点に活動するBeneath the Massacre は、風土に根ざしたテクニカル・デスメタルを下地にデスコアの秘めたる可能性を「テクニカル・デスコア」という形で表現した最初のバンドと言えるだろう。デビュー・アルバム『Mechanics of Dysfunction』は Prosthetic Records からリリースされ、テクニカル・デスメタルの新星としてその技巧を余すことなく詰め込んだ快作であるが、翌年にリリースされた『Dystopia』ではデスコア色を強めた。現在は再び初期の展開美を持つテクニカル・スタイルへと回帰しているものの、デスコアを

彷彿とさせるバウンシーなリフも搭載されており、テクニカル・デスコアを最新系にアップデートしたアルバムとして高い人気を誇っている。

Despised Icon

同じくカナダの重鎮、Despised Icon も「テクニカル・デスコア」を語る上で欠かせない存在と言えるだろう。そのキャリアの出発はブルータル・デスメタルであり、ハードコアとクロスオーバーしながら「デスメタル＋ハードコア＝デスコア」という方程式を作り、デスコアという音楽を世界に広めていった。彼らの代表的な楽曲はそこまでテクニカルな印象はないという方も多いと思うが、アルバム『Day of Mourning』に収録されている楽曲「MVP」は、テクニカル・デスコアと呼ぶに相応しい楽曲であると言えるだろう。他のブルータル・デスメタル・バンドを圧倒してしまうほどスピーディに踏み込まれるツインペダルが火を噴きながら、マスコアの要素も交えつつ、エンディングの巨大なブレイクダウンへと導火線を走らせる。「MVP」だけでなく、彼らの超絶技巧が味わえる楽曲は初期作品には散見される。改めて「テクニカル・デスコア」としてDespised Icon を聴き直してもるのも面白いだろう。

Spire of Lazarus

　オーストリア出身のメンバーとアメリカ出身のメンバーからなるモダン・テクニカル・デスコアとして筆頭に挙げられるのがSpire of Lazarusだ。彼らはNile、Born of Osirisなどを彷彿とさせるオリエンタルな音色を織り交ぜながら、テクニカル・プログレッシヴ・デスメタルの流麗な美しさとモダン・デスコアの爆発的なブレイクダウン、フックの利いたリフを織り交ぜた、完全に新しいサウンドを鳴らしている。系譜としてはBorn of OsirisとRings of Saturnがクロスオーバーしたサウンドとも言えるが、彼らのテクニックは、第一線で活躍するCryptopsyやFirst Fragmentといったバンドに匹敵するものがあるように感じる。2022年リリースのアルバム『Soaked in the Sands』ではプログレッシヴなアプローチでファンを驚かせた。

The Voynich Code

　Spire of Lazarusのように、Born of Osirisなどのプログレッシヴ・デスコアからの影響とNileなどのデスメタルに共通するオリエンタルな要素を持つバンドの中でも、一際存在感を見せているのが、ポルトガル出身のThe Voynich Codeだろう。2度の来日を果たした彼らのライブ・パフォーマンスの素晴らしさについてはご存知の読者も多いだろうが、意外とテクニカルなフレーズが多い。Nileを出発点にBorn of Osirisといったエジプト文化をメタルに取り入れたバ

ンドの系譜の中で語られることが多く、そのテクニックについて語られることがあまりなかったが、2023年にリリースしたアルバム『Insomnia』に収録されている「The Art of War」は超高速ブラストビートにThallを通過した恐ろしくヘヴィなリフが絡み合う、最新型テクニカル・デスコアとも呼ぶべきサウンドを鳴らしている。

Rings of Saturn

　近年では作品毎にスタイルを変え、バンド体制からユニット体制となったアメリカ出身のRings of Saturn。2009年から活動をスタートし、デビュー・アルバム『Embryonic Anomaly』、続く『Dingir』では自らそのサウンドを「エイリアン・デスコア」と形容するなど、独自の路線を突っ走ってきた。いわゆるエイリアン的な、SFをモチーフにした世界観は芳醇なシンセサイザーのメロディによって打ち出され、その上を指先から叩き込まれるタッピング・フレーズが降り注いでい

く。人間技を超越していく技巧には多くの
ファンが驚嘆し、それを弾いてやろうと世界
中のギタリストたちが Tab 譜を睨み続け、
プレイスルー・ビデオをアップすることで、
テクニカル・デスメタル・シーンでもポピュ
ラーな存在になった。現在ではさらにエクス
ペリメンタルな要素を強めているが、コンセ
プトと言える「エイリアン・デスコア」の雰
囲気はまとったままだ。

Xenobiotic

　オーストラリアを拠点に 2011 年か
ら活動を続ける Xenobiotic は、同郷の
Babirusa、The Seraphim Veil と共に
テクニカル / プログレッシヴ・デスコア
を追求し、母国のデスメタル・ヒーロー
Psycroptic の幻惑的なメロディを拡大し
ていくように、デスコアをテクニカルに発
展させてきた。2018 年にリリースしたデ
ビュー・アルバム『Prometheus』は自
主リリースながら大きな話題となり、続く
セカンド・アルバム『Mordrake』からは
Unique Leader Records からグローバル・
デビューを飾っている。デスコア・リスナー
からは親しみやすいリフとグルーヴ、そこに
散りばめられたいくつものテクニカルな音素
が砂金のような輝きを放っている。ライブ活
動も精力的で、多くのツアー・バンドのサポー
トを経て 2020 年代中盤からは世界へ本格
的に進出していく期待の星と言える。

Crown Magnetar

　「デスメタル＋ハードコア＝デスコア」
というクロスオーバーから出発し、すっかり
一大ジャンルとして成長したデスコアは、
2020 年代も様々なジャンルとクロスオー
バーしながら、メタル・ミュージックのメイ
ンストリームへと食い込むようになっていっ
た。近年の象徴的なモーメントは Lorna
Shore の楽曲「To the Hellfire」が大ヒッ
トし、リアクション動画などを通じて世界へ
広まり、ベテラン・メタル・バンドらに匹敵
する知名度を獲得、スタジアム級のライブを
行うまでに成長したことだろう。彼らの後続
には多くのバンドがいるが、中でもアメリ
カ・コロラド州の Crown Magnetar は大き
な期待を背負っているバンドで、テクニカ
ル・デスコアに分類されるサウンドを鳴らし
ている。人間技とは思えないブラストビート
に獣のようなガテラル、地獄の底を揺らすほ
どヘヴィなブレイクダウンを搭載しながらも
終始テクニカルなリフを刻み続けていく。
2020 年代前半はまだ地味な存在であった
が、じわじわと知名度を拡大しているバンド
で飛躍が期待される。ブルータル・デスメタ
ルに通ずる要素もあり、彼らの音楽的なバッ
クグラウンドの幅広さに驚かされる。

Deconversion
Incertitude of Existence
◎メキシコ
🔵 Amputated Vein Records ⏱ 2014

2011 年バハ・カリフォルニア州にて結成。ボーカリスト Richardo、ギタリスト の Seth と Hyram、ドラマー Alex を中心に活動をスタート。2012 年にデモ音源 『Deconversion』を発表。ライブでは Brain Drill や Arkaik で活躍したベーシスト Ivan らがサポートしていた。プログレッシヴな雰囲気を醸しながら、何度も何度 も転調。輪郭をどんどんぼかしながら加速していくデススラッシュなリフと、ドタバ タと叩き込まれるテクニカルなドラミングを基軸にしながら爆走を続ける。ふわり と漂う南米デスメタルの生々しさも魅力的。

Indepth
The Endless Pursuit
◎メキシコ
🔵 Independent ⏱ 2019

2013 年、メキシコ中部アグアスカリエンテス州の州都アグアスカリエンテスに て結成。同郷のフォーク / プログレッシヴ・メタル・バンド、Kalaveraztekah の ギタリストでもある Luigi Ponce を中心にベース Nando、ドラムス Dan が集ま り、2018 年にギタリストの Fer が加入し、本格始動。Beyond Creation や The Faceless の奥深くに感じるオリエンタルな音色を独自に拡大。Obscura のギタリ ストをフィーチャーした「In My Decay PT. I」ほかユニークなネオクラシカル・ス タイルがさりげない存在感を放つ。

Serocs
And When the Sky Was Opened
◎メキシコ
🔵 Comatose Music ⏱ 2015

2009 年にグアダラハラで結成され、その後メンバーチェンジの度にフィンランド、 フランス、カナダと拠点を変えながら活動を続けている。本作までに『Oneirology』 『The Next』と 2 枚のアルバムを自主でリリース。バンドのブレインである Antonio、Vile の Mike と Timo、First Fragment の Phil、Gutfucked の Josh という ラインナップで Comatose Music と契約し、本作が制作された。結成以来、磨き上 げてきたテクニカルでブルータルなデスメタルは、クリスピーなリフが暴虐的に刻 み込まれ、生き物のようなドラミングに食らい付いていく。

Serocs
The Phobos / Deimos Suite
◎メキシコ
🔵 Everlasting Spew Records ⏱ 2018

3 年振りのリリースとなった 4 枚目フルレングス。本作から First Fragment のギタ リスト Philippe、Chthe'ilist のベーシスト Antoine、Sutrah のボーカリスト Laurent が加わり、ゲスト・ドラマーに Kévin Paradis を迎え、制作された。Philippe の加 入によって味わい深いメロディアスなプログレッシヴ・リフが増加、Kévin の精密 なドラミングによって縦横無尽に転調し続けるビートも Serocs サウンドを立体的 に仕立ててくれる。アルバムのエンディングを飾る 11 分を超える大曲「Deimos」は、 テクニカル・デスメタルのクラシック・コンサートのよう。

Symbiotic
Ars Moriendi
◎メキシコ
🔵 Independent ⏱ 2022

2012 年レオンで結成。メキシコを拠点に活動する様々なメタルバンドでドラムを 兼任する Mauricio González を中心に、Aftermath、Travels in Solitude といったバ ンドに在籍した Christian、Osvaldo、Carlos、Gerardo のラインナップ。本作まで に 2 枚のアルバムを発表している。フレットレス・ベースのしなやかな旋律と精 細に叩き込まれるドラミングが生み出す高貴なアトモスフェリックは独特で、アル バムタイトルである「Ars Moriendi (=15 世紀の西欧社会に普及した小冊子で〈死 亡術〉の意)」の持つ不気味さを増幅させていく。

Visceral Abnormality
📍メキシコ

Humanity Lost
🅐 Independent 🄯 2020

2017年、「西部の真珠」と呼ばれるグアダラハラで結成。ボーカリスト Juan、ギタリストの Daniel と Alejandro Chapa、ベーシスト Marco、ドラマー Alejandro Gonzalez の5人体制で活動をスタート。デビュー EP となる本作は、気性の荒いドラミングが渦巻き、獣性的なリフとガテラルが押し寄せるラウドな仕上がりでありながら、全体的に整った質感を持つ。アーティスティックなアートワークが持つ神秘性が Visceral Abnormality らしさを増強させている。ライブ活動も精力的に行っている。

Amorphic Pale
📍プエルトリコ

Blinding Mirrors
🅐 Independent 🄯 2020

2008年大西洋に面するプエルトリコの首都サン・フアンにて結成。ボーカリスト Edwin Martinez、ギタリスト Ivan Lopez、ベーシスト Hiram Collazo、ドラマー Edwin "Tito" Santana の4人体制で活動をスタート。ミニマルなサウンド・プロダクションで仕上げられた本作は、スラッシーでメロディアスなリフのコンビネーションがドラミングの上を滑るように滑らかで、その上質な作りの良さでエレガントな雰囲気を醸し出す。ブラックメタルばりのガテラルも広がりを持ち、暗くも徐々に高揚していくサウンドに上手くマッチしている。

Miasis
📍エルサルバドル

Consumación humana
🅐 The Slaughterhouse Records 🄯 2023

2011年中米で最も危険な都市の一つ呼ばれるソヤパンゴを拠点に結成。元々デスコア・バンドとして活動を開始したものの、2020年ごろから本格的に動き出してテクニカル、ブルータルな路線へと舵を切っていった。ボーカル Fito、ギタリストの Jimmy と Gustavo、ベーシスト Alex、ドラマー Fausto の5人体制で制作された本作は、粘着質なチェーンソーリフとブラストビートが血飛沫を上げながら炸裂。Origin を彷彿とさせるタッピングフレーズを手榴弾のように投げ込みながら、何度も何度もビートダウンを繰り返す執拗さには思わずゾッとしてしまう。

Inhuman
📍コスタリカ

Unseen Dead
🅐 GrimmDistribution 🄯 2020

2011年コスタリア中部の都市エレディアで結成。同名バンドが世界に15以上存在するが、彼らはその中で最もテクニカルだ。本作は彼らのサード・アルバムで結成時からバンドを牽引してきたボーカル Sergio Muñoz の遺作。ギタリスト Jonathan、ベーシスト Kevin、ドラマー David の4人体制でレコーディングが行われた。奇怪な転調を繰り返しながらもゴリゴリとしたリフ、シンバルワークが印象的なドラミングと相まってアクロバティックに繰り広げられ、構築的な美しさを感じる。今は亡き Sergio の咆哮には込み上げてくる獣のような怒りがあり、そのサウンドをじりりじりりと加熱していく。

Internal Suffering
📍コロンビア

Supreme Knowledge Domain
🅐 Perverted Taste 🄯 1999

1994年結成のデスメタル・バンド Suffer を母体とし、1996年に本格的に活動をスタートさせた。本作は Repulse Records のサブレーベルである Qabalah Productions からのデビュー作で、Suffer のギタリスト Leonardo と、Goretrade のベーシスト Andre を中心に、Disembowel、Virulency などで活躍する凄腕ドラマー Fabio と、ボーカル Fabio という強力な布陣で制作された。リミッター振り切れ寸前まで高められたローが耳をつんざき、臓物を引きずりながらするするると展開する重々しいテクニカル・リフの応酬が衝撃的な作品だ。

Internal Suffering ○コロンビア
Chaotic Matrix ⒶDispleased Records Ⓒ2002

2年振りのリリースとなったセカンド・アルバム。オランダのゴシック / ドゥーム
を中心にリリースしていた Displeased Records へ移籍してリリースされた。本作
では、後にゴアグラインド・バンド、Animals Killing People で活躍するドラマー
Edwin が加入し、レコーディングが行われている。ドタバタと凶悪なドラムサウン
ドが南米デスメタルの生々しい危険な雰囲気を醸し出し、タフなスラム・リフがずっ
しりと重く刻まれ、音速のチェーンソーリフが稲光の如くテクニカルに絡みついて
いく。ベトベトと粘着質なローグロウルも Internal Suffering の魅力の一つ。

Internal Suffering ○コロンビア
Choronzonic Force Domination ⒶDispleased Records Ⓒ2004

アメリカのブルータル・デスメタル・シーンに彼らの名が広まり出し、高い期待を
背負ってリリースされたサード・アルバム。前作同様 Displeased Records からの
リリースとなっている。オリジナルメンバーであったドラマー Fabio が復帰。初期
のようなドタバタ感は薄れ、テクニカルで整合感のあるソリッドなドラムワークが
新鮮に響いている。ボルテージは終始高くキープされ、ディープなグロウルが醸し
出すおどろおどろしさからは、ネクストレベルへと深化した Internal Suffering の
近寄りがたい不気味な貫禄が感じられるはずだ。

Internal Suffering ○コロンビア
Awakening of the Rebel ⒶUnique Leader Records Ⓒ2006

大きな転換期を迎えた前作から2年、Unique Leader Records へ移籍してリリース
された4枚目フルレングス。本作のリード / リズムギターは Pyrexia で活動し、後
には Abraxas の活動でも知られる日本人ギタリスト Makoto が担当している。過去
最高レベルにまで高められたファストでテクニカルなドラムワークが素晴らしく、
閃光のように叩き込まれる強烈なブラストビート、きめ細やかなシンバルの響きが
味わい深い。タッピングフレーズやソリッドなチェーンソーリフは、ヘヴィネスよ
りもシックネスというべき趣があり、南米デスメタルらしさが自然と溢れ出す構築
美を誇っている。

Internal Suffering ○コロンビア
Cyclonic Void of Power ⒶUnique Leader Records Ⓒ2016

10年振りのリリースとなった5枚目フルレングス。前作発表後、2007年に活動休
止をするものの、2011年に新メンバーを迎え、復活。本作では、2015年に加入し
たドラマー Wilson Henao、Vermis Antecessor のギタリスト Diego が参加している。
本作も Tony Koehl による素晴らしいアートワーク、そして異常に長い楽曲名が強
いインパクトを放っている。終始衰えることなく叩き込まれるブラストビートの嵐
に、細やかなデスメタリックなリフワークがグルーヴィに絡みついていく。3つの
チャプターに分けて制作された本作は、カオスな世界観をドラマティックに表現す
ることに成功している。

Nonsense Premonition ○コロンビア
Metatrilithon ⒶIndependent Ⓒ2015

2004年首都ボゴタで結成。初期はデスメタリックなハードコアをやっていたが、
セカンド・アルバムとなる本作までにテクニカルなブルータル・デスメタルへと変
貌を遂げている。ボーカル David、ギタリストの Sebastian と Alejandro、ベーシ
スト Camilo、ドラマー Sander の5人体制を取り、目まぐるしいメロディックリ
フが交錯。複雑怪奇なテクニカル・サウンドが稲妻の如く駆けずり回る。ハイとロー
を巧みに使い分ける David のボーカルには、デスコアの影響も感じられて面白い。
2018年にオリジナルドラマー Souza が復帰した。

Solipsismo ●エクアドル

Confession of a Fellow Citizen　　　🎧 Independent　💿 2020

2009年中南部の都市クエンカにて結成。ボーカリスト Gabriel、ギタリスト Daniel、ドラマー Superior が中心となり、幾度かメンバーチェンジを繰り返しながら、2017年にデビュー・アルバム『Sangre Antigua』をリリース。当初は正統派なメロディック・デスメタルであったが、次第にテクニカルなスタイルへとシフト。本作は日本をテーマに制作され、ファストに駆け回るメロディアスなギターフレーズには、古き良き日本の古典音楽を思わせるものもある。楽曲「Seras（セラス）」や「Chtholly（クトリ）」はカタカナ表記もされている。

Motorized ●パラグアイ

Mundo siniestro　　　🎧 Las Palmeras Records　💿 2016

1999年、首都アスンシオンで結成。元々 Motorized Brain と名乗っていたが、2004年から Motorized へと改名している。本作は結成時からの唯一のオリジナル・メンバーでギタリスト / ボーカリストの Carlos Ramos、改名後に加入したドラマー Alfredo、ベーシスト Marcial のトリオ編成で制作された。2016年にリリースされたとは思えないほど隙間だらけのサウンド・プロダクションには驚くが、テクニカルとアヴァンギャルドの中間をいく複雑怪奇なグルーヴから只者ではない雰囲気がビシビシ伝わってくる。うるさいくらいに鳴りまくるリードギターもどこか癖になる。

Apneuma ●ウルグアイ

The Electric Hive　　　🎧 Independent　💿 2018

2006年、南部の都市カネローネスで結成。ベース / ボーカルでギターも兼任するバンドのコンポーザー Gerardo Techera を中心に、バンドメンバーは現在まで流動的で、本作で Gerardo はギター / ボーカルを担当し、ギタリストに Gabriel と Sebastian、ベーシスト Vladimir、ドラマー Joe が参加し、5人編成でレコーディングされた。プログレッシヴ・デスメタルをベースに、陰鬱なメロディを巧妙に差し込み、リスナーを深部へと引き込んでいく音像がどこか不気味だ。現在はユニット体制を取り、2021年にサード・アルバム『III』をリリースした。

Ayin ●ブラジル

Ordo ab Chao　　　🎧 Brutal Records　💿 2013

2010年西部の都市カンポ・グランデにて結成。本作までにオリジナル・メンバーであるギター / ボーカルの Abner Ramires に加え、All Angels Massacre などに在籍してきたベーシスト Jose Mantovani、Infected Sphere のライブ・ドラマーである Gil Oliveira のトリオ編成となっている。粘着質なドラミングにもたつくようにして刻み込まれるブルータルなリフが、巧みにアクセルとブレーキを踏み分け、楽曲にドライヴ感をもたらしてくれる。シンプルなサウンド・プロダクションが各パートの旨みを引き出し、ピュアなデスメタルの暴虐性を強く聴く者に印象付ける。

Bloody Violence ●ブラジル

Host　　　🎧 Tratone　💿 2019

2013年南部の都市ポルト・アレグレにて結成。2015年にデビュー・アルバム『Divine Vermifuge』を発表、本作はオリジナル・メンバーであるベース / ボーカル Israel Savaris、ギター / ボーカル Igor Dornelles、ドラマー Eduardo Polidori のトリオ編成で制作された。ギターもベースもトレモロピッキング中心で、洪水のように押し寄せる魅惑的なメロディの波に覆われるような錯覚に陥っていく。芸術性の高い、「アヴァンギャルド・テクニカル・スラッシュメタル」と形容したくなるエネルギッシュな作品。

Burn the Mankind
○ブラジル

To Beyond
● Mighty Music ● 2015

2009 年南部の都市ポルト・アレグレにて結成。本作は彼らの唯一のアルバムで、90 年代後半から Burn the Mankind 結成まで活動していたデスメタル・バンド、Nephasth に在籍していたギター / ボーカルの Rafael と Marcos を中心に、ギタリストの Raissan、ベース / ボーカルの Pedro、ドラマー Matheus の 5 人編成でレコーディングされた。重厚なリフのシンプルな刻みを盛り立てる精密機械のようなドラミング、そしてまるで檻の中の猛獣のように凶暴なガテラルが、楽曲のボルテージを加速させていく。リード曲「To Beyond」はブルータルとテクニカルのバランス感覚が優れたキラーチューン。

Desecrated Sphere
○ブラジル

Emancipate
● Eternal Hatred Records ● 2013

1996 年サンパウロを拠点に Collapse NR という名前でスタート。2011 年に改名し、アルバム『The Unmasking Reality』を発表。Desecrated Sphere としては 2 枚目となる本作は、ボーカリスト Renato、ギタリストの Gustavo と Rubens、ベーシスト Motor、ドラマー Saulo の 5 人で制作された。フレットレス・ベースのネオクラシカルな音色が香り豊かで、楽曲によってはダブルベースを使用し、高貴な雰囲気を醸し出す。モダンなアレンジはテクニカルフレーズとのコントラストによって随所で輝きを放ち、彼らのサウンドの重要な鍵となっている。

In Torment
○ブラジル

Diabolical Mutilation of Tormented Souls
● Rapture Records ● 2006

1999 年最юж端の州リオグランデ・ド・スルの都市サン・レオポルドで結成。Rapture Records の第 1 弾リリースとして発表された本作は、ボーカル Chicão、ギタリストの Rafael と Alexandre、ベーシスト Leandro、ドラマー Aires の 5 人体制で制作された。そのサウンドはブルータル・デスメタルを基調としながらも、緩急の利いた展開によって各パートの優れたテクニックが顔を覗かせる。グルーヴを牽引するドラミングとリフの絶妙なコンビネーション、火を噴くようなギターソロ、鼻をつく野獣の臭気が漂うガテラル……。聴けば聴くほど虜になっていくような作品だ。

In Torment
○ブラジル

Paradoxical Visions of Emptiness
● Rapture Records ● 2011

5 年振りのリリースとなったセカンド・アルバム。新たにベーシストとして Necrófago の Maiquel が加入。デスメタル大国ブラジルのトップバンドである Krisiun からの影響は多大で、サウンド・プロダクションやアートワークに至るまでその影響を強く感じることが出来る。持ち味であるダイナミックな転調を肝としながら、交差するベース、ギター、ドラムの重々しいグルーヴがきらりと光る。「Paradoxical Visions of Emptiness」などのリフワークは他の類似バンドにはないオリジナリティが凝縮されており、アルバムのハイライトと言えるだろう。

In Torment
○ブラジル

Sphere of Metaphysical Incarnations
● Rapture Records ● 2014

3 年振りのリリースとなったサード・アルバム。本作でもメンバーチェンジがあり、デスグラインド・バンド Gory に在籍していたベーシスト Bruno、スラッシュメタル・バンド Distraught のドラマー Dionatan が加入。前作に比べ、各パートの卓越されたスキルは優れたバランス感覚によって派手さを抑えつつ、静かにその魅力を放つようにして整えられたような印象を持つ。同郷のパワーメタル・バンド Hibria のギタリスト Renato をゲストに迎えた「Mechanisms of Domination」など In Torment の中でもメロディックな作品に仕上がっている。

Strangulation
Between Nothing and Eternity

●ブラジル

🅐 Independent ◯ 1995

1991 年サンパウロで結成。ベース / ボーカル Fernando Moracci、ギタリストの Alexandre Pignata と Eduardo Hirata、ドラマー Mário Bibiano の 4 人体制で本作をレコーディングした。Death の影響を色濃く感じるスラッシーでデスメタリックなリフが巨大な細胞のように不規則に蠢き、メロディアスなベースラインとラウドなドラミングが凶暴に暴れ狂う。サウンド・プロダクションこそ荒いが、血生臭さが彼らのサウンドにはマッチしているように聴こえる。Krisiun と同時期に登場したものの、本作のみで解散。2017 年に再発された。

The Putrefying
Consumed by Pleasure

●ブラジル

🅐 Independent ◯ 2017

2013 年マナウスで結成。2014 年にデビュー作『Deformed Creation』を発表、セカンド・アルバムとなる本作は、オリジナル・メンバーでギタリストの Anderson、新たに Anderson と共に Divine Symphony で活躍したボーカリスト Will、ベーシスト Arthur、ドラマー Sidney というラインナップで制作された。マグマのように燃え滾るチェーンソーリフが、キックペダルから煙を上げながら猛烈なスピードで踏み込まれるブラストビートと重なり合いながら突進し続けていく。Aborted の Ian をフィーチャーしたタイトルトラックの刻みのスピードは、目眩がするほど速い。

Spiritual Kaos
Total Confrontation

●アルゼンチン

🅐 Traumatic Records ◯ 2014

2003 年にエントレ・リオス州パラナを拠点に活動をスタートしたものの、本格始動したのは 2000 年代後半になってから。Necrocadaveric Vomit で活躍したドラマー Mathías Chamorro を中心に、ギタリスト Pablo Arkova と Raúl、ベーシスト Pablo Sabela、ボーカリスト Anibal の 5 人体制で、2013 年に EP『Stratagem』をリリースすると、翌年には地元の Traumatic Records と契約し、本作のレコーディングを行った。ダイナミックなリフにハーモニクスとハイピッチのギターソロを重ねながら、独創的なグルーヴを生み出していく。

Bleak Flesh
...and Save Us from Silence

●チリ

🅐 Independent ◯ 2019

2009 年チリの首都サンティアゴで結成。2014 年にデビュー作『Transcendence』を発表、本作は彼らのセカンド・アルバムで、ボーカル Ngen、ギターとオーケストレーションのプログラミングを兼任する Matias、ベーシスト Enrique、そして Sleep Terror や The Faceless などで活躍したアメリカ在住のドラマー Marco Pitruzzella を迎え、レコーディングを行った。サタニックなボーカルが映えるプリミティヴなサウンドで、テクニカルなドラミングにオーケストレーションが覆い被さる不思議な風情が楽しめるアルバムに仕上がっている。

In Asymmetry
Ashes of Dead Worlds

●チリ

🅐 Comatose Music ◯ 2021

2017 年チリの中南部にある都市コンセプシオンで結成。Supreme Banishment などでの活躍で知られるギタリスト Victor を中心に立ち上げられ、本作からアメリカ在住の The Kennedy Veil のボーカリスト Taylor、オーストラリア在住で The Ritual Aura に在籍した経歴を持つベーシスト Darren、アメリカ在住で Deeds of Flesh などで活躍したドラマー Darren という国際的なラインナップになっている。おどろおどろしいスラムリフから急激にスピードアップし轟音の塊のようになっていく、ブルータルとテクニカルのバランス感覚が特殊なサウンドを鳴らす。

フレットレス・ベースとテクニカル・デスメタル

音階を区切る金属の金具

　「フレットのないベース」というと真っ先に思い浮かべるのは、クラシックのコンサートで使用されるようなコントラバスだろうか。弦楽器におけるフレットは、音階を区切るために配された金属の金具で、フレットの数はベースによって違う。フレットのないベースの音色にどのような特徴があるかというと、簡単に言えばフレットレスベースはフレットが無いぶん、丸く暖かみのあるサウンドが特徴的である。また、西洋音階にはない、4分1音といった音を出すことも可能で、際立ったベースプレイに重きを置くバンド・サウンドを目指す場合、フレットレス・ベースを用いる。

Death の Steve Di Giorgio

　あまりベーシストがフォーカスされないメタル・シーンで、このフレットレス・ベースを初めて使用したのが、Death の『Human』にベーシストとしてクレジットされているSteve Di Giorgio だ。彼はフィンガーピッキングという、いわゆる指引きでフレットレス・ベースを操り、Death の『Human』

Steve Di Giorgio

における象徴的なベース・プレイで強烈なインパクトを放った。彼の影響は絶大であり、多くのメタル・シーンのフレットレス・ベーシストが Death の『Human』に収録されている楽曲からこのフレットレス・ベースのテクニックを身につけていった。特に面白いベースフレーズが次々と登場する「In Human Form」はフレットレス・ベースを使用したテクニカル・デスメタルの入門に適した楽曲である。

　テクニカル・デスメタルの歴史の1ページ目に登場する Death の『Human』がフレットレス・ベースで制作されたことから、このベースの持つサウンドの特異性は、現在もテクニカル・デスメタルと呼ばれるバンドに強い影響を与え続けている。

Obscura の Jeroen Paul Thesseling

　オランダ出身のフレットレス・ベーシスト Jeroen Paul Thesseling は、Obscura のベーシストとして知られ、元々1992年から Pestilence で活躍していたテクニシャンだ。彼は7歳からヴァイオリンを学んでおり、クラシックの素養があったこともフレットレス・ベースを手に取った理由の一つかもしれない。彼のプレイは Steve に比べると、さらにクラシカルな響きを持っており、その音色の滑らかさは聴くものを圧倒する。

Jeroen Paul Thesseling

Dominic Lapointe

Beyond Creation の Dominic Lapointe

　カナダ出身のベーシストである Dominic Lapointe は、Steve の影響を受けながらも、それをさらにクラシカルにアップデートしたプレイ・スタイルで、これまでに Beyond Creation、Augury、First Fragment といったバンドでプレイしてきた（いくつかの作品ではフレットレス・ベースを使用していないが）。このように、作品によってはフレットレス・ベースの主張が強すぎてしまい、Augury のようなサウンドのバンドにはマッチしないことも多い。Obscura、First Fragment、Beyond Creation といったネオクラシカルな要素を持ち合わせたプログレッシヴ経由のテクニカル・デスメタル・バンドにフレットレス・ベース奏者が集中しているのもその理由だろう。Equipoise、Inferi、Spawn of Possession、Spectrum of Delusion、Vale of Pnath、Primus、Virvum、Archspire も楽曲によっては（あるいはライブなどで）フレットレス・ベースを使用している。

その他のミュージシャン

　アヴァンギャルド・エクスペリメンタル・デスメタル・シーンにも何人かフレットレス・ベース・プレイヤーを見つけることが出来る。ノルウェーを拠点に活動する Diskord のベーシスト Eyvind Wærsted Axelsen は、アップライト・ベースなども使用しながら、混沌としたアヴァンギャルド・デスメタルの渦の中をもがくようにして、フレットレス・ベースを効果的に使用している。YouTuber としても活躍するソロ・ベーシスト Charles Berthoud はフレットレス・ベースを使用し、プログレッシヴ・メタル /Djent なスタイルでベースにフォーカスした作品を発表。彼はそのテクニックを自身の YouTube チャンネルで公開しており、これからフレットレス・ベースに挑戦したいと考えているミュージシャンにとってよき参考になるだろう。

　メタルという音楽、特にデスメタルにおいて、フレットレス・ベースはプログレッシヴかつテクニカルなサウンドにおいてこれまで印象的な存在感を見せつけてきた。ジャズやフュージョンといった音楽とのクロスオーバーも珍しいことではなくなってきたことから、今後さらに興味深いフレットレス・ベースを肝にした楽曲、バンドが登場してくることを楽しみにしたい。

Eyvind Wærsted Axelsen

CHAPTER 3
EUROPE

ヨーロッパのテクニカル・デスメタルと言えば、ドイツの Necrophagist が印象的だ。アルバム2枚を残しシーンから姿を消したその神秘性ゆえ、神格化されたと言える。後続の Obscura など、Necrophagist 周辺メンバーが得意とするネオクラシカルな旋律を盛り込んだスタイルは、テクニカル・デスメタル・シーンに新たな道筋を作り出した。イタリアの Fleshgod Apocalypse やフランスの Gorod など、ヨーロッパには多彩なジャンルの影響を組み込み昇華させるような、芸術性に富んだバンドが多く、ジャズやフュージョンの要素がジャンルの多様性を拡張した。北欧シーンは、北欧メタルが元来持つメロディックな成分が独創性を引き出し、ブルータル・デスメタルとしても評価が高い Spawn of Possession や新星 Ophidian I など個性派揃いだ。東欧はポーランドを中心に、Vader や Behemoth の影響下にある Deivos、Trauma といった実力派がいる。ロシアは、1990年代初頭に登場した Graveside などカルト的人気を持つバンドがおり、他国とは一味違ったアヴァンギャルドなサウンドが魅力を放つ。

テクニカル・デスメタルの基礎を築き上げるも行方不明に！

Necrophagist

🕐 1992 年　🌐 ドイツ・バーデン＝ヴュルテンベルク州カールスルーエ　👤 Muhammed Suiçmez
📷 Obscura, Alkaloid
🎵 Nile, Obscura
◎整合感あるサウンド・プロダクションと綿密なソングライティング、Muhammed の圧倒的な超絶技巧とカリスマ性
💬（初期）ゴア、病理学 /（後期）抽象概念、社会

Muhammed Suiçmez

Necrophagist は 1992 年の初頭、カールスルーエで結成された。バンドのファウンダーであるボーカル / ギタリスト Muhammed Suiçmez を中心に、ギタリストの Jan-Paul Herm、ベーシスト Jochen Bittmann、ドラマー Raphael Kempermann を加えた 4 人体制でスタートし、同年 10 月にデモテープ『Requiems of Festered Gore』をレコーディング。この作品では Jochen が楽曲「Pulverizing Maggot Infestation」で Muhammed と共作したが、基本的に Muhammed がすべてのソングライティングを行ってきている。

　アンダーグラウンドでライブ活動を行いながら、1995 年にはセルフタイトルのデモテープを制作。このデモテープはヨーロッパのデスメタル・シーンに大きな衝撃をもたらし、プログレッシヴ / テクニカル・デスメタル・シーンを牽引する存在へと押し上げるキッカケとなった。

Necrophagist の活動に注目が集まっていた 90 年代の後半であったが、Raphael と Jan-Paul が脱退。ギタリストに Matthias Holzapfel が加入するも、すぐに脱退。活動にブレーキが掛かってしまっていた。

なかなかメンバーに恵まれなかった Muhammed はひとりでデビュー・アルバム『Onset of Putrefaction』を制作。ドラムは打ち込みで、メンバーとして Necrophagist に残留していた Jochen が一部レコーディングに参加する形で完成させられた。Noise Solution Records から 1000 枚限定という数量限定でリリースされたが、アンダーグラウンドでの評価は非常に高く、Cannibal Corpse や Napalm Death らと共演。後続のデスメタル・バンド達にも強い影響を与える作品として知られている。

『Onset of Putrefaction』は流通が悪く、またその契約から長らく再発が難しい状況が続いていた。アルバムの再発に興味を持っていた Willowtip Records のオーナー Jason Tipton は、当時の状況についてウェブサイト Lambgoat のインタビューでこのように話す。「Muhammed は Willowtip Records からの再発を熱望していたが、Noise Solution Records との厳しい契約により実現する事が出来なかった。レーベルはその時点で既に廃業しており、版権が別の会社へと売却されてしまっていた。その会社も再発に向けて動くことはなく、混乱状態となってしまっていたんだ……」。

Jason はこの問題を解消する為に全力を注ぎ、アートワークを変更、リマスターを施し、2004 年に再発が実現。また、Relapse Records からも CD/ 限定版のレコードもリリースされ、世界中に Necrophagist の名が広まった。2004 年のラインナップは Muhammed に加え、Defeated Sanity で活躍していたギタリスト Christian Münzner、ベーシスト Stephan Fimmers、ドラマー Hannes Grossmann の 4 人。

盤石の布陣で制作されたアルバム『Epitaph』はテクニカル・デスメタルの歴史に燦然と輝く名作として今も親しまれている。2005 年の初頭に Muhammed の体調不良や、Christian の脱退により一時活動がストップするも、後任にフィンランド出身で Codeon や Radiance で活躍した Sami Raatikainen が抜擢された。

2006 年、北アメリカをを回るツアー「Carving North America's Epitaph」を開催。Arsis や Neuraxis、Cattle Decapitation らが参加し、各会場は大いに盛り上がった。さらに Dying Fetus と共に Cannibal Corpse とも共演を果たし、Necrophagist の名はアンダーグラウンドを飛び越え、メインストリームでも注目を集めた。

2007 年、Hannes が Necrophagist のフルタイム・メンバーとしてツアーに参加する事が難しいとして脱退。後任には Paul Gilbert や Terry Bozzio で活躍した Marco Minnemann が加入した。

固まりつつあったメンバーラインナップに再び変更があったものの、ライブ活動を継続。その後は「The Summer Slaughter Tour」に参加し、Decapitated や The Faceless らと共演した（ツアーバスに問題が発生し、キャンセルになってしまった公演もあった）。その後、Marco が脱退してしまうも、新たに Disavowed で活動していた Romain Goulon が加入している。

2008 年、Necrophagist は新しいアルバムの制作をスタートしたとオフィシャルサイトでアナウンスしている。この作品で Muhammed は 7 弦ギターを導入し、2009 年のリリースを目指し制作するとしていたが、その後新作に関するニュースはないままだ。決して解散のアナウンスをしたわけではないが、目立った活動は見られない。

Muhammed を中心にブルータル・デスメタルからプログレッシヴ・デスメタルまで幅広いシーンで活躍するミュージシャンが参加してきた Necrophagist は、テクニカルでありながらもクラシカルで耳に残るメロディが特徴的だ。複雑でありながら親しみやすいその楽曲は、テクニカル・デスメタルをこれから聴きたいと考えるメタルヘッズにおすすめだ。

『Epitaph』レコーディング時に撮影された
若き日の Hannes Grossmann

Necrophagist
●ドイツ

Onset of Putrefaction
Noise Solution Records / Relapse Records ● 1999

1992 年カールスルーエで結成。Muhammed Suiçmez を中心に 3 ピース体制でスタートしたものの、本作は Muhammed が、ほとんどの演奏を一人でレコーディング、オリジナルメンバーの Jochen が一部ベースパートを録音し、クラシックギターの名手 Björn Vollmer が一部ギターソロを担当した。無機的な音響彫刻と化したプログラミング・ドラムは、少しの歪みやブレを許さない精密なリフと重なり合い、微細なアクセントや転調、ボーカルパートの作り込み方に至るまで無駄がない。2000 年代以降のテクニカル・デスメタルのスタンダードはここから始まっている。アートワークは 2004 年に再発されたもの。

Necrophagist
●ドイツ

Epitaph
Relapse Records ● 2004

5 年振りのリリースとなったセカンド・アルバム。本作からギタリスト Christian Münzner、ベーシスト Stephan Fimmers、ドラマー Hannes Grossmann が加入、バンド体制となり、レコーディングされた。後に Obscura や Alkaloid、Pestilence といったバンドで活躍することになる名手らは、Muhammed が目指すスタイルを完璧に理解し表現している。スネアやキックには魂が宿り、さりげない存在感で生命感を与えるベースライン、ミニマルでモダンでありながらアクロバティックでドラマ性のある旋律など、これから先テクニカル・デスメタルが進化し続けていっても輝き続ける要素がたっぷりと詰まっている。

Muhammed は今、どこにいるのか？

Muhammed Suiçmez

2004 年にリリースされた Necrophagist の事実上ラスト・アルバム『Epitaph』はテクニカル・デスメタルの歴史に燦然と輝く名盤として今も語り継がれているが、彼らは「サード・アルバム」のレコーディングを終えているという噂が長年囁かれ続けている。バンドのリーダーである Muhammed はサード・アルバムの存在を 2008 年の Metal Hammer でのインタビューで語っており、その映像は YouTube にもアップされていることからファンもそれを信じて待ち続けている。しかしここ数年、Muhammed は SNS に登場することもなければ、目撃情報もほとんどない。一番最近の目撃情報としては 2018 年と 2019 年、どちらも音楽フェスの会場で友人やファンらと写真撮影をし、Instagram で公開された。しかしそれ以降、彼に関する情報はない。

　YouTube チャンネル sixstringtv は、Muhammed が今どこで何をしているかを調査するべく、Necrophagist の元メンバー Christian へインタビューを行い、元メンバーとして彼がどのような人物であったかを質問している。多くのメンバーチェンジは Muhammed の人間性に原因があったのではという質問に関して Christian 自身、彼とは最終的に友人になれず、良い関係でバンドを離れることは出来なかったと話している。共に制作した『Epitaph』の制作過程で Muhammed が完成形のヴィジョンを見据える能力を持っていたことを尊敬しており、さらに音楽関係以外の友人もいたと話してくれている。誰もが失望するような人間ではないということは間違いないだろうし、サード・アルバムのプレッシャーからなかなか表に出てこれない可能性もある。彼のハードディスクに眠る幻のアルバムを僕らは、いつの日か聴くことが出来る日が来るだろうか。

ネオクラシカル炸裂するキング・オブ・モダン・テクデス！

Obscura

🕐 2002 年　　🌐 ドイツ・バイエルン州ミュンヘン　　👤 Steffen Kummerer
👥 Necrophagist, Cynic, Black Horizons, Alkaloid, Thulcandra
🎵 Beyond Creation, First Fragment, Augury, Cynic, Alkaloid
◎ネオクラシカルな旋律が光を放つプログレッシヴ・デスメタルをテクニカルに仕立てるギター
🌐 宇宙、哲学

　2002 年、ミュンヘンを拠点にボーカル / ギタリストの Steffen Kummerer を中心に結成され、チェロを兼任するドラマー Jonas Baumgartl、ギタリスト Armin Seitz、ボーカル / ベース Martin Ketzer の 4 名で活動をスタートした。当時はまた Illegimitation と名乗っていた。また、バンドの発起人である Steffen は同時期にブラック / デスメタル・バンド、Thulcandra も立ち上げていた。

　2003 年にデモテープを制作し、地元を中心にライブ活動を展開。Martin と Armin が脱退したものの、ギタリストの Stephan Bergbauer と Ernst Wurdak、ベーシスト Andreas Nusko が加入し、5 人体制でライブを行う。この頃、バンド名を Obscura へと変更した。バンド名は Gorguts のアルバム名が由来となっている。

　Obscura として動き出したものの、Stephan、Ernst、Andreas が脱退。バンドは新たにギター / ボーカルに Markus Lempsch、ベーシスト Jonas Fischer を加え、デビュー作『Retribution』をリリース。

　2007 年にはヨーロッパを代表するいくつものフェスティバルや、Agonize を迎えヨーロッパ 22 カ国をヘッドライナーでツアーするまでに成長。同年の暮れには Necrophagist で活躍したドラマー Hannes Grossmann、Pestilence で活躍したフレットレス・ベーシストの Jeroen Paul Thesseling が加入。翌年には Hannes と同じく Necrophagist から Markus に代わり、ギタリストの Christian Münzner が加入した。盤石のラインナップとなった Obscura は、2008 年 9 月に Relapse Records と契約し、2009 年セカンド・アルバム『Cosmogenesis』を発表した。ネオクラシカルな音色を取り入れ、プログレッシヴでテクニカルなデ

スメタル・サウンドは新鮮で、大きな衝撃をシーンに与えることとなった。

　Obscura はこのアルバムをベースに世界ツアーを開催。世界各地で 160 本を超えるライブを行い、Atheist や Cannibal Corpse らと共演。2010 年にはアメリカでの初ヘッドライナーツアーも開催した。同年には「EXTREME the DOJO Vol.25」で Nile、Triptykon と共に来日ツアーを開催し、初来日を果たした。『Cosmogenesis』は様々なチャートにランクインし、プログレッシヴ・メタル / テクニカル・デスメタルを代表するバンドへとステップアップするきっかけとなる作品になった。

　3 枚目のアルバム『Omnivium』を 2011 年の 3 月にリリース。Jeroen が脱退するも、新たにフレットレス・ベーシスト Linus Klausenitzer が加入し、世界ツアーへ出発。ヨーロッパ、アメリカはもちろん、インドネシアやシンガポールなどを回るアジアでの初ヘッドライナーツアーも開催した（2012 年には Beneath the Massacre と共に日本でも開催）。また、バンドは初期のデモ音源を再録する為にクラウドファンディングを企画し、コンピレーション・アルバム『Illegimitation』を自主レーベルからリリースした。

　2012 年 12 月、バンドは結成 10 周年を祝うアニバーサリーライブを地元で開催。初期のメンバーも参加したスペシャルセットをプレイした。順調にキャリアを重ねていた彼らであったが、2014 年に Christian が局所性ジストニアという筋肉の病気の為に脱退、続いて Hannes がドラマーとしての活動にフォーカスする為にバンドを去った。新しくギタリストに Tom Geldschläger、そして地元のジャズメタル・バンド Panzerballett から Sebastian Lanser がドラマーとして加入。2015 年から新しいラインナップでライブ活動をスタートさせている。

　2016 年にはアルバム『Akroasis』をリリース。前年に Tom が脱退し、新たに Rafael Trujillo が加入し、レコーディングが行われた。Rafael はオランダのアムステルダム音楽院でジャズを学んでおり、Obscura の音楽性にも上手くフィットしていた。

　「Akróasis World Tour」は Graspop Metal Meeting や Hammersonic Festival といった大規模フェスティバルを含み、Sepultura の「Machine Messiah Tour」への参加やメキシコでのライブ、日本ツアーなどを行った。

　2018 年には 5 枚目のアルバム『Diluvium』を発表。Beyond Creation や Archspire など Obscura の後続を行くテクニカル / プログレッシヴ勢と共に、Inferi、Exist をサポートアクトに迎え、北米ツアーを行うと、ヨーロッパでは Fallujah や Allegaeon をサポートに迎えツアーを行った。Obscura はすでにテクニカル・デスメタル / プログレッシヴ・デスメタル・シーンのトップを走るバンドになり、確固たるファンベースを世界中に築くことに成功した。2018 年、2019 年と 2 年連続で来日も果たしている。

　2020 年、Steffen 以外のメンバーが脱退。これは音楽性の違いによるもので、脱退した 3 名は新たに Obsidious を結成している。Obscura には過去に在籍した Jeroen と Christian が復帰し、新たにドラマー David Diepold が加入。2021 年には Nuclear Blast からアルバム『A Valediction』をリリースした。

　プログレッシヴロックやフュージョン、さらにはジャズといった音楽のアプローチをテクニカル・プログレッシヴ・デスメタルに持ち込み、ネオクラシカルな響きによってこのジャンルのエレガントな魅力を引き出し拡大する Obscura は、度重なるメンバーチェンジにも挫ける事なく、アルバムをリリースし続け、世界でライブを行う。このジャンルへの愛と情熱に満ち溢れたカリスマ・フロントマン Steffen Kummerer はもちろん、Obscura に参加してきたミュージシャン達は、今も世界各地でテクニカル・デスメタルをプレイし続け、次の時代の新しいサウンドを追求している。

Obscura　　　　　　　　　　　　　　　　　　　　　　　◎ドイツ

Retribution　　　　　　　　　　　　　　◎ Vots / Relapse Records ◎ 2006

デビュー作。ギター / ボーカルの Steffen Kummerer と Markus Lempsch、ベーシスト Jonas Fischer、ドラマー Jonas Baumgartl の 4 人で Atrocity の Alexander がエンジニアリングを担当している。現在の Obscura の面影があらゆるパートから聴き取ることができ、テクニカル・デスメタルの可能性を模索する姿勢が強く感じられる。プログレッシヴな落ち着きを見せるクリーンパートや、爆発力の高いブルータルな加速減速など興味深いフレーズがしっかりと耳に残る。Relapse Records から 2010 年にリマスター盤が発売された。

Obscura
🔵ドイツ

Cosmogenesis
🅰 Relapse Records 🔘 2009

Steffen によってメンバーが再編され、本作から Necrophagist のギタリスト Christian Münzner とドラマー Hannes Grossmann、ベーシスト Jeroen Paul Thesseling が加入。プロデュースは Dark Fortress や Celtic Frost での活躍で知られる Victor Bullok が手がけている。Necrophagist はもちろん、Death の影響を色濃く反映させた構築で、明確なコンセプトとサウンド・デザイン、そしてそれを表現する高い技術を兼ね備えており、印象的なベースラインは Obscura らしさの一つとして強烈なアクセントとなっている。

Obscura
🔵ドイツ

Omnivium
🅰 Relapse Records 🔘 2011

前作『Cosmogenesis』で Obscura のオリジナル・スタイルを完成させることに成功。メンバーチェンジもなく、引き続き Victor のプロデュースによって短いスパンで制作された本作は、その揺るぎない自信溢れるイントロで幕を開け、スラッシーなリフをファストに、そしてテクニカルに、さらにプログレッシヴに刻んでいく。波打つようなベースラインも過剰に組み込まれることなく、さりげない魅力を持ち、艶やかだが太すぎず、透明感があるが軽すぎない絶妙なバランス感覚を見せてくれる。『Cosmogenesis』の延長線上にありながらも挑戦的な姿勢が垣間見える作品。

Obscura
🔵ドイツ

Akróasis
🅰 Relapse Records 🔘 2016

前作からの 5 年間で Steffen 以外のメンバーが総入れ替えとなった。Jeroen は Pestilence に復帰、Hannes は Alkaloid を立ち上げ Christian もそれに加わった。本作からは新たに Jeroen と同じフレットレス・ベーシスト Linus Klausenitzer、そしてフレットレス・ギターの使い手 Tom Geldschläger、ドラマー Sebastian Lanser が加わっている。プログレッシヴへと舵を取り、テクニカルであるがブルータルな要素は排除された。幻影のように揺れ動く Tom のギター、そして Linus のベースと Cynic らしさが増している。

Obscura
🔵ドイツ

Diluvium
🅰 Relapse Records 🔘 2018

ギタリストが Tom から Rafael Trujillo へスウィッチ。彼らは『Cosmogenesis』や『Omnivium』のバランス感覚を取り戻しつつ、プログレッシヴな魅力の追求も継続した。これまで積み重ねてきたキャリアの総決算とも言える仕上がりで、テクニカル・プログレッシヴ・デスメタルの可能性を拡大。「Emergent Evolution」は Cynic へのリスペクトと Necrophagist や Death の強い影響が絶妙にクロスオーバーしたキラーチューンで、タイトルトラック以上の存在感を見せている。これも『Akróasis』という挑戦なしには辿り着けなかったサウンドなのかもしれない。

Obscura
🔵ドイツ

A Valediction
🅽 Nuclear Blast 🔘 2021

Relapse Records を離れ、Nuclear Blast へと移籍。そして再び Steffen 以外のメンバーが総入れ替えとなる。ドラムには Benighted や Hate のライブドラマーを務めた経歴を持つ David Diepold が加入、そして驚くべきことに Jeroen と Christian がダブルで復帰となった。このアルバムのスタイルは『Omnivium』で完成させた Obscura の一つのスタイルを現代的にアップデートしたような作りで、圧倒的にスキルアップした Steffen と Christian のギターが凄まじい密度で組み込まれ、インパクトを放っている。「キング・オブ・モダン・テクデス」とでも言うべき作品。

Obscura インタビュー

回答者：Steffen Kummerer

Q：Obscura は 2002 年 に ド イ ツ で 結成されましたよね。2000 年代初頭には Necrophagist のような偉大なテクニカル・デスメタル・バンドが数多く活動していた頃だと思います。2000 年代初頭のドイツのデスメタル・シーンはどんな感じだったのでしょうか？

A：そう、私たちは 2002 年の 10 月にバンドを始めたんだ。その頃は Death、Cynic、Atheist、そして Pestilence に始まり、At the Gates といったメロディック・デスメタルやブラックメタル・バンドの Dissection から王道の Morbid Angel などなど、かなり多種多様なバンド達から影響を受けていたね。2000 年初頭と言えば、そんな感じだったと思う。2002 年 3 月に初めてギターを手にし、およそ半年後に Obscura が結成したんだけど、今日に至るまで、私自身はこれらに受けた影響から作り出したスタイルや音楽に対する姿勢、フィーリングといったところまで全く変わることなく、同じマインドセットで、同じタイプの音楽を演奏し続けているんだ。Death での Chuck Schuldiner の活動は、私が Obscura をスタートさせ、ギターを手にする大きなきっかけとなった人物と言えるよ。2000 年初頭の話に戻るけど、当時は主にアメリカやスカンジナビア出身のバンドが広く認知されていたように思う。Obscura、Necrophagist、Defeated Sanity のようなバンドが純粋なアンダーグラウンドでローカル・ライヴを行う一方で、海の向こうのバンド達は既にプロフェッショナルなレベルでツアーを行っていた事をよく覚えているよ。ドイツでは、主にスラッシュメタルやパワーメタルのバンドが成功を収めていて、デスメタルやブラックメタルのようなジャンルはアンダーグラウンドにとどまっていたんじゃないかな。

Q：ギターを手にしてからこんなにも短期間でバンドを結成したとは驚きでした。バンドは 2006 年にファースト・アルバム『Retribution』をリリースして、2009 年には Relapse Records と契約しました。その後、世界的に高い評価を得たアルバム『Cosmogenesis』をリリースして、バンドは大きなターニングポイントを迎えていたと思います。当時を振り返って、ファースト・アルバムのリリースから『Cosmogenesis』までの期間はどのようなものでしたか？

A：私 た ち の デ ビ ュ ー・ア ル バ ム『Retribution』は 2004 年の夏にレコーディングされ、その年はまだライブでの集客は少なかったんだ。いくつかのライブを行った後に、このアルバムをもっと広めるために、初めてヨーロッパ・ツアーを企画して、「Retribution Europe Tour」のヘッドライナーにアメリカから Suffocation を呼んだんだ。「Blasting Bavaria Tour」というのを何回か行って、ヨーロッパでは引き続き、Suffocation のサポート・アクトとしてドイツ国内での活動も精力的に行ったし、段々と Obscura の存在が広まっていって、チェコの大きなフェスとして知られる「Brutal Assault」などといった国際的なフェスティバルからもオファーをもらえるようになっていったんだ。

2007 年にはボスニア・ヘルツェゴビナ出身の Agonize というバンドと共に、ヨーロッパで「Blasting Diversity Tour」を企画してヘッドライナーを務めることが出来たんだ。このツアーは 3 週間かけて、ヨーロッパの南から東へとスケジュールを進めていって、フランス、ドイツで

は最高のライブが出来たのを鮮明に覚えているよ。その間にセカンド・アルバム『Cosmogenesis』の曲作りもやってたんだけど、アルバムの半分を書くことが出来て、次のアルバムに向けてもかなりタイトにスケジュールを詰め込んでいたよ。この頃はメンバーチェンジもあって、アルバムのレコーディングに参加するメンバーを採用する前に、異なるラインナップでライブも随分とやったね。当時加入したメンバーはそれまでのバンドのサウンドをガラリと変えてくれて、それまで何度もライブで演奏されてきた楽曲をカラフルに変化させてくれたんだよ。「Anticosmic Overload」「Incarnated」「Noospheres」「Desolate Spheres」といったような曲は完全に一新され、アルバム制作のソングライティング・セッションの第2部で新しいバンドとして作り上げた曲と共に、新しいObscuraの基礎のようなものを作り上げることに成功したよ。

2005年に短期間だけ在籍したベーシスト、Gerd Pleschgatternig は、フレットレス・ベースのサウンドを紹介してくれて、この楽器の個性を生かしたサウンドを作るというアイデアを得ることが出来たんだ。2007年、私はセカンド・アルバムをレコーディングするために、思い描いていたミュージシャンに声をかけていった。当時、Obscura は既にヨーロッパではライブも盛り上がってたんだけど、まだまだグローバルな力を持っていたレーベル達は私たちに興味を示してくれなかった。だから3曲入りのプリプロダクション音源を制作して、いくつかのレーベルに送ってみたんだ。最終的に、Roadrunner Records と Relapse Records と交渉し、Relapse Records が提示した長期契約に魅力を感じて、Relapse Records を選ぶことにしたんだ。しっかりとしたレコーディング予算を頂けたことで、スタジオにこもって細かなと

ころまでじっくりと取り組む時間が作れたのは本当に大きかったと思っていて、よりオーガニックなサウンドを生み出すことが出来たのかもしれないね。

Q：Gerd というベーシストが Obscura にフレットレス・ベースのアイデアを持ち込んだことは初耳でした。その後、加入した Jeroen のフレットレス・ベースのプレイ・スタイルのフレージングは革命的でしたし、Obscura の個性を決定付けたとも感じます。テクニカル・デスメタルにフレットレス・ベースを導入した経緯や、Jeroen がフレットレス・ベースを使い始めた理由があれば教えてください。

A：Jeroen と私が初めて連絡を取ったのは、バンドがドイツのマスターサウンド・スタジオでデビュー作『Retribution』をレコーディングしようとしていた2004年のことだった。スケジュールの都合で Jeroen は参加出来なかったんだけど、それ以来、ずっと連絡を取り合っていたんだ。その1年後くらいにいくつかのライブで彼と一緒にフレットレス・ベースを使ってライブをしてみたりしてたんだよ。このスタイルに挑戦した理由は、先に Death の Steve Di Giorgio や Cynic の Sean Malone、そして Pestilence の Jeroen Paul Thesseling のフレットレス・ベースのプレイ・スタイルを確立していて、そこから影響を受けたと言えるよ。

Q：活発なライブ活動、そしてアルバム・リリースを重ねていましたが、2011年に『Omnivium』をリリースから『Akróasis』のリリースまで5年という長い時間がありましたよね。バンドにとってこの5年という時間はどのようなものでしたか？

A：デビュー・アルバムをリリースしてからというもの、私たちはそれぞれのアルバムのために絶えずツアーをやり続けたね。『Cosmogenesis』と『Omnivium』と言うそれぞれのアルバムでは、ヨーロッパ

北米、中南米、アジア、そして中東のいくつかの国でも、何年にも渡ってとにかくツアーし続けたんだ。この間、Children of Bodom や Cannibal Corpse、Devin Townsend、Nile、Triptykon、The Black Dahlia Murder などなど、数え切れないほどの素晴らしいバンドのツアー・サポートやヘッドライナーなどを経験することが出来た。

絶え間なく続けてきたツアーを経て、私たちは新しいスタジオ・アルバムを書くために、2014 年の大半、ライブからは離れることにしたんだ。少し休憩が必要だったんだ。2015 年半ばからレコーディングの準備をしはじめて、とにかく作曲に全集中したよ。新しいレコーディング・テクニックを試し、ワールド・ミュージックの宇宙からヒントを得て、そこから発見した楽器を使ったりしながら、さまざまなレコーディング方法を試していったんだ。

Q：Obscura の成功は多くのミュージシャンに影響を与え、そしてその姿勢を尊敬するミュージシャンが世界中にたくさんいます。多くのミュージシャンが知りたがっている事だと思いますが、バンドが成功するために、あるいはバンドが長く続くために重要なことはなんだと思いますか？

A：そうだね、この質問には「目的を見失うことなく、自分自身を再発明し続けていく」という言葉を送りたいと思うよ。Obscura は 2002 年からシーンで活動し続けてきて、今後も活動を止めるつもりはないんだ。世界中で演奏して、熱心なファン達との強い絆を作り上げてきた。2020 年以上前にバンドを結成したときに確立した意図から一歩もずれることはなかったんだ。時には、忍耐と持久力が必要だと思うけど、求めているレベルに到達するために懸命に働くことが大切だと思うよ。それと同時に、音楽を作る喜びを失うことなく、良い人たち、同じビジョンを共有する人たち、旅を愛する人たちに囲ま

れていることも重要だと思う。

今でも、訪れる機会のない場所があってそこにいってみたい気持ちがあるし、実現してみたいアイデアが溢れ出てきて、前作よりも優れたアルバムが、常に私たちの中にあるように感じてるんだ。新しいものへの渇望が終わることはないと信じている。Obscura は後戻りすることなく、常に前を向いているよ。新しいアルバムというものは、過去のリリースよりも重要である必要がある、この姿勢は重要かもしれない。過去を振り返るばかりでは、レガシーなバンドになってしまうからね。

Q：熱いメッセージを貰えて勇気付けられたミュージシャンも多いと思います。これまでの質問とは少し雰囲気を変えてみたいと思います。Obscura は本当に多くのライブやツアーを経験していますが、一番印象に残っているライブはありますか？　面白かったことやよく覚えていることなどはありましたか？

A：個人的に、私は旅行が大好きなんだ！だから、行ったことのなかった国や街を訪れ、そこで行った初めてのライブの数々はとてもよく覚えているよ。初めてのヨーロッパ公演、初めてのアメリカ公演、初めてのアジア・ツアー、2023 年の南米公演などなど、これも私の思い出の中のいくつかのハイライトに過ぎない。カナダのギタリストで Devin Townsend と言うミュージシャンがいるんだけど、彼はツアーで会った人物の中でかなり印象的な人物だったかな、常に前向きで楽観的なキャラクターは忘れられないよ。ツアーって本当に色々あるけど、すべての長い会話、出会った人々、共演したバンド、どれも素晴らしかったと言える。感謝しかないよ。

Q：あなたのような多くのミュージシャンは、テクニカルな音楽を演奏するために必要なスキルを身につける為、ハードな練習をこなしてきましたよね。楽器の練習に取り組む最善の方法は何だと思いますか？

A：8 時間の練習よりも、2 時間のリハーサ

ルの方が役に立つこともあるという事を是非
知っておいて欲しいね。正しいマインドセッ
トと集中力があれば、何時間も絶え間ない反
復練習に直面するよりも、毎日楽しめるルー
ティンを確立すればいいんだ。あとは、友人
と一緒に仕事をすることも助けになると思う
よ。部屋に一人で座っているのは、時にはス
マートかもしれないが、長い目で見れば、バ
ンドは集団として機能しているという事を忘
れないように。練習に取り組むにあたって最
も重要なことは、好きな音楽の喜びを決して
失わないこと、そして自分が聴きたいと思う
曲を作ること。これだよ。

Q：今後の Obscura についてもお聞きして
みたいことがあります。バンドはテクニカ
ル・デスメタルの枠を飛び越えて、メタル・
シーンにおいて確固たる地位と世界的な人
気を誇っています。2021 年のアルバム『A
Valediction』は本当に素晴らしい作品で、次
も楽しみにしているのですが、何か新しい音
楽に取り組んでいますか？

A：2024 年にアルバムを出すよ。そして
素晴らしいミュージシャンとのパッケージ・
ツアーも予定しているよ！

Q：たっぷりとお話を聞かせていただきあり
がとうございました！ 最後に、Obscura を
愛する日本のファンにメッセージをお願いし
ます。

A：2010 年の初来日公演からずっと応援
してくれてありがとう。日本では何度もツ
アーをしてきたし、またすぐに戻りたいと
思っているよ。あなたの国に訪れること、そ
してそこにいる私たちのファンに会えるのを
楽しみにしています！

Photo：Vincent Grundke

Algetic
🔵ドイツ

Sewer Dynasty
🅰 Independent 🔵 2013

2000 年から活動していたブルータル・デスメタル・バンド、Grotesque
Impalement が改名する形でカールスルーエを拠点に活動スタート。ボーカリスト
Sebastian、ギタリスト Norman、ベーシスト Adrian、Profanity にも在籍するドラマー
David の 4 人編成で制作された本作は、長く活動してきた故の熟成感を感じさせる
グルーヴを武器に、疾風怒濤のブラストビートに真っ赤に燃え上がるチェーンソー
リフを織り交ぜていくテクニカル・スタイルを聴かせてくれる。獰猛な番犬のよう
に狂気的なガテラルも強いインパクトを放っている。

Atrocity
🔵ドイツ

Hallucinations
🅰 Nuclear Blast 🔵 1990

1985 年ルートヴィヒスブルクにて Instigator という名前で結成、1988 年に
Atrocity へと改名している。デビュー作となる本作は、現在までオリジナル・メン
バーとしてバンドを牽引するボーカリスト Alexander Krull を中心にギタリストの
Mathias と Richard、ベーシスト Oliver、ドラマー Michael の 5 人で制作されており、
Instigator 時代のグラインドコア・サウンドの名残を残しながら、想像を絶するほ
どのテンポチェンジを繰り広げ、デスメタリックなギターソロをたっぷりと注入し
ながらブルータリティ溢れるカオスを渦巻いていく。

Atrocity
🔵ドイツ

Todessehnsucht
🅰 Roadrunner Records 🔵 1992

短いスパンでリリースされたセカンド・アルバム。Roadrunner Records へと移籍。
Alexander がミックス / マスタリングを務めるなど、細部まで Alexander のアイデ
アが詰め込まれ、こだわり抜かれた作品として知られている。前作に比べ曲はさら
に複雑になり、陰鬱で腐敗したアトモスフィアはシンフォニックなキーボードより
奥深さを増している。「A Prison Called Earth」はこのアルバムの象徴的な楽曲で、
テクニカルな技法を、徐々にテンポダウンしていくフレーズの節々に組み込んでい
く高等技術で聴く者を圧倒。バンドは本作以降、さらに実験的なサウンドを追求し
ていく。

Centaurus-A
🔵ドイツ

Side Effects Expected
🅰 Listenable Records 🔵 2009

2000 年ボンにて結成。デモ、プロモと精力的に制作活動は続けていたが、これが
デビュー・アルバムとなる。ボーカル Johannes、ギタリストの Maik と Hernan、ベー
シスト Michael、ドラマー Patrick の 5 人編成でレコーディングされた本作は、デ
スメタルとスラッシュメタルのクロスオーバー・サウンドが軸となっており、綿密
に計算されたグルーヴ、ニューメタルにも接近するようなブレイクを挟みながら展
開するソングライティングの良さなど、聴くほどにツボにハマっていくような仕上
がり。魅惑的なリフの数々に思わずメロイックサインを掲げてしまうだろう。

Cytotoxin
🔵ドイツ

Radiophobia
🅰 Unique Leader Records 🔵 2012

2010 年ケムニッツで結成。2011 年にデビュー作『Plutonium Heaven』を発表。本
作がセカンド・アルバムとなる。ボーカリスト Grimo、ギタリスト Fonzo、ベーシ
スト Vt.、ドラマー Ollie の 4 人体制で制作された本作はオープニングから地獄の底
へ突き落とされたかのような滑落感のあるブラストビートで幕開け。タッピング、
スウィープと休むことなくメロディを繰り出し続け、うねるベースラインやドラミ
ングの上を駆け抜けていく。時折挿入されるブレイクダウンもヘヴィでかっこいい。
ライブでは核施設員のような衣装を身にまとい、危険マークを貼り付けた黄色のド
ラム缶を毎回設置するなどしている。

Deadborn
📍ドイツ

Mayhem Maniac Machine
🅰 Apostasy Records 🕐 2012

2002 年バーデン＝ヴュルテンベルクで結成。2007 年デビュー作『Stigma Eternal』をリリース、本作は 5 年振りとなるセカンド・アルバムで、ボーカリスト Mario、ギタリストの Jo と Kevin、Necrophagist に 1 年だけ在籍していた経歴のあるドラマー Slawek の 4 人に加え、ゲストに Fake Idyll に在籍していた Chris がベーシストとしてレコーディングに参加している。そのサウンドは Necrophagist の知的な暴虐性に At the Gates や Darkane といったメロディック・デスメタルの様式を組み込んだ仕上がりで、リフとドラミングのコンビネーションが秀逸。

Defeated Sanity
📍ドイツ

Prelude to the Tragedy
🅰 Grindethic Records 🕐 2004

1993 年ベルリンで結成。70 年代にジャズ・ドラマーとして活躍した Teske がギター、そして当時まだ小学生だった息子の Lille Gruber がドラマーとしてスタートし、ボーカリスト Markus Keller、ベーシスト Tino Köhler を迎え、本作が制作された。初期 Suffocation の流れを汲んだテクニカル・デスメタルで、複雑怪奇なドラミングや独特なベースラインの揺れは、メタルというよりジャズなどの影響下にあるように聴こえる。急激なテンポのアップダウンを繰り返しながら、目眩がするほど隙間なく叩き込まれるドラミングの凄まじい狂態に圧倒される。

Defeated Sanity
📍ドイツ

Psalms of the Moribund
🅰 Grindethic Records 🕐 2007

Gruber 親子以外のメンバーが脱退。新たにボーカリストとして Jens Staschel、ギタリストの Christian Kühn、Chaosphere のベーシストだった Jacob Schmidt が加入し、レコーディングが行われた。Jens のボーカルは地を這うようなガテラルで終始唸り続け、ぐっと増加したスラムパートを真っ赤な血の海に染め上げていく。スラムリフの増加によってテンポダウンしたパートも多いが、Lille はそのパートの上を駆け抜けるようにグラヴィティブラストを叩き込むなど、テクニカルであることに変わりはない。徹底してブルータルでありながら、確かな技巧を感じられる。

Defeated Sanity
📍ドイツ

Chapters of Repugnance
🅰 Willowtip Records 🕐 2010

ボーカルが Jens から Disgorge で活躍した A.J.Magana にスウィッチ。Wolfgang は健康上の理由でバンドを脱退し、本作は 4 人体制でレコーディングされている。A.J. の加入によってブルータル、特にスラムリフの殺傷能力は倍以上に跳ね上がっているが、加えてその複雑さも前作以上に進化。優れたバランス感覚を持つテクニカル・ブルータル・デスメタルは前例にとらわれることなく、自分達にしか出来ないアイデアで新しいメタルの道を切り開いた。アルバムリリースからおよそ 4 ヶ月後に Wolfgang は癌により死去。Lille のドラミングは彼の存在なしにここまで独創的なものになることはなかっただろう。

Defeated Sanity
📍ドイツ

Passages into Deformity
🅰 Willowtip Records 🕐 2013

A.J.Magana が脱退。後任ボーカリストとして、2010 年に Despondency を脱退した Konstantin Lühring が加入している。前作で完成させた Defeated Sanity にしか鳴らせないテクニカル・ブルータル・デスメタルの延長線上にあるサウンドで、「デスメタル的なフレーズ」などといった既成観念に囚われることのない自由なアイデアがたっぷりと詰め込まれている。高めたグルーヴを解体してしまうようなジャジーな小技を組み込むという危険な離れ業も、彼らの手にかかれば極上のグルーヴとなっていく。Konstantin のボーカルも素晴らしく、全体的に引き締まった印象を持つ作品。

Defeated Sanity　　　　　　　　　　　　　　　○ドイツ
The Sanguinary Impetus　　　　　🅐 Willowtip Records　◎ 2020

2016 年には別々のコンセプトを元に制作された 2 枚組のアルバム『Disposal of the Dead // Dharmata』を発表。その後、新たに Autonomy というワンマン・ブルータル・デスメタルをやっていた Joshua Welshman がボーカリストとして加入。本作では Lille がドラムとギターを兼任し、Jacob がベースというトリオ編成で制作されている。唯一無二のアイデアとテクニックでブルータル・デスメタルの可能性を拡大してきた Lille のドラミングが異次元に突入。ややミニマルなサウンド・プロダクションも、そんな奇抜なプレイをくっきりと浮かび上がらせる為のようにも聴こえてくる。

Grand Old Wrath　　　　　　　　　　　　　　○ドイツ
Every Man for Himself　　　　　　　　　🅐 Independent　◎ 2022

2017 年ネルトリンゲンで結成。元々 Enigma というバンドで活動していたギタリストの Dennis と Christian、ベーシスト Kai、ドラマー Jonas に加え、Carnage Calligraphy、Seinaru Sekai というバンドで活躍するボーカリスト Stephan を加えた 5 人体制で Grand Old Wrath として始動。Beyond Creation、Obscura からの影響を色濃く感じさせるクラシカルな旋律を軸とし、「Alien Grinder」やタイトルトラックなどではデスコアとの接近も見せつつ、従来のテクニカル・デスメタルとは一味違ったサウンド・デザインを追求。

Ichor　　　　　　　　　　　　　　　　　　　○ドイツ
Depths　　　　　　　　　　🅑 Bastardized Recordings　◎ 2014

2008 年トリーアで結成。バンドは 2022 年に解散、本作は 2015 年というキャリアでリリースされた 4 枚のアルバムの中でも最も評価の高い作品で、ボーカル Eric、ギタリストの Daniel と Jo、ベーシスト Norb、ドラマー Dirk の 5 人でレコーディングされている。Vader を彷彿とさせる切れ味鋭いリフや時折ブレイクダウンを織り交ぜながらもオールドスクールな展開を武器に、ブラストビートで疾走し続ける。Ichor はギターソロが非常に素晴らしく、メランコリックに、時に不穏で混沌とさせながら完璧に配置されている。デスコアに通ずるバウンシーなパートもフックとして耳馴染み良く、楽曲にフィットしている。

Infecting the Swarm　　　　　　　　　　　　○ドイツ
Abyss　　　　　　　　　　🅐 Lacerated Enemy Records　◎ 2016

2012 年アウクスブルクで Chordotomy などで活躍する Hannes のソロ・プロジェクトとしてスタート。当初は Visceral Defacement と名乗っていたが、同年改名した。本作はデビュー作『Pathogenesis』を経てリリースされたセカンド・アルバム。ブルータル・デスメタルを軸とするが、ドラマティックで Sci-Fi な雰囲気がまとい、テクニカルなリフが強烈なガテラルとかっちりと絡み合いながらうねりをあげていく。本作以降、ベーシストに Profanity の Clemens、ドラマーに Obsolete Incarnation の Nanuk を迎え、バンド体制として活動している。

Irate Architect　　　　　　　　　　　　　　○ドイツ
Visitors　　　　　　　　　　　🅐 War Anthem Records　◎ 2008

2004 年ドイツ北部の都市ハンブルクで結成。ブルータル・デスメタル・バンド Gorezone のボーカリストだった Christoph、ベーシスト Kai を中心にギタリスト Jens、ドラマー Philipp の 4 人体制でレコーディングされた本作は、優雅でメロディアスなベースラインが印象的であり、ネオクラシカルに響く瞬間も。それとは対照的に全力疾走で駆け抜けていくスポーティなドラミングと、殴りつけるようなリフが終始雪崩の如く展開されていくのもユニークであり、その絶妙な塩梅が神秘性のある Irate Architect の世界観を醸し出してくれる。2015 年には Yacøpsæ とのスプリットも発表。

Orphalis
Human Individual Metamorphosis

○ドイツ

🅐 Show No Mercy Records ○ 2012

2010年ドルトムントにて結成。同年解散したデスメタル・バンド Disgorgement のメンバーだったギタリスト Morten、ベーシスト Danny、ドラム Kai を中心に活動をスタート。2011年にデモ音源『Watchmaker Analogy』、Deformed Soul とのスプリット EP をリリースするなど、アクティヴな活動を続けていった。デビュー・アルバムとなる本作は、各パートが制御不能なレベルに達するほど、病的な狂気に満ちたテクニカルとアヴァンギャルドの間をいくブルータル・デスメタルであり、グルーヴを無視したアグレッシヴなブラストビートとチェーンソーリフが火を噴きまくる。

Orphalis
The Approaching Darkness

○ドイツ

🅐 Rising Nemesis Records ○ 2019

2016年にアルバム『The Birth of Infinity』を発表。本作は3年振りのリリースとなるサード・アルバムで、オリジナル・メンバーである Morten と Jens に加え、ボーカリスト Thomas、ベーシスト Andreas、ドラマー Phillip が加入。初期の混沌としたスタイルからぐっと整合感溢れるテクニカル・サウンドへと成長。Suffocation や Immolation にも通ずるリフの不気味な身のこなしは、ヒロイックなメロディとクロスオーバーしながら優れたバランス感覚に溢れている。引き締まったサウンドでテクニカル・デスメタルの入門アルバムとして推薦したい作品だ。

Orphalis
As the Ashes Settle

○ドイツ

🅐 Transcending Obscurity Records ○ 2023

4年振りのリリースとなった4枚目フルレングス。Transcending Obscurity Records へと移籍して発表された本作は、新たにベーシスト Thomas Köhler が加わり、暴虐性を増したカオスなスタイルを加速させている。目の覚めるような鋭いリフに染み込んでいくようなメランコリックなメロディワーク、突如ドロップベースが炸裂し、訪れるミドルテンポのフレーズに飲み込まれそうになりながら、燃えるようなテクニカル・デスメタルがオープニングからエンディングまで貫かれている。メロディックとブルータルの旨みを兼ね備えた Orphalis の力作。

Pavor
A Pale Debilitating Autumn

○ドイツ

🅐 Imperator Music ○ 1994

1987年ボンで結成。本作は彼らのデビュー・アルバムで、ボーカリスト Claudius Schwartz、ギタリストの Armin Rave と Holger Seebens、ベーシスト Rainer Landfermann、ドラマー Michael Pelkowsky の5人でレコーディングされている。過剰なまでにテクニカルなフレーズを弾きまくる Rainer のプレイは衝撃的で、リードギターから主役の座を奪うような圧倒的な存在感を見せてくれる。ブルータルなリフとタム回しを炸裂させるドラミング、サタニックなボーカルからは邪悪なオールドスクール・デスメタルの熱気が充満している。

Phobiatic
Contempt for Decay

○ドイツ

🅐 Independent ○ 2019

2008年ボトロップで結成。本作は彼らの4枚目となるアルバムで、ギタリスト Robert Nowak、Panzerkrieg 666 や Warfield Within で共に様々なメタルバンドで活躍するボーカリスト Sebastian Meisen とベーシスト Chris Neumann、Hatred Inherit のドラマー Kai Bracht の4人で録音。Napalm Death を彷彿とさせるスラッシーなリフとドラミングで、グラインドコアに接近したオールドスクールなサウンド・デザインに仕上げられている。奇天烈にねじ込まれたデスメタリックなギターソロがインパクト抜群で、武骨なかっこ良さがある。

Profanity
⦿ドイツ

The Art of Sickness | ⓐ Apostasy Records ⊙ 2017

1993 年バイエルン南西部のアウクスブルクで結成。初期はクラシックなデスメタルで、2017 年振りとなる本作からテクニカル・スタイルへとアップデート。これが通算 3 枚目のアルバムで、ギター / ボーカル Thomas、ベーシスト Daniel、ドラマー Armin のトリオ編成で制作されている。Atheist や Death といったテクニカル・デスメタル第 1 世代のクラシック・スタイルをベースに、ストップ & ゴーを巧みに繰り返しながらシャープなキレが冴え渡るリフを刻む。「Recreating Bliss」には Suffocation の Terrance、Disgorge の Ricky がゲスト参加。

Retaliation
⦿ドイツ

Seven | ⓐ Unique Leader Records ⊙ 2010

2005 年に Invalid Injection としてマルクトハイデンフェルトで結成されたが、翌年 Retaliation へと改名している。本作は彼らのデビュー・アルバムで、ツイン・ボーカルの Johannes と Christian、ギタリストの Julian と Dennis、ベーシスト Heiko、ドラマー Marc の 6 人体制でレコーディングされた。ローの利いたガテラルと絶叫するようなハイピッチ・スクリームが、まるで会話のようにして掛け合う不思議なコンビネーションが独特だ。静と動のコントラストにフォーカスした楽曲構成でドラマ性が高い。ドラミングは静かだが、狂ったように叩きつけるシンバルワークが不気味だ。

Shattered
⦿ドイツ

New Atlantis | ⓐ Independent ⊙ 2015

2013 年ヴュルツブルクで結成。本作はボーカリスト Michael、Spreading Miasma でも活躍するドラマー Jonas、God Enslavement のベーシスト Julian、そしてバンドのコンポーザーであるギタリスト Florian Wehner の 4 人で制作された。オリエンタルなイントロで幕を開け、テクニカル・メロディック・デスメタルとも言うべきスペクタクルなメロディが、宇宙に煌めく星々の輝きのように炸裂。ネオクラシカルなベースラインも聴きどころの一つで、ドラマ性が高くシンプルな展開が多く聴きやすい為、メロディックなテクニカル・デスメタルの入門作品としてオススメしたくなる作品。

Sinners Bleed
⦿ドイツ

Absolution | ⓐ War Anthem Records ⊙ 2019

1997 年ベルリンで結成。2003 年にデビュー作『From Womb to Tomb』をリリースするも 2010 年に解散。本作は 2015 年に復活し、オリジナルメンバーであるボーカリスト Jan、ギタリスト Sebastian、ドラマー Eric と、Cerebric Turmoil から新加入のベーシスト Fux とギタリスト Arne というラインナップで制作されている。絶えずヌメヌメと濡れているようなドラミングに絡みつく粘着質なチェーンソーリフが、地を這いずり回るようにドロドロとしたグルーヴを生み出していく。だからこそ絶望的な響きを醸し出すヒロイックなギターソロが、楽曲の主要成分としてさりげない存在感を放つ。

Spheron
⦿ドイツ

A Clockwork Universe | ⓐ Apostasy Records ⊙ 2016

2008 年ライン川の西岸に位置する都市ルートヴィヒスハーフェンで結成。2013 年にデビュー作『Ecstasy of God』を発表、本作は 3 年振りのリリースとなったセカンド・アルバムで、ボーカル Daniel、ギタリストの Tobias Alter と Mark、ベーシスト Matthias、ドラマー Tobias Blach というラインナップで制作された。静かな水の上を漂うようなメロディが印象的なイントロで幕を開けると、細かく調整された温かみのあるスタイルのまま、テクニカル・デスメタルを炸裂させていく。アートワークも芸術性が高く、プログレッシヴな魅力もたっぷりと詰まった作品だ。

Cephalic
オーストリア

Blasted into Lunacy
Animate Records 2003

1998 年リンツで結成。兄弟であるギタリストの Roman とドラマー Lukas Lindenberger、友人だったベーシスト Michael Ruhmer によってスタート。本作では Dominus Satanas や Eschaton といった地元のデスメタル・バンドでボーカルやドラムなどをプレイしてきた Armin がボーカルとして参加している。同郷の Belphegor を彷彿とさせるようなリフに、ハイピッチなスネアを暴虐的に叩き込んでいく力技が印象的で、当時の空気感も感じられるだろう。現在は解散済みで、Armin は地元で有名なタトゥー・アーティストとして活動している。

Dayum
オーストリア

Ghost of Sparta
Realityfade Records 2019

2016 年東部にある首都ウィーンで結成。Spire of Lazarus の前身バンドとして知られ、2017 年にデビュー・アルバム『Dark Souls』を発表、本作が Dayum 名義ではラストとなる作品となった。本作はボーカル Adam、ギターとキーボードを兼任する Julius、ベーシスト Thomas、ドラマー Michael の 5 人体制で録音された。Spire of Lazarus の世界観にも通ずるオリエンタルな音色や、神秘性の高いサウンド・デザインが雰囲気たっぷりで、真っ赤にほとばしり出る咆哮の邪悪さには目を見張るものがある。

Spire of Lazarus
オーストリア

Soaked in the Sands
Independent 2022

2016 年前身バンド Dayum を結成。2020 年に Spire of Lazarus へと改名している。Dayum から 3 枚目となる本作は Dayum からのコンビであるギタリスト Julius とベーシスト Thomas に加え、Psalm of Abhorrence のボーカリスト Jon が加入し、Julius がドラムを兼任している。オリエンタルなオーケストレーションが嵐のように吹き荒ぶ中、目の覚めるようなブラストビートで駆け抜けていく。スウィープ、タッピングと砂金の煌めきのようなメロディも異次元だ。女性ボーカリスト Pipi をフィーチャーした「Farah」の豊麗多彩な世界観には圧倒される。

Amok
スイス

Lullabies of Silence
Fastbeast Entertainment 2006

2001 年ジュネーヴにて結成。ギタリスト Philippe、ベーシスト Wladislas を中心に結成され、本作までに 2 枚の EP を発表。ドラマー Edward、ボーカリスト Ugo が加入し、同郷のデスメタル・レーベル Fastbeast Entertainment と契約した。音速で繰り広げられるリフを追いかけるようにして叩き込まれるラウドなドラミングは、アヴァンギャルドに展開する楽曲を生々しく表現している。タイトルトラック「Lullaby of Silence」はマスコアとテクニカル・デスメタルを絶妙に行き来するサウンドで、スペクタクルな空気感が味わえる。

Darkrise
スイス

Realeyes
Great Dane Records 2006

コンスタントにアルバムリリースを続けてきたスイスの重鎮、DarkRise の 4 枚目フルレングス。本作はオープニングの「Realeyes」からオリエンタルなイントロをスラッシーなリフが切り裂くように幕を開ける。安定感のあるドラムワークがタイトにグルーヴを生み出すと、閃光のような切れ味鋭いギターフレーズが応酬。細かなリズムを織り成し、幻惑的なテクニカル・ワールドを演出する。無駄の無い強靭なガテラルはタフでありながら知的な趣があり、腰の据わった DarkRise の世界観をさらに完璧なものに仕立ててくれる。派手さはないが、デスメタルとしての作りの良さを味わうことが出来るアルバムだ。

Omophagia
In the Name of Chaos

●スイス
Unique Leader Records ● 2016

5 年振りにリリースされたセカンド・アルバム。デビュー作『Guilt by Nescience』はプログレッシヴ・メタル /Djent のトレンドをふんだんに取り入れ、ブルータル・デスメタル・シーンにおいて特異な存在感を見せつけた。本作はギタリスト Hiqui、Mischa のコンビが織りなす至高のツインリードのハーモニーが前作以上に味わい深くスキルアップしており、綿密に踏み込まれるダブル・キックペダルのビートがそれを抜群の安定感で支えているのが印象的。ボーカル Beni のグロウルもローが利いており、スペクタクルに展開し聴くものを圧倒する。

Apophys
Prime Incursion

●オランダ
Metal Blade Records ● 2018

2012 年、オーファーアイセル州カンペンにて結成。Erebus と言うデスメタル・バンドで一緒だったボーカリスト Kevin とギタリスト Sanne を中心に、ベーシスト Mickeal、ギタリスト Koen、Prostitute Disfigurement で活躍し、後に Pestilence に加入することになるドラマー Michiel の 5 人で活動をスタート。本作は、ソリッドに刻み込まれるリフに呼応するようにして繰り広げられるドラミングを軸に展開。次第に速度を上げ、ブラストビートへと持ち込む展開が面白い。残念ながら本作で契約は打ち切られ、2018 年にアルバム『Devoratis』を発表するも同年解散。

Expulsion
Wasteworld

●オランダ
Deepsend Records ● 2009

2002 年フローニンゲンにて結成。Not in This Lifetime というバンドで活動していたドラマー Marcel、ギタリスト Martijn、ベーシスト Sander を中心に、ボーカリスト Albert、ギタリスト Rogier を加えた 5 人体制で活動をスタート。スラッシュメタルやデスメタルの影響を色濃く感じるサウンド・プロダクションでありながら、テクニカルなフレーズを随所に詰め込み、終始メロディアスなギターは圧巻だ。どちらかと言うとスラッシュメタル・シーンで人気があったバンドだが、テクニカルさは必聴。2011 年に解散している。

Polluted Inheritance
Ecocide

●オランダ
Morbid Music / Vic Records ● 1992

1989 年ゼーラント州テルネーゼンを拠点に結成。ボーカリスト Jean-Paul Hoorman、ギタリスト Ronald Camonier と Erwin Wesdorp、ベーシスト Menno de Fouw、ドラマー Friso van Wijck の 5 人体制で活動をスタート。ドイツの Morbid Music と契約したものの、Jean が脱退した為、本作では Ronald がギター / ボーカルへとパートチェンジしている。巧みにテンポチェンジしながらもドライブ感はキープ。隙間なく叩き込まれるドラミング、デモニックな存在感を放つボーカルと聴きどころは多く、1992 年にリリースされたとは思えないクオリティを誇る。

Polluted Inheritance
Betrayed

●オランダ
DSFA Records ● 1996

4 年振りのリリースとなったセカンド・アルバム。本作はプロデューサーに 80 年代にハードロック・バンド Horizon で活躍したギタリスト Jack Nobelen を迎え、レコーディングが行われた。前作で確立した Polluted Inheritance らしさがしっかりと引き出されたサウンド・プロダクション / 楽曲に仕上がっている。息をつく暇なくプログレッシヴに叩き込まれるドラミングをベースに、絡みつくようなリフが淡々と刻み込まれ続けていく。ドライブ感は前作ほどではないが、独自の世界観を確立し、アップデートすることに成功した作品といって良いだろう。

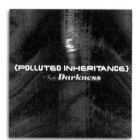

Polluted Inheritance
●オランダ
Into Darkness　　　　　　　　　　　　　◎ Rokaroka Records ◎ 2001

5年振りのリリースとなったサード・アルバム。ベルギーの Rokarola Records と
契約して発表された本作は、プロデューサーに Brian van Zwieten と Theo van
Sluisveld を起用。前作で魅せた Polluted Inheritance らしさをよりダイナミックに
演出することにフォーカスした仕上がりになっており、ミドルテンポでじわじわと
盛り上がりを増していく楽曲が中心になっている。適度なプログレッシヴ・フレー
バーが Friso のドラミングをよりテクニカルに響かせ、Evil なヴァイブスを加速さ
せる。2008年に解散。

Prostitute Disfigurement
●オランダ
Descendants of Depravity　　　　　　　　　◎ Neurotic Records ◎ 2008

2001年フェルトホーフェンで結成。本作は彼らの4枚目となるアルバムで、初期
はゴアグラインドをプレイ、次第にブルータル・デスメタルへと進化を続け、ブラ
ストビートは速度を増し、テクニカルな表現が増えてきた。オリジナルメンバーで
あるボーカル Niels とベーシスト Patrick を中心に、ギタリストの Roel と Benny、
ドラマー Michiel の5人体制で制作された本作は、閃光のようなブラストビートが
ドライブ感を司り、デスメタリックなリフが暴力的に刻み込まれ続けていく。「Life
Depraved」や「Carnal Rapture」のリフは一度聴いたら耳から離れない。

Prostitute Disfigurement
●オランダ
From Crotch to Crown　　　　　　　　　　◎ Willowtip Records ◎ 2014

2008年に一度解散をしたものの、2010年に復活。本作までに Mayan の Frank
Schiphorst と Toxocara の Martijn Moes がギタリストとして加入し、再び息を吹き
返した。Willowtip Records と契約し発表された本作は、レトロな解剖室が描かれ
た奇怪なアートワークも相まって強烈なブルータルさを醸し出している。そうした
雰囲気から Cannibal Corpse や Severe Torture のような生臭さが全編に漂っており、
特にタイトルトラック「From Crotch to Crown」のおどろおどろしさは凄みに溢れ
ている。

Severe Torture
●オランダ
Feasting On Blood　　　　　　　　　　　◎ Hammerheart Records ◎ 2000

1997年オランダ南部のボクステルで結成。1998年にデモ作品『Baptized...』を発
表。シングルのリリースを続ける中で、ボーカリスト Dennis Schreurs、ギタリス
ト Thijs van Laarhoven、ベーシスト Patrick Boleij、ドラマー Seth van de Loo と
いう4人体制となり、レコーディングを行った。Cannibal Corpse にも接近する筋
金入りのブルータル・デスメタルであるが、多種多様なフィルやロールといった小
技が光るドラミングのテクニックは一級品で、残忍でメロディアスなリフとの相性
も抜群。

Severe Torture
●オランダ
Misanthropic Carnage　　　　　　　　　◎ Hammerheart Records ◎ 2002

2年振りのリリースとなったセカンド・アルバム。前作に比べ、さらに凶暴化した
ブルータル・デスメタルの狂態は異常で、ドライなスネアを主軸に転がるようなファ
ストなブラストビート、殴るように叩き込まれるクラッシュシンバルの迫力に圧倒
されるドラミングはこの世のものとは思えない。スローなブレイクダウン・パート
ではタイトに刻み込まれるヘヴィなリフがどろどろと行進。そうしたパートが細部
に施されたテクニカルフレーズの威力を何倍にも増してくれる。「Meant to Suffer」
と「Blinded I Slaughter」はアルバムのハイライトとも言えるキラーチューン。

Severe Torture
Fall of the Despised
オランダ ・ Earache Records ・ 2005

3 年振りのリリースとなったサード・アルバム。Earache Records へ移籍。新メンバーに Dew-Scented での活躍で知られるギタリスト Marvin が加入。バンドにとって大きな転換期となり、そのサウンドもぐっとスタイルチェンジしている。テクニカルなブルータル・デスメタルにたっぷりと詰め込まれたメロディックな音色は、ソリッドなリフ、うねるベースラインと絡まり合い、ドライヴ感を加速させていく。「Consuming the Dying」や「Enshrined By Madness」は新しい彼らの挑戦が詰まった楽曲で、アルバムでも強い存在感を放つ。

Spectrum of Delusion
Neoconception
オランダ ・ The Artisan Era ・ 2020

2013 年、南ホラント州海沿いの街カトウェイクにて結成。ボーカリスト Douwe、ギタリストの Nathan と Frank、ベーシスト Jerry、ドラマー Jeroen の 5 人体制で活動をスタート。2017 年にデビュー・アルバム『Esoteric Entity』を自主制作で発表すると、The Artisan Era と契約を果たした。First Fragment を彷彿とさせるフレットレス・ベースのなめらかなメロディラインが上品なネオクラシカル・サウンドの要となり、ドラマティックに楽曲を展開していく。Douwe の強力無双の鳥獣のようなボーカルもクセになる面白さがある。

Cause N Effect
Validation Through Suffering
ベルギー ・ Independent ・ 2023

フランスの Henker に在籍していたギター / ボーカル Stef、Human Vivisection のベーシスト Sonny、ドラマー Dries によるトリオのデビュー作。デスコアの影響を感じさせるダンサブルな 2 ステップ・パートやブレイクダウンを交えながら、超絶技巧のタッピングフレーズやプログレッシヴなアトモスフィアなども組み込んだハイブリッドなスタイルだが、すっきりとしたサウンド・プロダクションでアルバムとしての完成度が高い。Deeds of Flesh から Archspire まで飲み込み昇華した、新世代テクニカル・デスメタルのダークホース的存在と言えるだろう。

Chemical Breath
Fatal Exposure
ベルギー ・ Crypta Records ・ 1992

1988 年リンブルフ州マースメヘレンで結成。本作はギター / ボーカル Alain Chernouh、ギタリスト René Rokx、ベーシスト Surgen Maes、ドラマー Andy Missotten の 4 人体制で制作された。Death の『Human』を彷彿とさせる複雑なスラッシーリフをガリガリと刻み、荘厳なプログレッシヴな匂いをほのかに香らせながらギターソロもバッチリ決め、奇抜な展開を見せる楽曲をダイナミックに仕立てる。強烈な存在感を放つシンバルの鳴りを肝としながら、ドカドカと叩きまくる Andy のドラミングにも注目だ。1994 年のセカンド『Values』からはテクニカル・スラッシュメタルへと傾倒していく。

Emeth
Telesis
ベルギー ・ Brutal Bands ・ 2008

1997 年結成、セカンド・アルバム『Reticulated』から 2 年振りのリリースとなった本作は、Emeth サウンドの根幹を担っていたギタリスト Peter に代わり、新メンバーとして Adeslave のメンバーである Valéry が加入。カオティックな要素が大幅に削られ、プログレッシヴな風味を混ぜ合わせたテクニカル・ブルータル・デスメタルへとスタイルチェンジを遂げた。絶妙なテンポアップ、ダウンを繰り返し、エクスプローシヴなブラストビートを炸裂させ爆進する。グラインドコアやカオティック・ハードコアの暴虐性を、テクニカルかつプログレッシヴなサウンドに調和させる事に成功した。

Emeth
📍ベルギー

Aethyr　　　　　　　　　　　🅐 Xtreem Music 🅓 2014

6 年振りのリリースとなった 4 枚目フルレングス。本作では大幅なメンバーチェンジがあり、オリジナル・ギタリストの Matty を中心に、ドラマー Nico、ギタリスト Alan、ベーシスト Pat、前作でゲスト・ボーカリストとして参加した Leng Tch'e の Boris が正式に加入し、5 人体制で制作が行われた。過激化するテクニカル & プログレッシヴなフレーズは円熟味を増し、変幻自在にテンポチェンジを続けるドラムに、Matty 節炸裂の奇怪なメロディック・リフが畳み掛けるように炸裂。テクニカル・ブルータル・デスメタル・バンドのプログレッシヴな領域を拡大し続けた意欲作。

The End of All Reason
📍ベルギー

Artifacts　　　　　　　　　　🅐 Independent 🅓 2012

2004 年フラームス＝ブラバント州フランドルを拠点に結成。ボーカリスト Vincent、ギタリストの Tom と Thaddé、ベーシスト Sven、ドラマー Gert の 5 人体制で動き出し、A Trail of Horror とのスプリット、そして EP『Fragmented』を経て本作を完成させた。スッキリとシャープなキレを持つリフを要としながら、細かく調整されたディテールに美しさを感じる。輝きを放つメロディアスなフレーズは静かに燃えるようなドラミングの上を踊るようであり、映画のようにドラマティックなテクニカル・デスメタルが聴きたい人にオススメしたくなる一枚。残念ながら本作以降目立った活動はしていない。

Triagone
📍ベルギー

Sem Papyrvs　　　　　　　　🅐 Independent 🅓 2023

2019 年ブリュッセルで結成。女性ボーカリスト Loreba Moraes、ボーカルも兼任するギタリストの Lou-Indigo と Lucas、ベーシスト Léo、ドラマー Lorenzo の 4 人で制作された本作は、彼 / 彼女らのデビュー作。終始ミドルテンポで押し続けるスタイルでありながら、奇想天外なリフとドラムパターンが轟き続けるのが Triagone 流。共にリードボーカルを取る Loreba と Lou-Indigo の掛け合いも独創性が高く、バンド・サウンドの骨子と言える。収録曲「Ad Mortem Sem Papyrvs」はミュージックビデオになっており、彼 / 彼女らの特性を感じられる。

Pestifer
📍ベルギー

Expanding Oblivion　　　　　🅐 ZenoKorp 🅓 2020

2004 年リエージュで結成。双子の兄弟であるベーシスト Adrien Gustin とドラマー Philippe を中心に Pestifer がスタートし、2010 年のデビュー作『Age of Disgrace』、2014 年のセカンド・アルバム『Reaching the Void』を経て、元 Spectre のシンガー Jérôme、元 Emeth のギタリスト Valéry が加わり、本作をレコーディング。血の気の多いドラミングが忙しなく叩き込まれ、さすが双子と言わんばかりのベースラインがうねるように絡みついていく。スラッシーなリフは粘着質であることを強みとしながら、たどたどしくリズムと交錯していく。

Arkaeon
📍ルクセンブルク

New Level of Inhumanity　　　🅐 Independent 🅓 2011

2011 年、人口わずか 1,300 人程度の町トロワヴィエルジュを拠点に結成。ボーカリスト Rosh Glesener、ギタリスト Jonas Lippert、ベーシスト Pol Kinnen、ドラマー Gilles Laplume の 4 人体制で制作された本作は、サウンド・プロダクションこそ荒々しいが、あらゆる技巧を駆使したテクニカル・デスメタルを軸に個性的な展開で独自性を放っている。デスコアに近いバウンシーなリフも組み込むなど、多彩なアイデアが見え隠れするのもたまらない。2014 年にはセカンド EP『Godless』を発表するも活動はストップしてしまった。

シネマティックなテクニカル・グルーヴメタルからジャジーに！

Gorod

🕐 1997 年　🌐 フランス・ボルドー　👤 Benoit Claus、Mathieu Pascal
🎸 The Great Old Ones、Voracious Gangrene
🎤 Necrophagist、Augury、Neuraxis
◉ Gojira 影響下のシネマティックなプログレッシヴ・メタルをテクニカル・デスメタルとクロスオーバー
💬 宗教、幻想世界

　1997 年に Gorgasm というバンド名で結成され、2004 年にアルバム『Neurotripsicks』でデビューしたものの、アメリカに同名バンドがいたことから 2005 年に Gorod へと改名。その後、Willowtip Records から Gorod 名義でデビュー作が再発されると、ヨーロッパを中心にライブ活動を展開。2006 年のセカンド・アルバム『Leading Vision』は多くのメタル・メディアに取り上げられ、Gorod のアメリカ進出のきっかけとなった。「Maryland Deathfest」への出演など国際的な舞台へ駆け上がる彼らは 2009 年にサード・アルバム『Process of a New Decline』を発表。2010 年にかけて大幅なメンバーチェンジが行われたものの、ヨーロッパ・ツアーを成功させ、アメリカでのフェス出演、更にフランス最大のメタル・フェス「Hellfest」のメインステージに出演するなど知名度を拡大した。

　Obscura をはじめとするシーンのトップ・バンドらとのツアーは、Gorod を更に一つ上のステージへと引き上げる大きな経験となった。2012 年にはアルバム『A Perfect Absolution』をリリース。このアルバムからボーカリスト Julien が加入しており、Howling Bull から国内盤もリリースされ、2013 年には来日を果たした。2015 年にはアルバム『A Maze of Recycled Creeds』を発表。ドラマー Karol が加入、プログレッシヴな作風へと徐々にシフトチェンジしたことで、新たなファンベースを獲得し、2018 年のアルバム『Æthra』では唯一無二のテクニカル・プログレッシヴ・デスメタル・サウンドを確立。その独自性はジャンルの枠を超え、2023 年のアルバム『The Orb』では新境地へと到達した。

Gorod
Neurotripsicks
◎フランス
🅐 Willowtip Records ◎ 2005

1997 年アキテーヌで結成。結成当初は Gorgasm と名乗り、本作も Gorgasm 名義で Deadsun Records から 2004 年にリリースしたが、翌年改名。再び発表される形となった。ボーカル Guillaume Martinot、ギタリストの Mathieu Pascal と Arnaud Pontaco、ベーシスト Benoit Claus、女性ドラマー Sandrine Bourguignon というラインナップで制作された本作は、ミドルテンポの楽曲を中心に、スタッカートなリフで目まぐるしく変化し続けていく。豊かな才能を見せつけたデビュー作。

Gorod
Leading Vision
◎フランス
🅐 Willowtip Records ◎ 2006

Gorod として正式にリスタートを切った彼らのセカンド・アルバム。本作は Benoit と Mathieu がプロダクションを担当、マスタリングは Scott Hull が手掛けた。ユニークな彼らの持ち味が爆発しており、より広域のデスメタル・リスナーへテクニカル・デスメタルの門戸を開くきっかけになり得る可能性に満ち溢れた作品を作り上げた。複雑で先の読めない展開を見せながら、キャッチーさも節々に織り込んでいくセンスは素晴らしく、「Here Die Your Gods」や「Eternal Messiah」といった楽曲は鮮やかなリフに酔いしれることが出来るキラーチューン。

Gorod
Process of a New Decline
◎フランス
🅐 Unique Leader Records / Listenable Records ◎ 2009

3 年振りのリリースとなった 3 枚目フルレングス。本作から新しいドラマーとして Zubrowska などに在籍した Samuel Santiago が加入。ファストな楽曲が増加したが、終始キャッチーなフレーズが押し寄せてくる、Gorod らしい曲の数々が詰まっている。ジェットコースターのように炸裂するリフが楽しめる「Disavow Your God」でキックオフ、多彩なアレンジが施されたテクニカル・グルーヴメタルとでもいうべきサウンドで、ジャジーな雰囲気溢れるオペラのエンディング「Almighty's Murderer」までリスナーを夢中にさせ続ける。

Gorod
A Perfect Absolution
◎フランス
🅐 Unique Leader Records / Listenable Records ◎ 2012

3 年振りのリリースとなった 4 枚目フルレングス。2010 年に Gorgasm 時代から在籍した Arnaud と Guillaume が脱退。新たに Zubrowska のボーカル Julien Deyres と Arcania で活動していたギタリスト Nicolas Alberny が加入。同郷のレーベル Listenable Records へと移籍し、心機一転本作のレコーディングを開始した。Gorod のキャッチーな魅力を拡大する多彩なスクリームをこなす新加入の Julien、Mathieu と Nicolas のギタープレイも調和の取れた Gorod スタイルで繰り広げられていく安定感のある作品だ。

Gorod
A Maze of Recycled Creeds
◎フランス
🅐 Unique Leader Records / Listenable Records ◎ 2015

3 年振りのリリースとなった 5 枚目フルレングス。本作から Samuel に代わり、Karol Diers が加入。ややプログレッシヴに傾倒し、ジャジーな成分が目立った前作から、再び「これぞ Gorod」と言うべきテクニカル・グルーヴにフォーカスした作風へとカムバック。「Temple to the Art-God」や「The Mystic Triad of Artistry」といった楽曲は、確かなテクニックによって軽快にフックの利いたフレーズを炸裂させており、痛快さに溢れている。ブルータルさはやや落ち着いたものの高いボルテージはそのまま。

Gorod
Æthra
● フランス
🅰 Overpowered Records ⊙ 2018

EP『Kiss the Freak』を挟み、3年振りにリリースされた6枚目フルレングス。同郷の新鋭レーベル Overpowered Records と契約して発表された本作は、In Flames や Meshuggah を手掛けた Daniel Bergstrand がミックスを手掛け、Lawrence Mackrory がマスタリングを担当した。これまでの彼らとは違い、マスコアのような痺れるギターフレーズやジャジーなパート、クリーンヴォイスを組み込んでいる。メタルコアにも接近したようなスタイルを鳴らす「Bekhten's Curse」はこれまで聴くことのなかった Gorod の違った魅力に溢れている。

Gorod
The Orb
● フランス
🅰 Independent ⊙ 2023

Overpowered Records を離れ、自主制作でリリースした7枚目フルレングス。前作『Æthra』で、これまでのスタイルとは違ったジャズ、プログレからの影響を多分に盛り込んだサウンドを作り上げた Gorod。更にプログレッシヴの領域へと踏み込み、王道のテクニカル・デスメタルのスタンダードからはかけ離れた境地へと辿り着いた。アルバムのリードトラックであり、ミュージックビデオにもなっている「The Orb」では、長年のキャリアで培った絶妙なバランス感覚で芸術的なグルーヴを巻き上げていく Gorod の現在地を耳から、そして目から感じることが出来るだろう。

Gorod インタビュー

Q：インタビューに答えてくださり、ありがとうございます。まずは簡単に自己紹介をお願いします。

A：ありがとう！ 私は Ben。Gorod のベーシストです。こちらこそインタビューしてくれて嬉しいよ。

Q：Gorod は 2005 年にアルバム『Neurotripsicks』でデビューしましたよね。現在のラインナップとは大きく異なりますが、Gorod として最初のアルバムを作ったとき、バンドでどんなサウンドを作りたかったのですか？ また、当時アルバムをリリースしてどんな反響があり、どのようにして Willowtip Records と契約したのですか？

A：Gorod に現在もオリジナル・メンバーとして在籍している私とギタリスト兼コンポーザーの Mat は、1997 年、当時高校生だった頃に Gorgasm という名前でバンドを始めたんだ。いくつかデモ音源を作って、2004 年に Gorgasm 名義で『Neurotripsicks』をレコーディングして、最初はフランスの Dead Sun Records からリリースしたんだ。その時、Willowtip Records が私達の存在に気付いてくれて、もっと世界を舞台に流通を良くしてリリースしてみないかって提案してくれたんだけど、アメリカに Gorgasm という同名バンドがいることが分かって、サウンドも似ていたし、混同を避ける為にそのタイミングで Gorod へと改名したんだ。

ざっくり Gorod と改名した経緯はこんな感じで、サウンドは Death、Carcass、Coroner、そして Cannibal Corpse の大ファンだったから、Gorod の今も続くサウンドの基礎には彼らの影響があるね。Gorod の特徴と言えるメロディアスでグルーヴィーなタッチはこの頃からその片鱗を感じることが出来るはずだよ。Willowtip Records との契約後はテクニカル・デスメタル・シーンにおけるこのアルバムへの反応は非常に好意的で、海外、特にアメリカでの知名度を上げるのに役立ったと感じたね。

Q：アルバム『Leading Vision』はいつ聴いてもユニークに聴こえますし、聴くたびにフレッシュなアイデアに感動します。特に「Here Die Your Gods」と「Eternal Messiah」はアルバムでも光り輝いて聴こえます。このアルバムの中で今でも演奏している曲はありますか？ このアルバムについて制作秘話などあれば教えて欲しいです。

A：本当にその通りだよ、『Leading Vision』は私たちにとって重要なターニングポイントだった。このアルバムでは、新しくとても個人的な雰囲気やグルーヴをGorodらしく作り上げることが出来たし、他のバンドとは一線を画すものが完成させられたと今も思うよ。今でも定期的に「Here Dies Your God」をプレイしている。もしかしたら、将来のセットリストに「Adaenia 2312」や「Hidden Genocide」のようなクラシックな曲を組み込むかもしれないな。リクエストされることもあるんだ！当時はまだ自分たちだけでレコーディングをしていて、『Leading Vision』でより機材も新しく手に入れたばかりだったから色々試したりしたから、レコーディングはとても楽しかったよ。そしてこのアルバムのおかげで、2007年の「Maryland Deathfest」で初めてアメリカで演奏することができたんだ。

Q：アルバム『Process of a New Decline』におけるアヴァンギャルド・ジャズやその他テクニカル・デスメタルには珍しい音楽からの影響は、このアルバムの興味深い要素だと感じます。新メンバーが加入したり、リリース後にレーベルがUnique Leader Recordsにかわったりと、Gorodにとって状況が変わりつつあった時期でしたが、このアルバムではどのようなものにインスピレーションを受けましたか？

A：『Process of a New Decline』は、私たちをテクニカル・デスメタル・シーンの有名人にしてくれたアルバムなんだ。ド

ラマーがSamuel Santiago変わって、よりスピード感が前面に押し出された印象を持つと思う。アルバムを出した時はまだWillowtip Records所属で、ヨーロッパではListenable Recordsがライセンスを持っていたかな。

そして、私たちのジャズ的な要素について、直接影響を受けたジャズのアーティストというのはいないんだ。コンポーザーであるMatは、伝統的なジャズはほとんど聴いてこなかった。Al Di Meolaといったジャズ/フュージョン系のギタリストやジャズ・ロック的なMahavishnu Orchestra、プログレッシヴ・ロックのEL&P、あるいはファンク全般なんかは聴いていたんじゃないかな。70年代のジャズやフュージョンは多少なりともGorodに影響を与えているかもしれない。私たちがジャズの影響を受けていると思われるのは、メタル以外の音楽文化からリズムやハーモニーを借りているからで、本当の影響というよりも、このミックスがジャズに「聞こえる」のが理由なんじゃないかな。『Leading Vision』の頃からそうしてきたし、今でもそうしている。これはGorodのDNAの一部なんだ！ その一方で、こうしたジャズ的なものが自然に聴こえるように、曲の中に組み込む時には細心の注意を払ってるんだ。デスメタル的なパートに続いて、グルーヴィーでジャジーなパートが差し込まれても、全く違って聴こえないようにしている。これは、Gorodの音楽の特徴のひとつだと私は思うし、Matが得意とする非常に繊細な作曲技法でもあるね。

Q：ちょっと聞きにくいですが、『A Perfect Absolution』と『A Maze of Recycled Creeds』がリリースされた時期には、メンバーの入れ替わりが多かったですよね。フランスには素晴らしいミュージシャンがいますが、やはりメンバーを見つけるのは難しかったのでしょうか？ 当時を振り返って、葛藤や悩みはありましたか？

A：『A Maze of Recycled Creeds』をリリースする前までは正直メンバーチェンジが多かった。でもそれ以来、メンバーは代わらないまま 2010 年が経とうとしているよ！　良い機会だから話そうか。『A Perfect Absolution』から『A Maze of Recycled Creeds』がリリースされた時期というのは、Gorod にとってとても波乱に満ちたものだったんだ……。ギタリストの Arnaud とドラマーの Samuel を解雇せざるを得ない状況になったのは、彼らのプレイスタイルが柔軟なものでなく、とても個人的なものになりすぎてしまっていたからなんだ。ボーカリストだった Guillaume も同時期に脱退しているけど、彼は仕事と家庭生活に専念することを選んだのが理由さ。私達は Unique Leader Records へと移籍したし、本当に色々変わっていった時期だったね。君が言うように、フランスにはデスメタル・シーンだけでも非常に優れたミュージシャンがいるが、年に何週間もツアーに出るようなバンドでは、優れたミュージシャンであるだけでは十分ではないんだ。このような生活がもたらす多くの困難に対処できる「結束力の強いチームメイト」を見つける必要がある。

　『A Maze of Recycled Creeds』を作った時、私たちはそれを手に入れたんだ。バンドの為に新しいミュージシャンを採用する場合、彼らがバンドの曲を十分に演奏できる必要があるのは言うまでもないが、何よりも、一度に数週間、バンやバスの中で一緒に暮らせることが分かっている人を見つける必要がある。そこに本当の難しさがあるんだよ。

Q：なるほど、だからこそ今の Gorod のサウンドから滲み出てくるような結束力というものの強さには、言葉にならないグルーヴが感じられるのかもしれませんね。2005 年にスタートし、メンバーチェンジがありながらも、これまで様々なアイデアを盛り込みながら作品を作り上げてきた訳ですが、2018 年の『Æthra』、そして 2023 年の『The Orb』では更にステップアップしたような、フレッシュなアルバムを作り上げることができましたね。これらのアルバムで何か新しいことに挑戦しましたか？

A：ありがとう！　そう言ってもらえて嬉しいよ。実際のところ、毎回何か新しいものを作ろうという感じではなくて、Mat は同じことを繰り返すのが嫌いだから、リズムやコード進行、ムードなど、常に新しいアイデアを出そうとしているんだ。何年も同じメンバーでツアーを繰り返していると、自分のバンドにとって、何が効果的なのか直感的にわかってくるから、音楽のある側面をより深く追求できるようになるんだ。それがファンに伝わってると嬉しいね。

Q：最後にお聞きしたいのですが、フランスはアバンギャルド、プログレッシブ、テクニカル・デスメタルというジャンルにとって素晴らしい国だと思います。この本ではテクニカル・デスメタルに焦点を当てていますが、プログレッシヴだったりアヴァンギャルドだったり、類似するサウンドを鳴らすバンドでオススメのバンドはいますか？

A：私は Pitbulls In The Nursery というバンドの大ファンだよ。このバンドは残念ながら活動を休止してしまっているが、『Equanimity』というアルバムは本当に素晴らしいから聴いてみて。あと、Exocrine はブルータル・デスメタル・シーンでも人気が高まってきているよね。古いバンドだと、Carcariass というバンドがいて、それも本当に最高だよ。彼らはオールドスクール・デスメタル寄りではあるんだけど、絶妙に「テック」なヴァイブスがある。若いバンドでは、Azelma がデビュー・アルバムをリリースするからチェックしてみて欲しいな。あと Fractal Universe や Catalyst も忘れずに！　2013 年に日本をツアーしてから君たちの国が恋しいよ。またツアーで訪れることが出来るのを楽しみにしているよ！

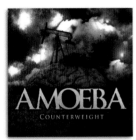

Amoeba
●フランス

Counterweight
Ⓐ Independent ◎ 2014

2010年フランス北東部に位置するストラスブールで結成。本作は、2011年にデビューEP『Day in Black』のリリースを経て発表された、最初で最後のアルバム。ボーカルLucas Hahl、ギター / ボーカルMarius Philippi、ベース / ボーカルSimon Reiss、ドラマーLouis Schmidtの4人でレコーディングが行われ、Fleshgod Apocalypseなどを手掛けたStefano Morabitoがプロデュースを担当している。安定感のあるブラストビートに絡みつくチェーンソーリフがAmoebaの魅力で、まるで生き物のように楽曲のテンションの起伏を生み出している。

Catalyst
●フランス

The Great Purpose of the Lords
Ⓐ Great Dane Records ◎ 2019

2016年北東部に位置する都市メッスで結成。本作はギター / ボーカルのJules Kicka、ギタリストのFlorian Iochem、ベーシストJefferson Brand、ドラマーPaul Loupの4人体制で制作されたデビュー・アルバム。クラシカルな旋律とブルータルなリフを交互に繰り広げる攻撃的な展開を得意とし、グルーヴメタルのキャッチーなシンガロング・パートもあったりと、テクニカル・デスメタルでありながらフロアと一体になれるようなライブ・アンセム感がある。圧倒的超絶技巧が炸裂する訳ではないものの、彼らの技術の高さを感じるフレーズが随所に組み込まれている。

Catalyst
●フランス

A Different Painting for a New World
Ⓐ Non Serviam Records ◎ 2022

本作から新たに同郷のデスメタル・バンドExorbitedのドラマーStéphane Petitが加入。オーガニックなガットギターの音色がオーケストレーションに溶け込む雰囲気溢れるイントロで幕を開ける本作は、前作から僅か3年の間にCatalystが大きな進化を遂げたことが誰でも感じられる力作である。オールドスクールなスピリットは決して忘れていないが、モダンなメロディック・デスメタルにも通ずる神秘性、そしてグルーヴメタルのエッセンスをテクニカル・デスメタルとして完璧な形で表現。収録されている楽曲それぞれに分厚い展開の妙があり、Catalystにしか作り出せない世界を完成させた快作。

Cryptic Process
●フランス

Human Snack
Ⓐ Drowning in Chaos Records ◎ 2023

2020年ヴァランシエンヌで結成。GorypticやHeresyなどに在籍した経歴を持つギター / ドラム・プログラミングを担当するUgoと、ボーカリストDamによる新たなプロジェクトとして立ち上げられ、テクニカル・ブルータル・デスメタルにグラインドコアのエナジーを注入したスタイルを探究。本作は彼らのデビュー作となる。耳をつんざくフィードバック・ノイズで幕を開けた瞬間、銀河に突入していくかのようなスピーディなドラミングを軸にグラインディング・リフが竜巻を巻き上げながら繰り広げられていく。ブレイクダウンも交えつつ、テクニックなしでは完成させることの出来ない独自性溢れるサウンドを本作で完成させた。

Dungortheb
●フランス

Intended to...
Ⓐ Perennial Quest ◎ 2003

1996年フランス北東部のタオン＝レ＝ボージュで結成。バンド名は『ロード・オブ・ザ・リング』から。ボーカル / ベースGrégory Valentin、ギターのJean-Yves Mottéとリド Jean-Marc Werly、ドラムスHervé Jolyの4人体制でレコーディングが行われ、ヒロイックなリード・パート＆ギターソロが豊富だ。メロディック・デスメタルに接近しながら、Grégoryの邪悪なスクリームが残忍さを醸し出している。やや一本調子なのは否めないが、派手さのない整ったサウンド・プロダクションは良い意味で彼らのサウンドにフィットしている。

Dungortheb
Waiting For Silence
○フランス
🄰 Great Dane Records ⊙ 2008

5 年振りのリリースとなったセカンド・アルバム。新たに同郷のレーベル Great Dane Records と契約して制作された本作は、ギタリストが Jean-Marc から Arkhasis を脱退したばかりだった Jérémy Durin にスウィッチ、そして新たにベーシスト Samuel Baudoin が加入し、5 人体制でレコーディングが行われた。前作『Intended to...』同様、溢れんばかりに詰め込まれたギターのリードパートが Dungortheb サウンドを支配、インストゥルメンタルの楽曲を挟みながらじりじりとボルテージを高めながら展開する、燻し銀の作品に仕上がっている。

Dungortheb
Extracting Souls
○フランス
🄰 Great Dane Records ⊙ 2014

6 年のブランクを経てリリースされた 3 枚目フルレングス。Clément Decrock によってプロデュースされ、これまで以上に洗練されたサウンド・プロダクションで制作されている。物語の始まりを予感させるイントロを経てスタートする「Inside」は、スタイリッシュでプログレッシヴな雰囲気に溢れており、繊細なフレーズを丁寧にプレイしていく。「When I Believe I Live」や「Heaven Can Hate」など、ベテランの域に達した彼らの老練の技術を味わえる一枚だ。不気味な世界観を持つアートワークは、デビュー作から E-Ghost/UC'TCM が担当している。

Dysmorphic
A Notion of Causality
○フランス
🄰 Unique Leader Records ⊙ 2013

2009 年トゥールで結成。前身バンド Necroticism が改名する形で活動がスタートし、ギタリスト Eric Haure-Touzet、ベーシスト Johann Sadok を中心に、ボーカル Baptiste、ギター / ボーカル Julio、当時 Kronos でも活動していたドラマー Quentin Regnault という面々で本作を制作。奇奇怪怪とした展開美を誇り、Nocturnus を彷彿とさせる複雑なメロディ、時折スラッシーに鋭く刻み込まれるリフがファストに躍動。「Penitentiary of Letdown」や「Cerebral Hemispheres」はテクニカル・デスメタルの美しさの極み。

Dysmorphic
An Illusive Progress
○フランス
🄰 Unique Leader Records ⊙ 2018

5 年振りのリリースとなったセカンド・アルバム。新たにギタリスト François Le Lyon、ドラマー Danny Lee が加入。First Fragment や Beyond Creation を彷彿とさせるうねるベースラインを取り入れ、スウェディッシュ・デスメタルの雰囲気を組み込んだメロディアスなテクニカル・デスメタルをプレイ。「The Diving Mask」のプログレッシヴな趣、「In the Minds of the Sculptor」のシュレッダーリフの応酬、クラシカルなドラマ性溢れるテクニカル・サウンドを流麗に聴かせるセンスを感じる。

Exocrine
Ascension
○フランス
🄰 Great Dane Records ⊙ 2017

2013 年ボルドーで結成。Empyreal Vault で活動していたベース / ボーカル Jordy Besse とギタリスト Sylvain Octor-Perez を中心に、ドラマー Antoine Fourré とギタリスト Nicolas La Rosa を加えた 4 人体制で活動をスタート。2015 年のデビュー・アルバム『Unreal Existence』を経てリリースされた本作は、巧みにテンポダウンフレーズを差し込みながら、吐き捨てるような Jordy のボーカルが良いアクセントとして楽曲にメリハリをもたらす。3 つのチャプターに分かれたコンセプトも良く、映画のようなスケールを持つアルバムに仕上がっている。

Exocrine
○フランス

Molten Giant
🅐 Unique Leader Records 🅒 2018

Unique Leader Records との契約を経て発表された 3 枚目フルレングス。本作から
ドラマーに Fleshdoll や Neperiah で活動していた Michaël が加入。Herr Krauss
がミックス / マスタリングを手掛けた本作は、前作からの流れに加え、多彩なエ
フェクトを駆使したプログレッシヴなギターワークに磨きをかけており、Arkaik や
Serocs にも似た世界観を醸し出している。ドラマティックさが際立つ「Hayato」や、
ミュージックビデオにもなったリードトラック「Backdraft」など、Exocrine らし
さをくっきりとサウンド・デザインに落とし込むことに成功している。

Exocrine
○フランス

Maelstorm
🅐 Unique Leader Records 🅒 2019

1 年振りのリリースとなった 4 枚目フルレングス。再度ドラマーが変わり、Master
Cow や Deep in Hate のライブドラマーとしても活躍した Théo が加入。Benighted
のボーカル Julien をゲストに迎えた「The Kraken」を始め、ユニークなリフワーク、
細部までこだわり抜いた絶妙なシンバルワーク、そしてサックスを交えたオーケス
トレーションは、幾度も転調するストーリー仕立てのプログレッシヴ・サウンドを
ストーリー仕立てにして聴かせてくれる。同郷の Gorod と奇抜さでブレイクした
Archspire をミックスしたようなハイブリッド・サウンドがうねる快作。

Exocrine
○フランス

The Hybrid Suns
🅐 Unique Leader Records 🅒 2022

3 年振りのリリースとなった 5 枚目フルレングス。プロデュースはギタリストの
Sylvain が担当、前作までに築き上げた「Exocrine サウンド」を一つ上のレベルへ
と押し上げる内容で、トータル 34 分とスッキリとした収録時間も上手く作用して
いる。ミュージックビデオにもなっている「Dying Light」では、Matrass の女性
ボーカル Clémentine Browne をフィーチャーし、ブラッケンド・デスコアにも接近。
知的な神秘性を持ちつつ、バウンシーでフックの利いたリフやドラミングがファス
トに繰り広げられていく。満ち溢れた彼らの自信が音から伝わってくる。

Kronos
○フランス

Titan's Awakening
🅐 Second Side 🅒 2001

1994 年ロレーヌで結成。本作はボーカル Christophe Gérardin、ギタリストの
Jérôme Grammaire と Nicolas、ベーシスト Thomas、ドラマー Michaël Saccoman
の 5 人体制で制作された。結成当初からギリシャ神話をテーマに楽曲制作を行い、
オールドスクールなサウンド・プロダクションを基調にドラマティックな世界観を
演出。リバーブの利いたドラム・サウンドが印象的で自由自在にテンポを操りなが
ら楽曲を牽引、ハーモニー豊かなギターのリードもまたセンスを感じる。アートワー
クは Jaromír Bezruč によるもの。

Kronos
○フランス

Colossal Titan Strife
🅐 Xtreem Music 🅒 2003

前作に続きギリシャ神話の巨神族 Titan をテーマに制作されたセカンド・アルバム。
本作からギタリストが Richard にスウィッチ。バンドの中心メンバーであるギタリ
スト Jérôme とドラマー Michaël のコンビネーションが素晴らしく、メロディック・
デスメタルの影響を強く感じるリズムセクションが強化され、キャッチーな仕上が
りとなっている。新加入 Richard のギターワークも素晴らしく、狂気に満ちたデス
メタリックなソロパートが随所に盛り込まれ、洗練された Kronos の世界観の重要
部分を担う役割を果たしている。印象的なアートワークは Michael Briot によるもの。

Kronos

The Hellenic Terror

🅐 Xtreem Music 🅒 2007

4 年振りのリリースとなった 3 枚目フルレングス。これまで驚異的な迫力を見せて
きたドラミングはやや落ち着き、整合感を重視。本作はスタンダードなテクニカル・
デスメタル・スタイルによって浮き彫りになったモダンな才能が開花したように感
じる。ボーカル Christophe は初期のブラックメタルな歌唱スタイルから、力強い
ローガテラルを操るパワースタイルもそつなくこなす。「The Road of Salvation...」
や「Ouranian Cyclops」など新たな Krosis らしさ感じる楽曲が目白押し。2009 年
にはデモやデビュー作をコンパイルした『Prelude to Awakening』を発表。

Kronos

○フランス

Arisen New Era

🅐 Unique Leader Records 🅒 2015

Michaël、Christophe が脱退、オリジナルメンバーが Jérôme だけとなった彼らの
8 年振り 4 枚目フルレングス。本作から Ataraxis、Diluvian、Antropofago などで活
躍したボーカル Trivette が加入、4 人体制で制作された。Kronos 最大の魅力であ
る Jérôme と Richard コンビの美しいギターワークは健在で、荘厳なメロディを巧
みに奏でている。タイトなドラムワークも迫力満点で、怒涛のリフワークに食らい
付くパワフルさに溢れている。ブルータルでありながら美しく、どこか『Colossal
Titan Strife』を彷彿とさせる雰囲気がある。

Obsidium

○フランス

Lesson of Hatred

🅐 Independent 🅒 2017

2014 年フランス東部に位置するエピナルで結成。ボーカリスト Yan Pierrat、ギタ
リストの Vincent Combeau と Vivain、ベーシスト Robin Arkhen、ドラマー Max
Fomb の 5 人体制で活動をスタート。メロディック・デスメタル譲りのエモーショ
ナルな旋律で埋め尽くされた、ファストなテクニカル・デスメタルをプレイ。繊細
な力加減で高貴な雰囲気を醸し出すドラミングも地味ながら Obsidium の魅力と言
えるだろう。本作以降目立った活動はしていないようだが、2019 年までにギタリ
スト Julian、ベーシスト Pauline が加入している。

Pitbulls in the Nursery

○フランス

Equanimity

🅐 Independent 🅒 2015

1997 年パリ近郊の都市ランブイエで結成。ギタリスト Saim、ベーシスト
François、ドラマー Jerry を中心に活動がスタートし、2005 年にはデビュー・ア
ルバム『Lunatic』を発表。それから 2010 年の時を経て発表された本作は、ボーカ
ル Oliver、7th Nemesis のギタリスト Mathieu が加わり制作された。9 分近い大曲
「Crawling」から始まるこの作品は、ひねくれたアイデアがカオティックに繰り広
げられ、そのサウンドは Car Bomb にも近い。ただ、そうしたサウンドがデスメタ
ルのフィルターを通じて鳴らされ、エンディングまで聴くものを唖然とさせる。

Red Dawn

○フランス

Algorithm of Destruction

🅐 Finisterian Dead End 🅒 2016

2013 年レンヌで結成。ボーカリスト Guillaume、ギタリストの Florian と
Christophe、ベーシスト Valentin、ブラックメタル・バンド Ende や The Veil など
様々なジャンルで活躍するドラマー Thomas Njodr で本作をレコーディングした。
Gorod や Aborted を彷彿とさせるような火花飛び散るダイナミックなリフワーク、
もたつきながらも静かに熱を帯びていくドラミング、ブラックメタルに接近するよ
うな悲哀に満ちたメロディをブラストビートにのせつつ、金属的な感覚でアプロー
チを続ける。緊張と緩和を織りなす技巧派サウンドは圧巻。

Solar Eruption
The Demon's House
○フランス
🅐 Independent ○ 2023

2018 年リールで結成。The Betrayer's Judgement のボーカリストだった Hunter Blxck、ギタリストの Jo Drgt と Flo Hoareau、ベーシスト Alex Mzy、Years of Tyrants のドラマー Jason Wydau といったデスコア・シーンの面々によって活動をスタートし、本作を作り上げた。ベースとなっているのはデスコアであるが、Beneath the Massacre を彷彿とさせる超人的なドラミング、音速で刻み込まれるリフ、ブルータル・デスメタルにも接近しつつ、叩きつけるようなビートダウンを搭載した新時代のテクニカル・デスコアを完成させた。

Sun Eater
Vermin
○フランス
🅐 Miasma Records ○ 2022

2019 年、フランス北部のランスにて Ataraxis や Shredding Sanity で活躍する Clément Dellis によって始動したソロプロジェクト。EP『Light Devoured』『Desecrate』を経てリリースされた本作は Sun Eater のデビュー・アルバム。Analepsy の Marco によって運営されている Miasma Records と契約した発表され、プログラミングとは思えない精巧な作りで大きな話題となった。ソリッドなドラミングを活用して疾走するリフワークを軸に、いくつも声色を変えて重なり合うグロウルが鮮やかに繰り広げられていく。

Wrath of the Nebula
The Ruthless Leviathan
○フランス
🅐 M & O Music ○ 2022

2018 年カンヌで結成。ボーカル / ベースの Hokuto no Dov とギタリストの Vital Geff がオリジナル・メンバーで、本作から Forsaken World のギタリスト Florian、10 を超えるプロジェクトを掛け持ちするキーボーディスト Déhà、Kronos のライブ・ドラマーを務めた経歴を持つ Quentin が参加している。様々なタイプのメタルバンドでそれぞれに活躍する技巧派が勢揃いして鳴らされるテクニカル・デスメタルは、複雑に絡み合うキーボードが作り出すスピリチュアルな世界観に、閃光のように駆け抜けていく超高速リフが重なっていく。

Bloodshot Dawn
Reanimation
○イギリス
🅐 Hostile Media ○ 2018

2003 年ポーツマスで結成。初期はメロディック・デスメタルをプレイし、2012 年にデビュー作『Bloodshot Dawn』、2014 年に『Demons』と次第にスラッシュメタルの要素を色濃く反映させながら、テクニカルなフレーズを増加させてきた。彼らの音楽は多様なジャンルの影響がある故、ピュアなテクニカル・デスメタルからは少し距離があるかもしれないが、メロディアスなスラッシュメタルの中に宿る高等技術、繰り返される展開の中できらりと光るプログレッシヴなアレンジは、トップを走るテクニカル・デスメタル勢に引けを取らないレベルである。

Imperium
Titanomachy
○イギリス
🅐 Ultimate Massacre Productions ○ 2016

2010 年ブリストルで結成。本作はオリジナルメンバーでギタリストの Mike Alexander と、Prostitute Disfigurement や Inebrious Incarnate での活躍で知られるボーカリスト Doug Anderson のユニット体制で制作されており、2012 年のデビュー作『Sacramentum』から大胆なラインナップチェンジを経て完成させられた。「Beast from Beneath」など、プロデューサー Chuck Creese によってプログラミングされた巧みに伸縮するグルーヴに、ぴったりと張り付くようにして繰り広げられるメロディアスなギターフレーズが印象的だ。

Trigger the Bloodshed
📍イギリス

Degenerate
🅐 Eising Records 🅒 2010

2006 年からブリストルを拠点に活動をスタート。本作まではテクニカルなデスコアを慣らしていたが、ここからぐっとテクニカル・デスメタルへとスタイルチェンジを遂げている。ボーカリスト Jonny、ギタリストの Rob と Martyn、ベーシスト Dave、ドラマー Dan の 5 人体制で制作された。鋭い緊張感、バウンシーなパートを適宜盛り込みながら、黒煙をあげながら叩き込まれるパワフルなドラミングが突進していくパワフルさが痛快。暴力的なモッシュピットを巻き起こすようでありながら、その鮮やかな演奏技術も見逃せないハイブリッドな魅力を持つアルバムだ。

Unfathomable Ruination
📍イギリス

Misshapen Congenital Entropy
🅐 Severed Records 🅒 2012

2010 年ロンドンで結成。ルーマニア出身のボーカル Daniel Neagoe、エクアドル出身のギタリスト Daniel Herrera、イタリア出身のベーシスト Federico Benini、オーストラリア出身のドラマー Doug Anderson の多国籍メンバーでアルバムの制作が行われた。不気味なサンプリングを随所に施し、アンダーグラウンドなブルータル・デスメタルの趣を下地としながらも、要所に繊細なフレーズ、特に Doug のドラム・パターンの複雑さには圧倒される。楽曲「Carved Inherent Delusion」はアルバムにおいて素地となるパワフルな仕上がり。

Unfathomable Ruination
📍イギリス

Finitude
🅐 Severed Records 🅒 2016

4 年振りのリリースとなった本作からボーカルが Ben Wright にスウィッチ、そして新たにギタリスト Ross Piazza が加入し、5 人体制となっている。特筆すべきはやはり Doug のドラミングだ。グラヴィティブラストに接近するかのようなスピードに、煙を巻き上げながら炸裂するデスメタリックなギターソロが乗ればもはや制御不能。「Pestilential Affinity」や「Nihilistic Theorem」が本作における彼らの代表曲で、重量級のブレイクダウン・パートも聴きどころ。確かなテクニックによって放たれるカオスなサウンドに終始耳を奪われ続けるだろう。

Unfathomable Ruination
📍イギリス

Enraged & Unbound
🅐 Willowtip Records 🅒 2019

Inebrious Incarnate などで活躍するベーシスト Jake Law が加入。Jake は Fleshrot で Ben、Daniel Herrera と共に活動していた経歴があり、Unfathomable Ruination サウンドにも違和感なくマッチ。Willowtip Records へ移籍したこともあり、プログレッシヴな香りをまとったブルータル・テクニカル・デスメタルへと進化。ドラマ性を感じさせながら鮮やかに展開し続ける。ミュージックビデオにもなっている「Protoplasmic Imprisonment」は新しい Unfathomable Ruination を見事に表現したキートラック。

Unfathomable Ruination
📍イギリス

Decennium Ruinae
🅐 Willowtip Records 🅒 2021

前作では良い意味で無機質なテクニカル・マシーンっぷりを見せつけ、特にブルータル・デスメタル・シーンで高く評価された。そこから短いスパンで発表された本作は、限りなくブルータル・デスメタルと言える残虐なフレーズが次々と繰り出されるが、テクニカルな美的感覚が見事であり、アヴァンギャルド、プログレッシヴとは明らかに違う「テクニカル・ブルータル・デスメタル」のピュアなパッションが感じられる。誰にも止められない暴走列車の如く叩きまくるドラミング、アクセルとブレーキを自由自在に操るリフ、これほどまでに見事な転調を繰り返すデスメタル・バンドはなかなか見つけられない。

異母兄弟テクニカル・スラッシュメタル

Revocation

サブジャンルとしての由来

　テクニカル・スラッシュメタルとは、その名の通り、従来のスラッシュメタルよりもテクニカルで複雑なサウンドを持つスラッシュメタルで、テクニカル・デスメタルとの違いは、それがデスメタルではなく、スラッシュメタルを母体としていると言うことだろう。Death や Atheist といったテクニカル・デスメタルの元祖と言えるバンドは、スラッシュメタルとデスメタルをテクニカルに融合させ、独自性を開拓していく中で誕生した。1980 年代中期になると、Metallica や Megadeth がメタルを代表するバンドとして世界での人気を確立すると、ブームとなったスラッシュメタルもエクストリームな側面にフォーカスしたようなサウンドを持つバンドが誕生し、ジャンルを拡張していく流れを見せるようになっていった。それらは Death らはもちろん、プログレッシヴ・デスメタルからも影響を受けており、プログレッシヴ・スラッシュメタルというサブジャンルも立ち上がるようになっていった。

Annihilator の登場

　1984 年にカナダを拠点に結成された Annihilator はテクニカル・スラッシュメタルの好例である。1989 年のデビュー・アルバム『Alice in Hell』は、従来のスラッシュメタル、例えば Metallica の『Master of Puppets』や『…and Justice for All』の鳴らすサウンドをよりテクニカルにアップデートさせたサウンドで注目を集めた。そこには刺激的でカオスな雰囲気が漂っているのもポイントであった。リフの複雑さ、楽曲構成の複雑さ、テンポチェンジや拍、キーの大胆な変化と爆発しそうな熱気は、それまでのスラッシュメタルと違うテクニカル・スラッシュメタルと呼ばれた音楽の特徴と言えるだろう。それはそのまま、デスメタルとテクニカル・デスメタルとの違いにも当てはまるように感じる。

1990 年代初頭に黄金期が到来

　1980 年代中期には、テクニカル・スラッシュメタルの元祖と呼ばれるアメリカ・テキサス州の Watchtower やスイスの Coroner がマニアックな人気を博し、カナダの Voivod の存在もテクニカル・スラッシュメタルに大きな影響を与えた。1980 年代後期から 1990 年代初頭にテクニカル・スラッシュメタルは黄金期を迎え、2000 年代に入ると、Vektor、Droid、Vexovoid などといったクラシックなスラッシュメタルをさらにテクニカルに押し進めたバンドが登場した。さらに、テクニカル・デスメタルとの境界線上にあるメロディック・デスメタルとテクニカル・スラッシュメタルのクロスオーバーを鳴らす Arsis や Revocation、メロディック・ブラックメタルの影響も色濃い Skeletonwitch といったバンドが頭角を現すようになった。これらのバンドはスラッシュメタル・シーンだけでなく、デスメタル・シーンでも高い人気を持ち、両ジャンルの架け橋となる存在として支持を集めている。

　音色の滑らかさは聴くものを圧倒する。

Spawn of Possession

🕐 1997 年　🌐 スウェーデン・カルマル県カルマル市　👤 Dennis Röndum, Jonas Bryssling
🎤 Visceral Bleeding, Retromorphosis
🎸 Necrophagist, Deeds of Flesh, Visceral Bleeding, Severed Savior, Archspire
◉ ピッキングハーモニクスが炸裂するスピーディなリフと、それを追い越すようなショットガン・ボーカル
🔊 死、神聖でないこと

　1997 年 2 月、ギタリストの Jonas Bryssling と Jonas Karlsson、そしてドラム / ボーカルの Dennis Röndum の 3 名を中心に結成。そこから本格的に動き出すまでに 3 年を有するが、1999 年に Dennis が結成した Visceral Bleeding でベーシストとして在籍していた Niklas Dewerud が加入し、4 人体制となったことで楽曲制作を本格的に開始する。

　2 本のデモテープをリリースしたことをきっかけに Unique Leader Records との契約を結び、ボーカリスト Jonas Renvaktar が加入すると、2002 年の 6 月から半年を掛けて、デビュー・アルバム『Cabinet』のレコーディングを行った。このアルバムは、ブルータル・デスメタル・シーンで高く評価されたが、メロディアスなフレーズに加え、プログレッシヴな趣を感じさせるギターソロからは、デスメタル以外からの影響も伺え、バンドのポテンシャルの高さが感じられる仕上がりとなっている。

　リリース後は Disavowed や Vile らと共にヨーロッパツアーを行い、その後 Unique Leader Records に所属していた Severed Savior、Pyaemia、Gorgasm と共に北米ツアーを行った。27 本にも及んだ北米ツアーで、Spawn of Possession の名前は Unique Leader Records ファンを中心に世界中のデスメタル・ファンに浸透していった。その後もヨーロッパで Cannibal Corpse らと共演。精力的なライブ活動を展開する彼らはその後も大規模なフェスティバルに出演していった。

　2004 年には Cannibal Corpse のヨーロッパツアーに帯同をするなど、その人気は加熱。2006 年に

『Noctambulant』を発表。その後、2009 年までバンドはそれまでのような精力的な活動は行わなかった。2007 年には Niklas が脱退、翌年には Jonas Karlsson、その翌年には Jonas Renvaktar が脱退しており、新たにベーシスト Erlend Caspersen、2009 年には Obscura のギタリスト Christian Münzner、ドラマー Richard Schill、Psycroptic のボーカリスト Matthew Chalk が加入し、再び動き出した。しかし、Matthew と Richard は翌年には脱退しており、Dennis がボーカルへとパートチェンジ、新たにドラマー Henrik Schönström が加入して、なんとか動き出すことができた。

2012 年にはアルバム『Incurso』をリリース。およそ 6 年振りのリリースとなったこの作品は Relapse Records から発表され、すでにベテランの域に達していた Spawn of Possession の最終形態サウンドは、後続へ強力な影響を与えた。彼らの特徴とも言えるブルータルなスピードは、メロディアスでソリッドなギターワークを要としながら炸裂している。Archspire の Oliver のような、ラップをするかのようなガテラルを今では「ショットガン・ボーカル」と呼ぶが、Dennis それを先取りしていた。2017 年、『Incurso』リリースから長らく動きがなかったバンドは解散を発表。これ以上、バンドに時間を費やすことが出来ないことが理由として、解散の発表と併せてファンへの感謝を綴った。

大半のメンバーが所属していた Visceral Bleeding も Dennis、Niklas が Spawn of Possession に専念する形で 2002 年、2004 年とそれぞれに脱退をしてからは目立った活動は出来ていない。

Spawn of Possession
スウェーデン
Cabinet
Unique Leader Records ● 2003

1997 年カルマルで結成。2 枚のデモを経て制作された本作は、ボーカル / ドラム Dennis Röndum、ギタリストの Jonas Bryssling と Jonas Karlsson、ベーシスト Niklas Dewerud の 4 人体制でレコーディングされている。Deeds of Flesh を彷彿とさせるテクニカル・デスメタル・スタイルの中で印象的なのは、デスメタリックなギターのハーモニーだ。隙間なく叩き込まれるドラミングに吸い付くようなリフは、ピッキングハーモニクスやデモニックなギターソロを交えながら終始炸裂。精巧なベースラインも彼らのテクニックを裏付けている重要な要素だと言える。

Spawn of Possession
スウェーデン
Noctambulant
Neurotic Records ● 2006

3 年振りのリリースとなったセカンド・アルバム。Neurotic Records へ移籍、ボーカリスト Jonas Renvaktar が加入し、5 人体制で録音されている。Visceral Bleeding のプロダクションも手掛ける Magnus Sedenberg がプロデュースを手掛けた本作は、『Cabinet』に比べグッと洗練されたサウンド・デザインにより各パートの高等技術が浮き彫りとなった。忙しなく配置されたリフはエレガントな響きも見せ、「Lash by Lash」「Dead & Grotesque」など個性溢れるプレイに思わず聴き惚れる楽曲がずらりと並ぶ。ラストの「Scorched」は衝撃的。

Spawn of Possession
スウェーデン
Incurso
Relapse Records ● 2012

6 年振りのリリースとなった彼らのラスト・アルバム。Jonas Bryssling、Dennis 以外のメンバーが脱退し、新たに当時 Obscura のギタリストだった Christian Münzner、Deeds of Flesh に在籍していたベーシスト Erlend Caspersen、ドラマー Henrik Schönström が加入。デスメタリックなメロディが満天の星空の如く降り注ぐサウンドは、究極の超絶技巧とアクロバティックに配置されたフレーズの数々によって形成されている。シンフォニックなオーケストレーションもどこか奇妙で、Spawn of Possession のスタイルにマッチしている。

Aeon
Bleeding the False
◎スウェーデン
🅐 Unique Leader Records 📀 2005

1999 年スウェーデン中部の都市エステルスンドで結成。デスメタル・バンド Defaced Creation に在籍していたギタリスト Zeb Nilsson とボーカル Tommy Dahlström を中心に活動スタート。デモ音源や EP のリリースを経て Unique Leader Records と契約を果たした。本作からギタリスト Daniel Dlimi、ベーシスト Johan、ドラマー Nils が参加。荘厳なイントロで幕を開ける本作は、キリッと澄んだ空気感が漂う楽曲がひしめき合っており、じりりじりりと加熱していくテクニカルフレーズが随所に散りばめられている。

Aeon
Rise to Dominate
◎スウェーデン
🅐 Metal Blade Records 📀 2007

2 年振りのリリースとなったセカンド・アルバム。Metal Blade Records へ移籍し、オーバーグラウンドのメタルシーンへアプローチをする完璧な体制が揃った。本作からベーシストが Max にスウィッチ。迫力たっぷりに咆哮を繰り広げる Tommy の存在感には圧倒されるが、ヘヴィネスとソリッドさを兼ね備えた Zeb のリフも構築的な美しさをまとっている。ブラックメタル譲りのスケール感を上手く組み込む Nil のデスメタリックなシンバルセクションも、Aeon らしさとして上品に響いており、精細なオーケストレーションと上手くフィットしている。

Aeon
Path of Fire
◎スウェーデン
🅐 Metal Blade Records 📀 2010

3 年振りのリリースとなったサード・アルバム。前作『Rise to Dominate』で少しだけ顔を覗かせたオーケストレーションが冒頭のトラックからふんだんに盛り込まれているのが印象的。ブラックメタルをルーツに持つメンバー達だからこそのアイデアを使い、スウェディッシュ・メタルを伝統に則って発展させようというストイックな心意気が感じられる。疾走感溢れるブラストビートがドリヴンに叩き込まれ、前作以上の安定感を発揮している。Tommy のボーカルは味わい深く進化し、めまぐるしく展開する中にも細やかなフレーズが複雑に絡み合う。自分たちらしさは残し、創造性を見せた力作。

Aeon
Aeons Black
◎スウェーデン
🅐 Metal Blade Records 📀 2012

コンスタントにアルバムリリースを続ける彼らの 4 枚目フルレングス。『Aeon's Black』と名付けられたタイトルからは、揺るぎない本作への自信が伝わってくる。本作では Defaced Creation で長年メンバーと親交のあった Arttu がドラムを担当、そして長年 Aeon のレコーディングエンジニアを務めた Marcus がベースを担当している。前作で際立ったオーケストレーションは影を潜め、よりバンドの核となっている Aeon らしさをシンプルに表現することにフォーカスした仕上がりとなっている。各パート陣のスキル、ソングライティングの良さをじっくりと感じ取れる至高のアルバム。

Aeon
God Ends Here
◎スウェーデン
🅐 Metal Blade Records 📀 2021

9 年振りとなる 5 枚目フルレングス。『Aeons Black』以降に脱退した Daniel Dlimi がバンドに復帰したことで息を吹き返し、Dark Funeral や Bloodshot Dawn で活躍したドラマー Janne が加入。漆黒のオーケストレーションをまとったデスメタル・サウンドをベースに、プログレッシヴなエレメントを要所要所に配置。ベテランらしい小技がひかる仕上がりにもなっている。Behemoth などにも匹敵する悪魔的な狂気に満ちており、思わずその世界観に引き込まれていく。微細なアレンジの引き出しの多さは 2020 年以上のキャリアが為せる技。

Anata
The Infernal Depths of Hatred
○スウェーデン
🅐 Season of Mist ◎ 1998

1993 年ハッランドのバールベリにて結成。ギター / ボーカル Fredrik Schälin を中心に、ベーシスト Martin、ドラマー Robert、ギタリスト Mattias の 4 人体制で活動をスタート。本作までに Martin と Mattias は Bleed for Me 結成の為に脱退するが、ギター / ボーカル Andreas、ベーシスト Henrik が加入し、Season of Mist と契約を果たした。ユニゾンしながら疾走するメロディアスなリフを軸に、ドラマティックなテクニカル・メロディック・デスメタルをプレイ。「Under Azure Skies」では途中にバラード・パートも。

Anata
Dreams of Death and Dismay
○スウェーデン
🅐 Season of Mist ◎ 2001

3 年振りのリリースとなったセカンド・アルバム。本作は、Fredrik と Christian Silver によるプロデュースで制作が行われた。前作同様、メロディアスなスラッシー・リフが終始忙しなく展開され、複雑なドラミングとグルーヴを織り成していく。時折組み込まれるクラシカルなフレーズからは Anata の持つ世界観の神秘性を感じられるはずだ。アルバムのリードトラックと言える「Metamorphosis by the Well of Truth」は、スウェディッシュ・デスメタルの美的感覚もあり、思わずヘッドバンギングしたくなる。Fredrik のボーカルも獣的な野蛮さがあり、迫力満点。

Anata
Under a Stone with No Inscription
○スウェーデン
🅦 Wicked World Records ◎ 2004

アメリカの Wicked World Records へと移籍し、リリースされたサード・アルバム。本作から新たに Eternal Lies で活躍したドラマー Conny Pettersson 加入。緻密に計算されたテクニカルなグルーヴは、生々しさで言えば前作には劣るものの、かっちりとした整合感があり、各パートの才能溢れるソングライティングのセンスを感じることが出来る。「A Problem Yet to Be Solved」に代表されるようなバランス感覚は、後期 Anata の武器であり、古典的な美しさがしっかりと表現されている。メロディック・デスメタル顔負けのリードギターが特に優れている。

Anata
The Conductor's Departure
○スウェーデン
🅦 Wicked World Records ◎ 2006

2 年振りのリリースとなった 4 枚目フルレングス。ここまで Anata の制作に関わる Christian が本作においてもプロダクションを手掛けている。特段前作からの大きな変化はないものの、メロディック・デスメタルの影響を色濃く感じるメロディアスなパートが、プログレッシヴなハーモニーを醸し出すようになっている。オープニングの「Downward Spiral into Madness」はブルータルでありながら、繊細なブレイク・パートも組み込まれた Anata らしい一曲と言える。インストも挟みつつ、2010 年代以降のテクニカル・デスメタルのスタンダードとも言えるスタイルでエンディングまで突き進む。

Carnosus
Visions of Infinihility
○スウェーデン
🅐 Independent ◎ 2023

2011 年エーレブルーで結成。ボーカル Jonatan Karasiak、ギタリストの Marcus Jokela Nyström と Rickard Persson、ベーシスト Marcus Strindlund、ドラマー Jacob Hedner で、デビュー作『Dogma of the Deceased』から 3 年を経て本作を完成させた。メロディックなリフを追随するかのようなガテラルは、時に人間離れしたデモニックなシャウトも交え、存在感抜群。初期はデスラッシュをやっていたことも感じられる、最新型 Carnosus の名刺代わりとも言える快作。First Fragment の影響もやや感じられる。

Soreption
Deterioration of Minds
○スウェーデン
🅐 Ninetone Records 📀 2010

2005 年スンツバルで結成。ボーカリスト Fredrik Söderberg、ギタリスト Anton Svedin、ベーシスト Rikard Persson、ドラマー Tony Westermark の 4 人体制で活動をスタート。EP のリリースを経て、プロデューサーに Tommy Rehn を迎えて本作のレコーディングを行った。Spawn of Possession 登場後に現れた次世代バンドであった彼らは、キャッチーなブレイクを挟み、先人達のスタイルを上手く昇華させている。「The Hypocrite, Undying」では Fredrik の驚異的なグロウルとセンスの良さが感じられるだろう。

Soreption
Engineering the Void
○スウェーデン
🅐 Unique Leader Records 📀 2014

4 年振りのリリースとなったセカンド・アルバム。Unique Leader Records と契約した本作は、オープニングの「Reveal the Unseen」から Soreption らしさを爆発させている。チャギング・リフを精密に刻み込み、ダイナミックに叩き込まれるドラミングと太々としたベースラインがダンサブルなグルーヴを生み出していく。タイトルトラック「Engineering the Void」には、The Black Dahlia Murder の Trevor がフィーチャーされている。端正なプロダクションによって何倍にも増すグルーヴに酔いしれることが出来るアルバムだ。

Soreption
Monument of the End
○スウェーデン
🅐 Sumerian Records 📀 2018

メタルコア、デスコアのトップ・レーベルである Sumerian Records へと移籍。本作からギタリストに Mikael Almgren、Festering Remains のベーシスト Kim Lantto が加入し、In Flames などを手掛けた Daniel Bergstrand がミックスを担当した。ミドルテンポ主体の楽曲が中心になっており、彼らの幻惑的な技巧を一つひとつしっかりと感じることが出来る。Cryptopsy の Matt や Cattle Decapitation の Travis といった豪華ゲストが参加し、テクニカル・デスメタルの新たな魅力を打ち出すことに成功した傑作。

Soreption
Jord
○スウェーデン
🅐 Unique Leader Records 📀 2022

4 年のスパンでコンスタントにアルバムリリースを続ける彼らの 4 枚目フルレングスは、再び Unique Leader Records と契約して発表された。Mikael が脱退し、ギタリスト不在の 3 ピースとなっているが、Ian Waye を中心に多彩なゲストが参加し、メロディックな Soreption サウンドに華を添えている。Archspire を彷彿とさせるショットガン・ボーカルは、リードトラック「The Artificial North」を筆頭にアルバムの中でも肝と言える存在感を放っている。心地良いグルーヴは確かなテクニックによって生み出され、後続のバンドにも大きな影響を与えている。

Visceral Bleeding
Remnants of Deprivation
○スウェーデン
🅐 Retribute Records 📀 2002

1999 年マルメで結成。本作はボーカル Dennis Röndum、ギタリストの Marcus Nilsson と Peter Persson、ベーシスト Calle Löfgren、ドラマー Niklas Dewerud の 5 人で制作されている。当時 Dennis はドラマーとして、そして Niklas はベーシストとして Spawn of Possession にも在籍していた。両バンドを比べるとそのサウンドは酷似しているが、こちらはストップ & ゴーを繰り返すスラッシュメタルの影響が感じられる。捲したてるように展開するガテラルヴォイス、火の粉をあげながら炸裂するギターソロとリフは中毒性抜群。

Visceral Bleeding
●スウェーデン

Transcend into Ferocity　🅐 Neurotic Records / Willowtip Records　🅓 2004

2年振りのリリースとなったセカンド・アルバム。オリジナルメンバーの Niklas が脱退、新たに Marcus と交流のあった Deathboot の Tobias が加入し、レコーディングが行われた。前作で見せたファストでグルーヴィなテクニカル・ブルータル・デスメタル・サウンドを基調に、破壊力抜群のギターソロ、まくしたてるように展開されるガテラルヴォイスをカオスに炸裂させる。オープニングの「Merely Parts Remain」からアクセル全開で、ストップ＆ゴーを巧みに操り、ゴリゴリのベースサウンドと雪崩のように繰り広げられるメランコリックなリフが終始畳み掛けてくる。

Visceral Bleeding
●スウェーデン

Absorbing the Disarray　🅐 Neurotic Records / Willowtip Records　🅓 2007

3年振りのリリースとなる3枚目フルレングス。 前作発表後に、Dennis が脱退、オリジナルメンバーはギターの Peter のみとなった（本作リリース後 Peter も脱退）。新メンバーに Splattered Mermaids で活躍していたボーカリスト Martin、ベーシスト Body、ギタリスト Germ が加入。本作は、ウルトラファストなブラストビートに、Martin のグロウルが粘っこく絡みあっていく。それは Dennis の早口なボーカル・スタイルを継承するようであり、グルーヴを加速させていく大きな要素となっている。ピッキングハーモニクスを多用するチェーンソーリフも聴きどころ。

Corpus Mortale
●デンマーク

Fleshcraft　🅐 Deepsend Records　🅓 2013

1993年コペンハーゲンで結成。本作は結成から2020年を迎えリリースされた4枚目フルレングスで、Heidra、Machine Chaos で活躍する Charlos を中心に、元 Iniquity の Martin と Brian が参加し、トリオ編成で録音された。Cannibal Corpse といったクラシックなデスメタルを下地としながら、淡々と無慈悲にリフを刻み込んでいく冷酷さが不気味。これらのリフは Corpus Mortale サウンドの要で、オープニングからエンディングまで集中力を切らすことなく興味深い仕事をする。本作リリース後は音沙汰がなく、Charlos は脱退してしまっている。

Eciton
●デンマーク

The Autocatalytic Process　🅐 WormHoleDeath　🅓 2022

2004年、前身バンド Indespair が改名する形でコペンハーゲンを拠点にスタート。本作はボーカリスト Jesper von Holck を中心にギタリストの Kristian と Thomas、ベーシスト Gustav、そして Iniquity で活躍したドラマー Jesper Frost の5人体制でレコーディングが行われた通算4枚目のアルバム。クラシックなデスメタルに精妙に添えられたテクニカル・デスメタルの要素は自由で無駄がなく、それでいて豊かで洗練されている。テクニカル・デスメタルの芸術作品とでも言うべきアルバム。謎めいたアートワークにもどこか惹かれる。

Celestial Scourge
●ノルウェー

Dimensions Unfurled　🅐 Time to Kill Records　🅓 2023

2022年から始動。本作は同郷のデスメタル中堅 Blood Red Throne のドラマー Kristoffer とベーシスト Stian、Filthdigger のボーカル Eirik、ゲスト・ギタリストとして Wormhole や Equipoise で活躍する Sanjay Kumar が参加し、レコーディングされた彼らのデビュー作。きめ細やかなドラミングと次第に存在感を増すベースライン、バランス良く配置されたスラム・パートが上質なソングライティングの良さを浮き彫りにしてくれる。「Moon Dweller」で顔を覗かせるスラッシュメタルからの影響も、見逃せない彼らの魅力だろう。

Hideous Deformity
〇ノルウェー
Defoulment of Human Purity
🅐 Severed Records 🅒 2010

2006 年フレドリクスタで結成。ギタリスト Robin Larsen とボーカリスト Jørgen Nilssen のユニットで、2008 年に発表したプロモ音源をきっかけにブルータル・デスメタルの名門 Severed Records と契約を果たした。Severed Savior や初期 Cryptopsy に Krisiun や Ancestral Malediction のようなブラジルのデスメタルの特色をミックスさせたような、クラクラするほどの熱量を見せるプレイが印象的。レコーディングに参加した凄腕ドラマー Darren Cesca の超絶技巧も相まって構築的な美しさも見せてくれる。

Adramelech
〇フィンランド
Psychostasia
🅐 Repulse Records 🅒 1996

1991 年南西スオミで結成。古代セム語の神アドラメレクの名を冠した彼らのデビュー作は、ドラム / ボーカル Jarkko Rantanen、ギタリストの Jani Aho と Seppo Taatila、ベーシスト Mikko Aarnio の 4 人体制でレコーディングされた。メランコリックなメロディに支配された陰鬱なサウンド・デザインを持ち、悪魔のささやきのようなボーカルがその不気味さをよりいっそう引き立たせる。やや荒っぽさはあるが、複雑怪奇なリフが淡々と刻み込まれていきながら、ドカドカとドラムが疾走。2005 年の無期限活動休止までに 3 枚のアルバムをリリースした。

Deepred
〇フィンランド
Prophetic Luster
🅐 Blunt Force Records 🅒 2001

1999 年ヘルシンキで結成。Cadaveric Incubator で活躍していたボーカル Antti、ベーシスト Ilkka を中心に活動をスタート。数枚のデモ音源を発表した後、Dying Fetus の作品をリリースしていたメリーランドのレーベル Blunt Force Records と契約した。テンションを切らすことなく、雪崩の如くブラストし続ける迫力の仕上がりで、カオティックなフレージングとヘヴィなリフが高速ビートにのせて展開され続ける。一度もテンポダウンすることのない無慈悲なブルータル・デスメタルの嵐の中に、きらりと光るテクニカルなフレーズを発見することが出来る。

Demilich
〇フィンランド
Nespithe
🅐 Necropolis Records 🅒 1993

1990 年クオピオにて結成。活動期間は非常に短く、本作は 1993 年に解散する間に彼らが残した唯一のアルバムとなる。本作はギター / ボーカル Antti Boman、ギタリスト Aki Hytönen、ベーシスト Ville、ドラマー Mikko の 4 人体制で制作された。テンポは決して速くないものの、テクニカルでアヴァンギャルドなフレーズが終始飛び交い続ける。「Erecshyrinol」では Mikko の叩き込む複雑なドラミングが炸裂しており印象的だ。バンドはリリース後に解散。1993 年の時点でこの作品を作り上げた Demilich、止まることがなければ世界のデスメタルのトップを走るバンドになっていたに違いない。

Revisal
〇フィンランド
Curtain Call
🅐 Independent 🅒 2024

2020 年コトカで結成。正式メンバーはボーカリスト Salim、ギター / ボーカル Riku、ベーシスト Eetu の 3 名。彼らのデビュー・アルバムは、シンフォニック・テクニカル・デスコアとでも形容したくなる新しいスタイルを武器としている。大波のように押し寄せてくるリフのフックとフレットレス・ベースのメロディアスな旋律が、荘厳なシンフォニーを展開していく。「Thorn's Kiss」のようなベースラインにフォーカスしたミドルテンポのパートが光る楽曲が合間に差し込まれていたり、まるで映画のように展開していく楽曲がたっぷりと詰まった充実作。

Beneath
Enslaved By Fear
●アイスランド
🅐 Unique Leader Records ⏺ 2012

2007年レイキャビクで結成。Diabolus、Changerのメンバーを母体とし、ドラマー Ragnar、ベーシスト Gísli Rúnar Guðmundsson、Ophidian I のギタリスト Unnar と Jóhann、ボーカリスト Gisli Sigmundsson の5人体制で活動をスタート。本作は、ミッドテンポ主体のブルータル・デスメタルを軸に、淡々と刻まれるドラマティックなリフワーク、そしてブラックメタルにも通じる圧倒的なスケール感を持ち合わせており、そのサウンドはまるで Immolation と Spawn of Possession をクロスオーバーさせたかのよう。

Ophidian I
Solvet Saeclum
●アイスランド
🅐 SFC Records ⏺ 2012

2010年レイキャビクにて結成。ボーカリスト Ingólfur Ólafsson、ギタリストの H Símon Þórólfsson と Unnar Sigurðsson、ベーシスト Þórður Hermannsson、ドラマー Tumi Snær Gíslason の5人体制で活動をスタートさせた。デモ音源を経て、ロシアの SFC Records と契約。同郷のバンド Beneath の Jóhann がミックス / マスタリングを手掛けた本作は、Ophidian I 最大の特徴とも言えるツインリードと蠢くベースラインが交差していく内容となっており、デビュー・アルバムながら貫禄漂う。

Ophidian I
Desolate
●アイスランド
🅐 Season of Mist ⏺ 2021

前作から本作までの9年間にギタリストに Daníel Máni Konráðsson、アメリカ出身のボーカリスト John Olgeirsson、元 Beneath のドラマー Ragnar Sverrisson が加入し、新体制でレコーディングが行われた。Daniel がプロデュースを務め、Cryptopsy の Christian Donaldson がミックス / マスタリングを行った本作は、DragonForce を彷彿とさせるスピードメタルとテクニカル・デスメタルを融合させた精密かつ豪然とした新感覚サウンドで、リスナーの心を鷲掴みにした。テクニカル・デスメタルの入門作品としてもオススメしたい作品だ。

テクニカル・パワーメタルの未知なる可能性

DragonForce

　アイスランドから彗星の如く登場した Ophidian I のような、パワーメタルとテクニカル・デスメタルを融合したサウンドを鳴らすバンドはほとんどいないが、例えば DragonForce のように、スピードを追求したパワーメタル（スピードメタル）も、言ってしまえば「テクニカル・パワーメタル」なのではないだろうか……。フィンランドのメロディック・デスメタル・バンド Mors Principium Est をはじめ、メロディアスなメタル・シーンにも、きらりと光るテクニックを持つバンドも多く、テクニカル・デスメタル・シーンだけが「テクニカル・メタル」という訳ではない、今後テクニカル・デスメタルが発展していく中で、更なるマイクロ・ジャンル、例えばテクニカル・パワーメタルやテクニカル・メロディック・デスメタルといったものが確立する可能性はゼロではないだろう。

白塗り・タキシードで中世ヨーロッパ・スペクタクル！

Fleshgod Apocalypse

🕐 2007 年　　⊕ イタリア・ラツィオ州ローマ　　👤 Paolo Rossi, Francesco Paoli
👥 Hour of Penance, Bloodbath
🎵 Behemoth, Septicflesh, Hour of Penance
◎ シンフォニックな世界観を織り成す豪勢なテクニカル・サウンド
💬 人間、内なる闘い、社会、哲学、反宗教

　Hour of Penance で活動していた Francesco Paoli を中心に活動をスタートし、デモ音源、スプリット作品への参加、ツアーなどで Behemoth、Origin、Hate Eternal などと共演しながら、バンドは個性を確立していった。

　2009 年『Oracles』をリリース。この作品では Francesco がギター / ボーカルを務め、ギタリスト Cristiano、ベース / ボーカル Paolo Rossi というトリオがラインナップされており、シンフォニックなテクニカル・デスメタルを強烈に打ち出し、シーンの注目をさらった。また、2010 年の EP『Mafia』はテクニカル・デスメタルにおけるメロディの可能性を広く知らしめるきっかけの一つとなった。

　Francesco は Fleshgod Apocalypse と並行して Hour of Penance でもボーカリストとして活動していたが、ドラマー兼ソングライターとして Fleshgod Apocalypse に専念することを決断。『Agony』からピアノ / オーケストレーションを専任する Francesco Ferrini、ボーカル / ギターの Tommaso Riccardi が加入。メイクを施し、世界観たっぷりに作り込まれた本作で大ブレイクを果たした。

　2013 年に『Labyrinth』、2016 年に『King』とリリースを重ねると、『King』はビルボードチャート 27 位にランクインするなど成功を収めるようになった。2017 年には Francesco Paoli がボーカル / ギターへとパートチェンジ、2019 年の『Veleno』では彼らのシンフォニックな魅力は深みを増していき、総合的なメタルにおいても重要なバンドとして世界的な人気を確立。

Fleshgod Apocalypse
Oracles
イタリア
🅐 Candlelight Records 🄯 2009

2007 年ローマ、ペルージャを拠点に結成。本作は、同時期に Hour of Penance で
も活躍したギター / ボーカルの Francesco Paoli、ギターとオーケストレーション
を兼任する Cristiano Trionfera、ベース / ボーカル Paolo Rossi の 3 名を中心にゲス
ト・ドラマーとして Hour of Penance や Benighted に在籍した経歴を持つ Mauro
Mercurio を迎え、制作された。この頃はまだデスメタルの中にシンフォニック、
クラシックな要素をエッセンスとして一滴垂らしたような仕上がりで実験的なフ
レーズも多く、自分たちの向かう先を模索する姿勢が感じられる。

Fleshgod Apocalypse
Agony
イタリア
🅐 Nuclear Blast 🄯 2011

2010 年にリリースした EP『Mafia』がヒット、Nuclear Blast へ移籍してリリース
された本作から、Tommaso Riccardi、ピアニスト Francesco Ferrini が加入。2 人
は Christiano と共にオーケストレーションを兼任した。また Paoli がドラムも担当
し、Stefano Morabito がプロデュースを手掛けた。本格的なオーケストレーション
とブルータルかつテクニカルなデスメタルの親和性を追求。相容れない両者のサウ
ンドの魅力は損なわれることなく、究極に融合されている。白塗り＋タキシードと
いうヴィジュアルも相まって、その人気に火が付くきっかけになった作品。

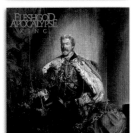

Fleshgod Apocalypse
Labyrinth
イタリア
🅐 Nuclear Blast 🄯 2013

前作と同様の制作陣に加え、ソプラノ・シンガー Veronica、クラシック・ギター
奏者 Marco Sensi、パーカッショニスト Riccardo Perugini、チェロ奏者 Luca
Moretti をゲストに迎え、装飾性を徹底的に追求した。そのスタイルは『Agony』
から大きく変化はないが、エンディングを飾るタイトル曲が全編ピアノとオーケス
トラで構成されていたり、アルバム全体における静と動のコントラストという点に
おいて新しい試みがなされている。ミュージックビデオになっている「Pathfinder」
や「Epilogue」ほか、人気曲がたっぷり収録されたスペクタクル大作。

Fleshgod Apocalypse
King
イタリア
🅐 Nuclear Blast 🄯 2016

3 年振りのリリースとなった 4 枚目フルレングス。プロダクションにおける『Agony』
『Labyrinth』との大きな違いは、ミックス / マスタリングを Jens Bogren が担当し
たことだろう。Opeth や Amon Amarth をはじめとする多くのアーティストを手掛
けた手腕によって、触れ心地を徹底的に追求した格別なテクスチャーの良さを手に
入れた彼らは、より深く作品のコンセプトを表現することに成功している。目の覚
めるようなテクニカル・フレーズやブルータルさは露骨には表現されていないもの
の、しっかりと Fleshgod Apocalypse サウンドの屋台骨として機能している。

Fleshgod Apocalypse
Veleno
イタリア
🅐 Nuclear Blast 🄯 2019

これまでバンドを支えてきた Cristiano と Tommaso が脱退。Paoli、Rossi、Ferrini
のトリオに加え、ゲストミュージシャンが多数参加。Jacob Hansen によってミッ
クス / マスタリングが施されている。イタリア語で「毒」を意味するタイトルを冠
した本作は、彼らがテクニカル・ブルータル・デスメタル・バンドであることを再
び示す。スピード感溢れるシングル「No」や「Sugar」がアルバムのキラーチュー
ンとして最も鮮烈にその魅力を発揮している。オーケストレーションを組み込んだ
メタル・サウンドの中で、これほど完璧なバランス感覚を持つ作品はほとんど無い
と言える。

Hideous Divinity

🕐 2007 年　🌐 イタリア・ローマ　👤 Enrico Schettino
👥 Hour of Penance、Fleshgod Apocalypse、Xenofaction
🎧 Kronos、Bloodbath、Fleshgod Apocalypse
◉ ブラックメタルのスピードと、スケールの大きさを兼ね備えた高貴なテクニカル・デスメタル・サウンド
💬 哲学

　2007 年、当時ノルウェーに在住していた Enrico Schettino によって立ち上げられ、同年のうちにギタリスト Fabio Bartoletti、ボーカリスト Carlos Mastantuono、ベーシスト Flavio Marun Cardozo、ドラマー Maurizio Montagna が加入し、バンド体制でスタート。Hideous Divinity はその圧倒的なスピードとテクニックでデモ音源からシーンの間で話題となり、2012 年にデビュー・アルバム『Obeisance Rising』を Unique Leader Records からリリースした。このアルバムから現在までバンドの顔としてボーカルを務める Enrico Di Lorenzo が加入。彼は聴覚学と音声医学の専門医としても知られており、その知性と哲学的に捉えた歌詞世界は、現在まで通ずるバンドの魅力の一つとなっている。

　2012 年にセカンド・アルバム『Cobra Verde』を発表。格段に認知度が高まり、Cannibal Corpse などとツアーを経験。メンバーチェンジはあったものの、ブルータルで美しいテクニカル・デスメタルを成熟させていった。2017 年の『Adveniens』では前作から加入したドラマー Giulio Galati とベーシスト Stefano Franceschini の才能が花開き、2019 年には名門メタル・レーベル Century Media Records と契約を果たした。アルバム『Simulacrum』では、スケールアップしたサウンドによって立ち上がった独創的な神秘性で、テクニカル・ブルータル・デスメタルの可能性を大きく拡大。2024 年には再び Century Media Records からアルバム『Unextinct』を発表。テクニカル・デスメタルという枠を超え、世界中のメタル・リスナーを魅了。

Hideous Divinity
●イタリア
Obeisance Rising
🔺 Unique Leader Records　🔘 2012

2007 年ローマで結成。本作までにボーカル Enrico Di Lorenzo、ギタリストは Hour of Penance で活躍した Enrico Schettino と Fabio Bartoletti、ベーシスト Flavio Marun Cardozo、ドラマー Maurizio Montagna というラインナップになっている。Stefano Morabito をエンジニアに迎え制作された本作は、イタリア出身のミュージシャンらしい芸術性を香らせながら上品に整えられたテクニカル・デスメタルをプレイしている。時折ドゥーミーさを滲ませながら、荒涼としたダイナミックなサウンドを聴かせてくれる。

Hideous Divinity
●イタリア
Cobra Verde
🔺 Unique Leader Records　🔘 2014

短いスパンでリリースされたものの大幅なメンバーチェンジが行われており、ギタリスト Antonio Poletti、ベーシスト Stefano Franceschini、ドラマー Giulio Galati が加入している。基本的には前作の延長線上にあるサウンド・プロダクションであるが、アートワークや歌詞、ミュージックビデオのディレクションといった部分から彼らが目指す世界観が前作よりも明確になったように感じられる。すっきりと淀みのないギターのリードパートは一級品で、特に「Sinister and Demented」ではドラミングのパワフルさも加味され、凄みが感じられる。

Hideous Divinity
●イタリア
Adveniens
🔺 Unique Leader Records　🔘 2017

3 年振りとなる 3 枚目フルレングス。Antonio に代わり Giovanni Tomassucci が加入した。驚異的なスピードで叩き込まれるドラミングは常に正確であり、Hideous Divinity の芸術性を保つ為に必要不可欠な要素だと言える。彼らの残忍さはスピードによって維持されており、ドラマティックに転調しながらデスメタリックなリードギターを差し込んでくる。「Feeding off the Blind」はテクニカル・デスメタルのクラシック・コンサートとでも形容出来る仕上がりとなっており、何度聴いても新鮮な発見がある名曲だ。

Hideous Divinity
●イタリア
Simulacrum
🔺 Century Media Records　🔘 2019

Century Media Records との契約を果たした彼らの 4 枚目フルレングス。前作で加入した Giovanni に代わり Riccardo Benedini が加入、バンド創設からプロダクションを担当する Stefano が本作もレコーディングに参加。ブルータル・スタイルを押し出しながらも、Fleshgod Apocalypse を彷彿とさせる美的特性を持ち合わせており、その神秘性は Nile などにも通ずるものがある。「The Deaden Room」や「Bent Until Fracture」といった楽曲は、彼らの現在地を知る上で持ち味をしっかりと感じられる楽曲だ。

Hideous Divinity
●イタリア
Unextinct
🔺 Century Media Records　🔘 2024

およそ 5 年振りのリリースとなる 5 枚目フルレングス。2023 年に新たにドラマー Edoardo Di Santo が加入しているが、本作では同郷のプログレッシヴ・デスメタル・バンド Bedsore の Davide Itri がセッション・ドラマーとしてレコーディングに参加。Stefano がレコーディングからミックス、マスタリングまでを手掛けている。高い芸術性を誇り、映画のようにドラマティックな展開を見せる楽曲がひしめき合う本作の中でもリードトラック「The Numinous One」は、ブラッケンドな疾走感とテクニカルな技巧の数々が繰り出される至高の一曲と言えるだろう。

Hideous Divinity インタビュー

Q：インタビューの機会を頂きありがとうございます。まず初めに、簡単で構いませんので自己紹介をお願い出来ますか？

A：こちらこそありがとう！　私は Enrico と言います。Hideous Divinity のコンポーザーで、ギターを担当していて歌詞も書いているよ。

Q：Hideous Divinity というバンド名には何か由来がありますか？

A：2007 年、私はノルウェーに住んでいて、Hideous Divinity というバンドを立ち上げる時はまだ一人だったんだ。邪悪な神々に満ちたデスメタルを連想させる為に「Hideous Divinities ＝ 醜悪な神々」というフレーズを思い付いて、最終的に Hideous Divinity になったんだ。

Q：結成から 5 年という月日を経て、デビュー・アルバム『Obeisance Rising』を Unique Leader Records からリリースしました。レーベルとの最初の出会いはどのようなものでしたか？

A：今の Unique Leader Records と違って、当時のレーベルは「ザ・デスメタル・レーベル」だったんだ。2000 年代の初頭、Erik（Deeds of Flesh）がオーナーだった頃の Unique Leader Records からリリースされたデスメタルの名盤の量は、信じられないものだったことは君も知っているはず。そんな彼らから Hideous Divinity に興味を持っていると連絡をもらった時は本当に興奮したよ。『Obeisance Rising』では、すべてのアクセルを踏み込むことに集中した。スピード、テクニカルなリフ、超圧縮したプロダクション……。競争の激しいシーンだったし、自分たちの存在を知らしめる為に全力を尽くしたよ。一瞬の休息もない、とても「ノイジー」なアルバムに仕上がったと思っている。正直、オリジナリティや個性に

欠けていたと感じる事はあるけど、ブルータルさとテクニカルさに振り切った。今になってはもっとこうすればよかったって感じる事はあるけど、それでもこの作品に納得しているよ。

Q：2014 年にリリースされたアルバム『Cobra Verde』は優れた芸術性が感じられ、現在に至るまで続く Hideous Divinity のオリジナリティが感じられる作品に聴こえます。アルバムをリリースされた時、評判はいかがでしたか？　MV 撮影のことも覚えていたら教えてください。

A：『Cobra Verde』は、よりパーソナルなサウンドへの一歩だった。今日に至るまで、Hideous Divinity がこれまでに作り上げてきたサウンドの中で最もラウドなプロダクションだと言えるね。当時は、「他よりもラウドであること」が最も重要なことだったんだ！　ミュージックビデオは、Gaerea というポルトガルのブラックメタル・バンドでギターを弾いている Guilherme Henriques が撮影してくれたもので、彼は素晴らしい仕事をしてくれた。その後、彼はバンドでも大成功を収めて、本当にビックリしているよ。いろんな人の協力があって、『Cobra Verde』は世界中で非常に良い評価を得て、多くのフェスティバルやツアーにも出演できたんだ。その中でも Cannibal Corpse や Krisiun とのヨーロッパ・ツアーは、間違いなく人生の中でも最高のツアーライフだったと言えるよ。

Q：2017 年のアルバム『Adveniens』は、私にとって、そして多くのファンにとっても Hideous Divinity のベスト・アルバムです。素晴らしいスピードとスケール感のあるメロディーには圧倒されます。このアルバムはどのようにレコーディングされましたか？　レコーディング・セッションやリリースツアー

での思い出深い出来事があれば教えて下さい。

A：『Adveniens』は、私にとっても重要な作品だし、Hideous Divinity にとって真のブレイクスルー・アルバムだったと感じるよ。作曲には長い時間がかかったけど、初期のデモ・バージョンから、メンバー全員が最高の曲だと感じていたよ。レコーディング・セッションも順調に進んで、すべてのアイデアがベストな方法で上手くフィットしたって感じたんだ。面白いことに、俺らは『Cobra Verde』で作り上げたサウンドを超えることが出来ないって内心思っていたんだ。でも、『Cobra Verde』と『Adveniens』の最初のミックス・テストで作品を聴き比べたとき、私たちは「うわ、「Cobra Verde」はなんてクレイジーな作品なんだ、どうやったらこんなもの作れるんだ」って思わず笑ってしまったんだ。納得のいく作品を作り上げて、Cattle Decapitation と Broken Hope と回った２度目のヨーロッパ・ツアーはもちろん最高だったよ。

Q：2019 年には Century Media Records と契約し、アルバム『Simulacrum』をリリースしましたね。Century Media Records との契約はバンドに良い影響を与えましたか？ また、アルバムでチャレンジした新しいことなどはありましたか？

A：確かにポジティブな影響もあったけど、プレッシャーも感じていたんだ。大きなチャンスだと感じていたから、これを逃したらどうしようってね。『Simulacrum』ではいくつか挑戦したこともあるんだけど、全体的には『Adveniens』でやったことを次のレベルに持っていったといったイメージかな。「The Embalmer」や「Anamorphia Atto Terzo」のような曲は進化が感じられる楽曲だと思う。ファンの人たちが同じように感じると言ってくれたり、実際にこの進化を実感してくれたりする事は、アーティ

トとして何より嬉しいことだよ。

Q：2024 年に 5 枚目のアルバム『Unextinct』をリリースしましたね。公開されたミュージックビデオ「The Numinous One」の再生回数も多く、コメントもとても好意的なものばかりです。このアルバムのレコーディングはどうでしたか？

A：ヨーロッパのテクニカル系のデスメタル・バンドにはお馴染みと言える 16th Cellar Studios で今回も Stefano Morabito と仕事をすることが出来た。このスタジオ、そして Stefano との空間は、まるで我が家のように感じられるものなんだ。でも今回はちょっと違ったんだ……。Stefano は私達を超えていってしまったと感じたんだ。このアルバムでの私たちのギター・チューンはかなり狂っている。すべてが圧縮されているのに、とてもダイナミックで有機的なんだ。それが両立されているなんて、信じられるかい？ Stefano の素晴らしいところは、彼が Hideous Divinity に関するすべてに親和性を持ってくれているということなんだ。彼は 5 人目のメンバーで、結成当初からずっとそばにいてくれている。恵まれているよ。

Q：16th Cellar Studios、特に Stefano の存在はヨーロッパのテクニカル・デスメタル・シーンにおいてとても多いことは多くのバンドが語っていることでもありますよね。彼の存在はもちろん大きいですが、Hideous Divinity にしか鳴らせない、サウンドのトレードマークは何だと思いますか？

A：難しい質問だけど、私たちにとって歌ほど大切なものはないと思っているんだ。テクニカル・デスメタルは楽器の演奏にフォーカスされがちだが、私たちは「servants of the song（歌の奉仕者）」だと思う。歌というものを含め、どのパートの個性も、共通の目標を達成するために、他の個性と共鳴する。歌を含め共鳴させることが重要だと思っているよ。

雪崩のように襲いかかる重量級ブラストビートの圧倒的迫力！

Hour of Penance

🕐 1999 年　🌐 イタリア・ローマ　👤 Giulio Moschini、Paolo Pieri
🎸 Fleshgod Apocalypse、Hideous Divinity
🎵 Nile、Behemoth、Aeon、Spawn of Possession
💿 重量感のあるブラストビートとリフのスピード、デス / ブラックメタルな香りを放つメロディ
💬 反宗教、道徳、社会問題

　1999 年イタリア・ローマで結成。オリジナル・メンバーはベース / ボーカルの Mike Viti、ギタリスト Francesco De Honestis と Hideous Divinity でお馴染みの Enrico Schettino、ドラマー Mauro Mercurio の 5 人で、Mauro が脱退した 2010 年に全てのオリジナル・メンバーが脱退しているという珍しいバンドだ。2003 年、デビュー・アルバム『Disturbance』を Xtreem Music からリリース。現在までバンドを牽引するギタリスト Giulio Moschini は 2004 年に加入し、翌年発表した『Pageantry for Martyrs』で Enrico と素晴らしいコンビネーションを見せた。

　Enrico は Hideous Divinity に注力する為にバンドを離れたが、本作から Fleshgod Apocalypse に在籍していたボーカリスト Francesco Paoli が加入。2008 年の『The Vile Conception』は Unique Leader Records へ移籍しリリースされた。2010 年には『Paradogma』、2012 年には『Sedition』と短いスパンでリリースを続け、Giulio と共にバンドの中心人物となるギター / ボーカル Paolo Pieri、2013 年にはベーシスト Marco Mastrobuono が加入。2014 年の『Regicide』からは歴史や戦争といったテーマを取り入れたスタイルへとシフトチェンジし、サウンドだけでなく、バンドの持つイメージも成熟させていった。2017 年の『Cast the First Stone』から Agonia Records へと移籍しリリースした『Misotheism』まで、一貫した世界観を描き続けている。

Hour of Penance
○イタリア

Disturbance　　　❌ Xtreem Music　◎ 2003

1999年ローマで結成。ドラム / ボーカル Mauro Mercurio、ギタリストの Enrico
Schettino と Francesco De Honestis、ベース / ボーカル Mike Viti の4人体制でスター
トした。デビュー・アルバムとなる本作は、Nile や Suffocation の古典的なスタイ
ルをドゥーミーなアイデアで昇華したもので、Enrico と Francesco のコンビのリ
フはもちろん、Mauro のドラミングは華麗な転調に存在感のある小技と非常に創
作に富み、才気走っている。「N.E.M.A.」や「Spires」といった楽曲は初期の代表
的な楽曲と言えるだろう。

Hour of Penance
○イタリア

Pageantry for Martyrs　　　❌ Xtreem Music　◎ 2005

Mike と Francesco が脱退し、新たに Necrotorture ボーカル Alex とギタリスト
Giulio が加入。ベースは Enrico と Giulio が兼任する形でレコーディングが行われ、
エンジニアリングは Stefano Morabito が担当した。サウンド・プロダクションが
向上し、よりクリアなサウンドへアップデート。特に Enrico、Giulio のギターワー
クは素晴らしく、一聴すると Nile クローンと言えそうなスタイルであるが、ギター
ソロや兼任するベースラインとのハーモニーは非常にユニークと言える。モダンな
デスメタルをリスペクトしつつ、持てる技術でその可能性を拡大した。

Hour of Penance
○イタリア

The Vile Conception　　　❌ Unique Leader Records　◎ 2008

オリジナルメンバーであった Enrico、そして Alex が相次いで脱退。新たにベー
シスト Silvano、そして Fleshgod Apocalypse のドラム / ボーカルとして知られる
Francesco をシンガーに迎え、Mauro、Giulio を中心に制作が行われた。このアル
バムは Hour of Penance の中で最も人気が高く、テクニカル・ブルータル・デスメ
タルの歴史的名盤として後世まで語られる重要作。みっちりと細部に至るまで叩き
込まれる正確なドラミングと、シャープなキレが冴えわたるリフのコンビネーション、
そしてマシンガンのようなガテラルの応酬に驚愕するはずだ。

Hour of Penance
○イタリア

Paradogma　　　❌ Unique Leader Records　◎ 2010

2年という短いスパンでリリースされた4枚目フルレングス。前作の延長線上に
あるスタイルで、より力強いフックとダイナミズムを追求した本作は、荘厳な
オーケストレーションによるイントロで静かに幕を開ける。ライブの定番曲でも
あるタイトル曲「Paradogma」では、聴くもののボルテージを沸々と盛り立てる
グルーヴが幾重にも重なり合い、ため息が漏れるほどの圧倒的な迫力が味わえる。
Francesco、Mauro、Giulio、Silvano それぞれが、個性と高等技術を遺憾無く発揮し、
テクニカル・デスメタルの芸術作品のような高貴な作品を完成させ、シーンを代表
する存在となった。

Hour of Penance
○イタリア

Sedition　　　❌ Prosthetic Records　◎ 2012

バンドにとって大きな転換期となった5枚目フルレングス。唯一のオリジナルメ
ンバーであったドラマー Marco が脱退。更に Francesco が Fleshgod Apocalypse
に専念する為バンドを離脱した。本作から新メンバーに Ancient Skin で活躍する
ドラマー Simone、Shoreborn に在籍していた Paolo Pieri が加入。初期 Hour of
Penance が全面に打ち出していた Nile からの影響がここへきて再び注入された。
オリエンタルな香りを漂わせるヒロイックなリードギターのメロディと、前任者に
肩を並べる Simone のドラミングが雪崩のように聴く者に襲いかかってくる。

Hour of Penance
Regicide
🅐 イタリア
🅐 Prosthetic Records 🅒 2014

精力的に制作活動を行う彼らの 2 年振り 6 枚目フルレングス。再びメンバーチェ
ンジがあり、同時期に Vital Remains にも在籍していたドラマー James、スタジオ
エンジニアである Marco Mastrobuono がベーシストとして加入している。このア
ルバムのリードトラックである「Resurgence of the Empire」では機械のように正
確でありながら、個性的なブラストビートで存在感を遺憾無く発揮するドラミング
が基盤となっている。じんわりとプログレッシヴに、エレガントに発展を遂げてき
たリフ、そしてクリーンパートの導入も彼らが目指すスタイルを上手く表現してい
る。

Hour of Penance
Cast the First Stone
🅐 イタリア
🅐 Prosthetic Records 🅒 2017

高い技術はそのままに、荘厳にスケールアップを遂げてきた彼らの 7 枚目フルレ
ングス。Antropofagus や Beheaded、Putridity といったヨーロッパの名だたるブ
ルータル・デスメタル・バンドでその凄腕を見せてきたドラマー Davide Billia、通
称 Brutal Dave が加入。近作のアートワークから連なる明確なコンセプトは本作で
も健在、大きなスタイルチェンジもなく、Davide のドラミングも鮮やか。さりげ
ないテクニックが織りなすそのサウンドは、メインストリームのメタルシーンにも
通用するフックがたっぷりと組み込まれており、耳馴染みの良さは抜群だ。

Hour of Penance
Misotheism
🅐 イタリア
🅐 Agonia Records 🅒 2019

前作から変わらぬメンバーラインナップで制作された本作は、長いキャリアの中で
培ってきた Hour of Penance の美的感覚をさらにブルータルにそしてテクニカルに
そしてダークに表現している。前作から加入した Davide のドラミングが非常に際
立っており、邪悪に疾走するメタリックなリフと交錯。不気味に鳴り響くギターソ
ロがゾクゾクと背筋を襲ってくる。どこか Behemoth の影響が見え隠れするものの、
一聴して Hour of Penance と分かる作りの良さが全体的な佇まいに表れている。本
作発表後に Davide が脱退、新たに Bloodtruth の Giacomo がドラマーとして加入
している。

Hour of Penance
Devotion
🅐 イタリア
🅐 Agonia Records 🅒 2024

5 年振りのリリースとなる通算 9 枚目のフル・アルバム。本作から新たにドラマー
として Bloodtruth で活躍する Giacomo Torti が加入。ミックス / マスタリングは
Vader や Behemoth を手掛けたポーランドのスタジオ Hertz Studio で行われた。戦
争の無益さへの主張として制作され、顔のない群衆が、民主主義を装って無慈悲
に国民を死へ追いやる様がアートワークになっている。彼らの世界観を見事に表
現。ファストなグルーヴに、厳かなシンフォニックなアトモスフィアが覆い被さる
「Birthright Abolished」は、アルバムの中でも一際存在感を放つリード曲。

Hour of Penance インタビュー

Q：インタビューに答えてくださりありがと
うございます。まず初めに自己紹介をお願い
できますか？
Giulio：連絡をくれてありがとう！　私は

Hour of Penance の Giulio です。バン
ドではギターを担当しています。ツアー中に
運転したりもするし、バンドに関する事はほ
とんど私がやっているよ。

Paolo Pieri

Paolo：こんにちは！　私は Paolo です。バンドではボーカルとギターを担当していて、歌詞を書いたり、アルバムのコンセプトを考えたりもしています。Giulio と一緒に曲のアレンジをしたりもするよ。

Q：バンドが始まった時のことを思い出しながら答えてもらえたら嬉しいです。Hour of Penance はイタリアのローマで結成され、Xtreem Music からアルバム『Disturbance』と『Pageantry for Martyrs』をリリースしましたね。バンドが結成された 1999 年から、2 枚のアルバムをリリースした 2005 年まで、バンドにとってどのような時間でしたか？

Giulio：バンドの初期の事を振り返って日本の皆さんの為にインタビューに答える貴重な機会だし、長くなりそうだけど、ひとつひとつ思い出しながら答えてみようと思うよ。私は 2003 年の 12 月に Hour of Penance に加入したんだけど、当時在籍していたバンドメンバーの何人かは初期の頃から顔見知りだったんだ。1999 年当時、イタリアのデスメタル・シーンはまだ確立されたものがなくて、良いバンドは少なかったし、メタルバンドと言えば、ブラックメタルとパワーメタルがほとんどだった。最初のデモをリリースする頃には Hour of Penance の存在は結構話題になっていたんだ。Cannibal Corpse や Deicide、初期の Nile のアルバムに影響を受けたサウンドは、まだまだ珍しい存在だったからね。インターネットがまだそこまで発達していなかったけど、幸運なことに、オリジナル・ギタリストの Enrico は Xtreem Music の Dave Rotten と個人的に知り合いで、2 枚のアルバムの契約を結ぶことが出来て様々な国からも反応を得ることが出来たよ。

2003 年 9 月、私は当時 Hour of Penance に在籍していた高校時代の友人であるドラマー Mauro に出会い、バンドにギタリストが必要だと言われ、すぐに興味を示してオーディションを経由してバンドに加入したんだ。残念ながら、ファースト・アルバム『Disturbance』は、私が加入したときにはすでに作曲とレコーディングが終わっていて（実際にミキシング中だった）、制作には参加できなかった。私は 17 歳で、他のメンバーは 20 代前半だったかな。私はまだ学生だったから、校長先生に許可をもらって、学校を 2、3 日休んでバンドと一緒に演奏しに行っていたよ。『Disturbance』がリリースされてからちょうど 1 年後、『Pageantry for Martyrs』の為に何曲か制作しはじめたんだ。改めて聴いてみると分かると思うんだけど、すでに Hour of Penance のトレードマークであるサウンドの一部がこの頃には完成させられていたと感じられるはずさ。

Q：Hour of Penance がスタートした時、イタリアにもいくつかデスメタル・バンドがいたと思いますが、シーン全体はどんな感じだったのでしょうか？

Giulio：当時のイタリアはパワーメタルとブラックメタルが大流行していたから、デスメタル・バンドはいたけど、シーンとして盛り上がっているという感じではなかったかもしれない。Natron、Nefas、Corpsefucking Art、Mindsnare、

Giulio Moschini

Sadist といったバンドは当時から人気があった。ちょうど数ヶ月前に一緒にライヴをやったばかりの Gory Blister も忘れちゃいけないバンドだね。初期はだいたいこれらのバンドが活動していて、2005 年くらいから、Blasphemer、Putridity、Devangelic のようなテクニカルでブルータルなスタイルを持つバンドが少しずつ登場してきた感じだね。

Q：2008 年に Unique Leader Records からリリースされた『The Vile Conception』は、私のお気に入りのテクニカル・デスメタル・アルバムであり、多くのリスナーも高く評価しています。前 2 作に比べてヴォーカル、ギター、サウンド・プロダクション、全てが進化していると感じますが、このアルバムのレコーディングの思い出はありますか？　何かこれまでと違うことに取り組んだりしましたか？

Giulio：そういってくれて本当に嬉しいよ。このアルバムには良い思い出がたくさんあるんだ。夏休みの間、ローマにある 16th Cellar Studio で、締め切りもなく、急ぐこともなく、プレッシャーもなく、このアルバムに取り組んだんだ。16th Cellar の Stefano が一生懸命取り組んでくれて、俺らはラウドでありながら透明感を保つような

プロダクションを実現することが出来た。最終的には、今でも多くのバンドが 16th Cellar Studio にコンタクトしてくるようなサウンドを作り上げることができたし、どういうわけか、いくつかのデスコアバンドのサウンドにも影響を与えることになったんだ中には Hour of Penance よりもビッグになったバンドもいるよ笑。というのも、実際にそのようなバンドから、レコーディングについて連絡を受けたことがあるからだ。俺らがどうやってあのサウンドを手に入れたかについては、文字通り何ヶ月もかけて試行錯誤を繰り返したから、詳しくは語れないし、結局、何をどう使ったのかさえ思い出せないんだ。

Q：2010 年にアルバム『Paradogma』、2012 年にアルバム『Sedition』をリリースしましたが、ギター / ボーカルとして Paolo が加入したことは大きな出来事だと思います。Giulio に聞きたいのですが彼とはどのように出会ったのでしょうか？

Giulio：Paolo は当時 Hour of Penance のベーシストだった Silvano 一緒に Malfeitor というバンドで活動していたんだ。私たちは Francesco が Fleshgod Apocalypse に専念する為にとても友好的な別れをした後、グロウルで歌えるシンガーを探していた。Paolo は素晴らしいギタリストでもあるから、シンガーとセカンド・ギタリストを一度に手に入れることができたんだ。最近は、彼が歌詞を全部書いてくれるようになったし、曲作り、特に曲の構成を手伝ってくれるようになった。彼が加入する前は、すべて自分でやっていたから、Hour of Penance にとっても彼の加入をきっかけに大きく進化することが出来たよ。

Q：Paolo にお聞きします。アルバム『Regicide』以降、アルバム・アートワークのスタイルも変わり、サウンド・デザインも急速に進化しましたよね。ギターリフは独創

的で、オーケストレーションも素晴らしいです。『Regicide』と『Cast the First Stone』を作ったとき、目指したスタイルや何か挑戦しようと思っていたことはありましたか？

Paolo： そうだね、『Regicide』から歌詞の内容やテーマが変わり始めた。それまで反聖職者というテーマに沿った歌詞が大半だったけど、私はそれが一種拍子抜けた感じだと思い、歴史、資本主義、戦争、植民地主義、過激主義といった、より成熟した別のテーマを掘り下げたくなったんだ。これらのテーマは、明示的ではなく、メタファーの陰に隠れているから、推測することが楽しめる。そうすることで日常生活にも意味を持つような、より変化に富んだ面白い歌詞を書くことができたと思っているよ。

Q： 2013年に Marco が正式に加入しましたね。現在も Hour of Penance のメンバーであり、Hour of Penance のレコーディング、ミックス、マスタリングも担当しています。彼はエンジニアとして多くのバンドと仕事もしていますが、そんな彼との出会いはどのようなものでしたか？ また、彼がバンドに与えた影響はどんなものがありますか？

Giulio： Marco とは俺らのライブで会ったんじゃないかな？ ローマは大都市だけど、このシーンはそれほど大きくないから、みんな顔見知りみたいな感じなんだ。彼はもう2011年も俺らと一緒にいるね。彼はサウンド・エンジニアで、ここローマでも随一の巨大なスタジオで働いているから、レコーディングの面で多くのバンドに頼りにされている存在だよ。そしてもちろん、とても才能のあるベーシストでもあるんだ。

Q： 2019年に Agonia Records からリリースされたアルバム『Misotheism』からバンドロゴが変わりましたよね。何か理由があるのでしょうか？

Giulio： 以前のロゴは最高に Sick だったんだけど、読めなかったんだ。このロゴが何を表しているのか理解するのに苦労している

Marco Mastrobuono

人がいるから、変えるなら今しかないと当時思ったんだ。

Q： 2022年には新しいドラマー Giacomo が加入し、ニュー・アルバム『Devotion』が間もなくリリースされますね。この本が出版される頃にはすでにアルバムはリリースされています。『Devotion』のレコーディングはどうでしたか？

Paolo： 俺たちも待ちきれないよ！2023年1月にレコーディングを始めて、2024年4月にようやくリリースされるんだ。『Misotheism』と同じアプローチで、ベーシストの Marco とローマでレコーディングし、ミキシングとマスタリングのためにポーランドの Hertz Studios にすべてを送ったんだ。最高の結果を得るために、アレンジや曲の構成に多くの時間を費やし、細部に至るまで注意を払った。Hertz Studios のみんなは今回も素晴らしい仕事をしてくれたし、『Devotion』はこれまでの全ディスコグラフィーの中で最高のサウンドに仕上がっている。気に入ってくれると嬉しいよ。

Algophobia

◎イタリア

Algophobia
⚑ Parqan Music ⊙ 1997

1994 年アスコリ・ピチェノで結成。1992 年に結成された Nemesis というバンドが母体となっており、本作は彼らが残した唯一のアルバムとなっている。ボーカリスト Rusty、ギタリストの Fabio と Luca、ベーシスト Fillipo、ドラマー Giacomo の 5 人体制で制作されたこのアルバムは、当時、同世代で活躍していた Sadist の影響も影に感じさせつつ、プログレッシヴでスラッシーなオールドスクール・スタイルのテクニカル・サウンドを爆発的なエナジーで炸裂させている。サウンド・プロダクションに難はあるものの、それも味わい深く感じられるはずだ。

Blasphemer

◎イタリア

On the Inexistence of God
⚑ Comatose Music ⊙ 2008

1998 年ロンバルディア州で結成。デビュー・アルバムとなる本作は、Septycal Gorge でベースを務めていた Rosa を中心に、後に Beheaded でベースを務めることになる Simone、ブルータル・デスメタル・バンドのカバーアートなどを手がける画家、Marco ら 5 人体制で制作されている。Dying Fetus や Septycal Gorge を彷彿とさせるテクニカル・サウンドをベースに、怒涛のブラストビート、シャープでソリッドなベースラインがグルーヴ感を盛り上げ、チェーンソーリフが炸裂し続け、疾風のように駆けていく。

Bloodtruth

◎イタリア

Martyrium
⚑ Unique Leader Records ⊙ 2018

2009 年ペルージャで結成。本作は彼らのセカンド・アルバムで、Vomit the Soul にも在籍するギタリスト Stefano Rossi Ciucci、Instigate で Stefano と一緒だったベーシスト Riccardo、Hour of Penance での活躍で知られるドラマー Giacomo、ボーカリスト Luis、ギタリスト Stefano Clementini の 5 人体制で制作された。テクニカル・ブルータル・デスメタルにカテゴライズされるそのサウンドは、Suffocation にイタリアのバンドらしい芸術的でクラシカルなメロディをブレンドした、美しくアクロバティックな仕上がり。

Carnality

◎イタリア

Dystopia
⚑ Memorial Records ⊙ 2014

1999 年リミニで結成。本作はデビュー・アルバム『Carnality』から 3 年振りのリリースとなったセカンド・アルバムで、ボーカリスト Luca Scarlatti、ギタリスト Marco Righetti、ベーシスト Shane Graves、ドラマー Manuel Arlotti の 4 人でレコーディングが行われた。音速で刻み込まれていくリフ、ブラストビートと、とにかくスピードにフォーカスしたソングライティングが清々しい。ミュージックビデオにもなっている「God Over Human Ruins」は Carnality らしさがたっぷりと詰まったキラーチューン。

Deceptionist

◎イタリア

Initializing Irreversible Process
⚑ Unique Leader Records ⊙ 2016

2013 年ローマで結成。本作は 2020 年に解散するまでに発表された彼らの唯一のアルバムで、当時 Hideous Divinity で活躍していたギタリスト Antonio Poletti と Fabio Bartoletti、ボーカリスト Andrea、ドラマー Claudio Testini の 4 人で制作されている。耳を疑うような速度で刻み込まれているリフとドラミングのコンビネーションは、さりげないサンプリングが巧妙に作用しながら、インダストリアル・メタルにも接近しつつ優雅に展開。限界まで無駄を削ぎ落としたシャープなグルーヴが、ミニマルでモダンな雰囲気を醸し出す。

Exhumer
📍イタリア

Bloodcurdling Tool of Digestion
🅐 Despire the Sun Records　⊘ 2008

2004 年バリで結成。デビュー・アルバムとなる本作は、ギタリスト Marco
Aromatario を中心に、ベーシスト Vito Laterza、後に Fulci を立ち上げるボーカル
Fiore Stravino、Vital Remains のライブドラマーだった Antonio Donadeo、ベーシ
スト Alyosha の 5 人体制で制作されている。最も印象的なのは支配的な存在感を
放つスポーティなドラミングだ。異次元のスピードで叩き込まれる様はまるで人間
とは思えない。そのスピード故、リフやベースラインは嵐のような轟音となってい
るが、しっかりと小技を差し込んで、テクニカルに楽曲を横断していく。

Gory Blister
📍イタリア

Art Bleeds
🅐 Independent / Sekhmet Records　⊘ 1999

1991 年ミラノで結成。本作はボーカリスト Daniel、ギタリスト Raff、ベーシスト
Bruce、ドラマー Joe の 4 人体制でレコーディングされている。オールドスクー
ル・デスメタルを下地に、アクロバティックなテンポチェンジを武器にスポーティ
に楽曲を展開させていく。リフはスラッシーであるものの、急ブレーキを繰り返
し、まるでドリフトするかのように黒煙をあげながらドラムに絡みついていく。「As
Blood Moves」や「Anticlimax」といった楽曲は綿密な構築美を誇り、Gory Blister
のスタイルの極みとも言えるキラーチューンに仕上がっている。

Gory Blister
📍イタリア

Skymorphosis
🅐 Mascot Records　⊘ 2006

Raff、Joe 以外のメンバーが脱退し、本作から新たなボーカリスト Adry が加入し
Raff がベースを兼任する形でレコーディングが行われた。前作から 7 年、サウンド・
プロダクションがぐっと向上し、奥行きのあるサウンド・デザインによって実験的
なフレーズが強く響くようになっている。「I Shall Hang Myself」などではスポー
ンワードを組み込むなどこれまでにない試みがなされており、尖りに尖ったクセの
強い Gory Blister らしさを強調してくれている。本作以降も精力的な活動を続けて
いる実力派で、2018 年までに 6 枚のアルバムをリリースしている。

Gory Blister
📍イタリア

Reborn from Hatred
🅐 Eclipse Records　⊘ 2023

5 年振りのリリースとなった 7 枚目フルレングス。アメリカ・ニュージャージの老
舗レーベル Eclipse Records と契約してリリースされた本作は、Gianluca と Raff
が自らプロデュース。30 年以上に渡り、枯れることのない創作意欲を納得いくま
で追求した快作に仕上がっている。老練のリフから染み出してくる味わい深さには
手仕事の良さが宿っている。フェスティバルで演奏される様子が浮かんでくるよ
うなフックに満ち溢れた作品で、ミュージックビデオにもなっている「Relentless
Fear」では彼らのスタジオでの仕事の様子も収められている。

Hateful
📍イタリア

Set Forever on Me
🅐 Transcending Obscurity Records　⊘ 2020

1997 年モデナで結成。2010 年に『Coils of a Consumed Paradise』、2013 年に
『Epilogue of Masquerade』と 2 枚のアルバムを発表。7 年振りのリリースとなる
本作は彼らのサード・アルバムで、Voids of Vomit で活躍するベース / ボーカル
Daniele とギタリスト Massimo に加え、Blood of Seklusion のドラマー Marcello が
参加し、レコーディングされている。Death ら初期テクニカル・デスメタルの熱気
をまとい、刺々しいリフが炸裂し続けるそのサウンドからはイタリアン・デスメタ
ルらしい芸術的な香りもほのかに漂う。

Human

○イタリア

Alizarin Refraction
🅐 Independent ○ 2019

2015 年ロビゴで結成。当初は Pain と名乗っていたが、2016 年にリリースされたデビュー作から Human へと改名。本作は彼らのサード・アルバムで、ボーカリスト Michele、ギタリストの Edoardo と Tommaso、ベーシスト Francesco に加え、ゲストの Claudio がドラム・プログラミングを担当している。バンド名の Human は Death の『Human』に由来していることを確信させるリフが隠されていることは、アルバムを聴き進めていくと分かるはずだ。フレットレス・ベースのうねり、急ブレーキ & 急発進を挟みながら、クラシカルな雰囲気を前面に押し出して繰り広げられるアクロバティックなアルバム。

Illogicist

○イタリア

Subjected
🅐 Crash Music ○ 2004

1997 年アオスタで結成。コンポーザーでありギター / ボーカルを務めるバンドのリーダー Luca Minieri を中心に、ギタリスト Diego、ベーシスト Emilio、ゴシックメタル・バンド Even Vast を掛け持ちしていたドラマー Remy Curtaz の 4 人体制でデビュー作となる本作を制作。Death や Atheist からの影響を多大に受けたリフを軸に、スピリチュアルで哲学的な歌詞世界にも力を入れたストイックな作風を得意としている。Malevolent Creation などのリイシューを手掛けつつ、若手発掘に力を入れていた当時の Crash Music の中でも際立った存在感を放っていた。

Illogicist

○イタリア

The Insight Eye
🅐 Willowtip Records ○ 2007

Willowtip Records へと移籍してリリースされた 3 年振りのセカンド・アルバム。新たにドラマーとして Kreator のライブ・ドラマーという経歴を持ち、ゲスト・ドラマーとして世界中のメタル・バンドと仕事をしていた Marco Minnemann を迎え入れ、レコーディングされている。Death らテクニカル・デスメタルのオリジネイターの影響はあるものの、幻惑的なアトモスフィアを生み出す不気味なメロディがバンドの武器として存在感を放ち、「Mental Vortex」や「Unquestionable Presence」といったテクニカルさを追求したキラーチューンで独自性を確立することに成功した。

Illogicist

○イタリア

The Unconsciousness of Living
🅐 Willowtip Records ○ 2011

前作『The Insight Eye』で Illogicist としての独創性を確立、本作からドラマーに Alessandro Tinti が加入し、バンドの芸術的魅力を創造してきた Luca が歌詞を含むソングライティングからプロデュース、エンジニアリング、そしてミックスまでを手掛けた。古典的なテクニカル・デスメタルにおけるスラッシーなリフを鋭く磨き上げ、巧みにテンポを上下させながら、陰鬱なメロディック・パートをわざと目立たせないようにさりげなく差し込んでいく。こうした技巧は、彼らが他のデスメタル・バンドにはないインテリジェントな雰囲気を感じさせる要因になっていると感じる。

Logic of Denial

○イタリア

Necrogenesis
🅐 Thr Spew Records ○ 2010

2006 年レッジョ・ネレミリアで結成。2003 年から活動していた Collapse が 2006 年に改名する形で活動をスタート。本作はギター / ボーカル Alessandro、ボーカル Mattia、ベーシスト Davide、ドラマー Daniele の 4 人体制で制作された。Morbid Angel のデスメタルをテクニカルかつプログレッシヴなアイデアをセンス良く配していくこのアルバムは、トリッキーな装飾こそないものの、十分面白さを持っている。バリエーション豊富なシンバルワークは、Logic of Denial のサウンドにハリを持たせてくれている。

一般人でも衝撃を受ける
YouTube テクニカル・デスメタル演奏動画

　元々デスメタルを聴き好んでいなくても、楽器演奏の経験がなくても、テクニカル・デスメタルのミュージシャン達の演奏動画を見たら、思わず笑ってしまうかもしれない。オリンピックの正式科目に「テクニカル・デスメタル」が採用される日も近いかもしれない。そんな彼らが動く姿を目で見届けよう。バンド名と曲名を検索すればすぐ表示されるので、URL は省略した。

Cryptopsy
Two Pound Torch
超人・Flo Mounier のプレイ・スタイルの特徴、癖が丸わかり。

Origin
All Things Dead
トップ・テクデス・ドラマーの繊細なシンバルワークが感じられる。

Neurogenic
Allotriophagical Obsession
300BPM を叩き出す Marco の正確なブラストビートは圧巻。

Demonstealer
The Fear Campaign
フレットレス・ベースを魅力が詰まった Forest のプレイスルー。

Viraemia
Disseminated Intravascular Coagulation
故 Scott の伝説的 & 衝撃的 10 弦ベースの爆速タッピングに世界が驚いた。

EQUIPOISE
Waking Divinity
ネオクラシカルなメロディがテクニカルに交差。

Archspire
Human Murmuration
鬼テク・ギターコンビ、Dean の Tobi が機材の展示会で観客の度肝を抜く。

Obscura
Solaris
世界屈指のスウィープが炸裂。テクデスの真髄とは何かが分かる。

The Zenith Passage
Synaptic Depravation
Kiesel Guitars とテクデスの相性の良さが感じられる。

Archspire
Fathom Infinite
Archspire 伝家の宝刀ショットガン・ボーカルにフォーカス。

Kevin Frasard
SUPER FAST DOWN PICKING SPEED 290 BPM!!!!!!
ボディビルダー兼ギタリストがダウンピッキングの肉体的限界を追求！

10 Levels Of Technical Death Metal (FEAT. Dean Lamb of Archspire)
テクデス特有の技法に挑戦していくメタル YouTuber の企画動画。

レスリングからデスメタル画家へ
数奇な人生を生きるイタリアの奇才 Paolo Girardi

レスリングに明け暮れた青年時代

Paolo Girardi。イタリアの田舎を拠点に近年では Cryptopsy の『As Gomorrah Burns』や Revocation の『Netherheaven』からクロスオーバー・スラッシュ・バンド Power Trip の『Nightmare Logic』といったグラミー賞ノミネート作品を手掛けるなど、テクニカル・デスメタルをはじめ、ジャンルを問わず評価されている画家だ。彼のアートワークは油絵の微細なタッチのレイヤーの重なりの中に浮かび上がる荒廃した意識、感覚が幻想的に描かれている。底なしのディストピアはテクニカル・デスメタルのような音楽の持つダークさとの相性も抜群だ。Paolo は驚くべきスピードでこれまでに 100 近いアート

ワークを手掛けてきた。彼の湧き上がる創作意欲、インスピレーションはどこから来るのか。複雑な少年時代、父との関係を紐解きながらその謎に迫りたい。

Paolo の青年時代は、フリースタイル・レスリングという古典的なスポーツに強く支配されていた。彼は自発的にレスリングの道に進んだわけでなく、父に強要されたからであった。イタリアのど田舎、山岳地帯出身だった Paolo の父は、いわゆる昔ながらの堅物親父で厳しい愛情で Paolo を育てた。最初は苦痛だらけの肉体的な運動、そして強い精神力を必要とするレスリングに嫌気がさしていた。家に帰っても厳しい父に暴力を振るわれるなど、鬱屈した感情が Paolo の中に渦巻いていった。そしてそれは次第にレスリン

グで父に復讐しようと真剣に打ち込むモチベーションになっていった。練習に取り組むうちに、レスリングの美学的で古典的な美しさにのめり込むようになり、Paoloの人生の全てになっていった。スリムで内向的で内気だった少年を、欠点はあっても一人の男へと変えていった。レスリングに真摯に取り組むことによって、自分の本当の性格、本性、本当の個性、さらには自己犠牲、頑固さ、夢、愛、情熱といった、あらゆる芸術表現に不可欠な資質を養う事が出来た。

　父親が脳腫瘍で亡くなった後も、Paoloはレスリングを続け過酷なトレーニングに減量にいそしみながら、数々の大会にも出場。レスリングのキャリアを通じて、絵を描く事にも夢中になっていった。Paoloはトレーニングの過程で何度も減量に取り組み、これは彼の芸術的創作意欲にも上手く作用した。試合までの数日間、競技者は食事も飲み物も最低限にし、サウナで何時間も着の身着のまま座り続けるなどして、できるだけ多くの水分を強制的に発汗させていく。Paoloは減量が大好きで、最初の2日間は本当の戦いであるが、その後は身体もお腹も空腹と飢餓に慣れると話す。筆者の経験では、食事制限から3日後には疲れはなくなり、知的で鋭く、素早くなる。未来を予測することさえできるようになると語っており、奇妙だがどんな刺激にも素早く反応する完璧な動物に変身することができ、芸術的創造性が研ぎ澄まされるようだ。

デスメタル画家として遅咲き

　Paoloの画家としての後年の成功のきっかけとなったのは、2011年にBlasphemophagherのアルバム『The III Command of the Absolute Chaos』のアートワークだった。彼は直感的に初めてコンピュータを買い、自分自身と自分の作品を世に出すためにソーシャルメディアに自分の作品を公開するようになっていった。こうし

たインターネットでの活動により、彼は多くの依頼を受けるようになっていった。スタジオで絵を描くことが主な日課となり、夜はそこで寝る……。見ず知らずの人に家賃を払うよりも、旅行や外食にお金を使うほうが好きで、時々散歩に出かけたり、友人の農作業を手伝ったりしていたが、次第に生活はアートを中心に回っていった。

　特異な経歴が、彼の作品には不思議と表れている。豊かな芸術的土壌のあるイタリアらしさもあれば、彼の肉体性、そして生命力までもがキャンバスの節々から感じられる。テクニカル・デスメタルの肉体性、幻想的な世界観はPaoloのキャリアにぴたりと当てはまるようでもある。現在はレスリングから離れ、アートに集中しているという彼の芸術的創造性は止まることを知らない。

Logic of Denial
❾イタリア

Atonement
Ⓐ Comatose Music ◉ 2013

3 年振りのリリースとなったセカンド・アルバム。新メンバーには、Human Improvement Process、Unbirth でベースを務めた Marcello が加入。ゲストボーカルには Sickening のボーカル Claudio や、Septycal Gorge のボーカル Mariano が参加している。前作で見せた Morbid Angel をテクニカルにしたようなスタイルはそのまま、アルバム全体の雰囲気を重視しスピード一辺倒ではなく、「Despondency」のようにドゥーミーな暗い闇の世界観を持つ楽曲をバランス良く配している。ブルータルにそのスタイルを深化させ、ステップアップを遂げた作品だ。

Maze of Sothoth
❾イタリア

Extirpated Light
Ⓐ Everlasting Spew Records ◉ 2023

2009 年ベルガモで結成。本作はベース / ボーカルの Cristiano Marchesi、マルタのブルータル・デスメタル・バンド Beheaded に在籍するギタリスト Fabio Marasco と Riccardo Rubini、ドラマー Matteo Moioli の 4 人でレコーディングされた 6 年振りのセカンド・アルバム。ブラックメタルの疾走感、悲壮感をまとい、メランコリックなメロディワークを過激に繰り広げながら疾走。デビュー作で見せたブルータルなスタイルはそのままに、驚くべき技巧で表現の幅を何十倍にも拡大。Nestor Avalos によるアートワークもそのサウンドを上手く表している。

Natron
❾イタリア

Bedtime for Mercy
Ⓐ Holy Records ◉ 2000

1993 年バーリで結成。前年に結成され、母体となった Piper of Hamelin が改名する形で本格始動。本作は彼らのサード・アルバムで、ボーカル Mike、ギタリスト Domenico、ベーシスト Lorenzo、ドラマー Max の 4 人で制作された。地味な存在だが Sadist と並びイタリアン・デスメタル、特段テクニカル・スタイルを持つバンドとしてパイオニア的な存在と言えるだろう。切れ味鋭いシュレッド・リフを細やかに刻み込む「Less than Human」ほかフロリダ・デスメタルの影響から Necrophagist 登場までのテクニカル・デスメタルの歩みを体現するかのようなスタイルで、安定感は抜群だ。

Septycal Gorge
❾イタリア

Scourge of the Formless Breed
Ⓐ Comatose Music ◉ 2014

2004 年トリノで結成。5 年振りのリリースとなるサード・アルバムは、ボーカル Mariano、ギタリストの Marco と Diego、ドラマー Davide で、ゲスト・ベーシストに Antropofagus の Jacopo を迎え、レコーディングが行われた。小さな粒子が宙を乱舞するかのようなメロディックなフレーズをはじめ、グラインドコアにも接近する多彩なリフを武器に、モダンなテクニカル・ブルータル・デスメタルをプレイ。ファストに叩き込まれるブラストビートは終始勢い衰える事なく展開され、ローの利いたガテラルが血生臭いサウンドを描き出す。残念ながら 2015 年に解散。

Unbirth
❾イタリア

Fleshforged Columns of Deceit
Ⓐ New Standard Elite ◉ 2018

2005 年モデナで結成。本作は彼らのセカンド・アルバムで、Human のボーカル Michele、ギタリストの Emanuele と Alberto、ベーシスト Luca、ドラマー Mirko Virdis の 5 人体制でレコーディングされた。ブルータル・デスメタルの中でも特にスピードにフォーカスしたレーベル New Standard Elite 発ということからも察することが出来るように、狂気的なスピードとヘヴィネス、そしてそれを実現するテクニックは圧巻だ。全く緩むことなくまるで Origin と Morbid Angel を掛け合わせたようなサウンドを鳴らす。2020 年に Mirko が交通事故で死去。

Virial
◐イタリア
Organic Universe　　　　　　　　　　🅐 Newport Music　💿 2015

2010 年ヴィピテーノで結成。Virial はギタリスト Christian "Christl" Wieser とギター / ボーカル Thomas Wieser のユニット体制でスタートし、デビュー・アルバムとなる本作はゲストにベーシスト Stefano、ドラマー Giulio が参加し制作されている。メロディック・デスメタルの影響下にあるギターのツインリード、シュレッド・リフを前面に押し出した作風。そのテクニックを誇示するかのような楽曲の数々は、『Organic Universe』というタイトルをそのまま表したような星々の煌めきと、混じり気のないピュアなメタル・アンサンブルが味わえる作品に仕上がっている。

Virial
◐イタリア
Transhumanism　　　　　　　　　🅐 Vicious Instinct Records　💿 2021

およそ 6 年振りのリリースとなった本作は、Vicious Instinct Records と契約を果たしリリースされた。バンドは正式にベーシスト Phillip Dollinger、ドラマー Stefan Rojas をメンバーに迎え、ゲストに Benjamin を迎え、ストリングスやピアノを組み込んだアレンジに挑戦している。基本は忙しないメロディアスなギターのリフ、ヒロイックなギターソロの掛け合いにある。フレットレス・ベースのクラシカルな響きを生かしたフレーズを大胆に導入するなど、Virial というバンドのスタンスを決定づける作風にアップデートされている。

Absorbed
◐スペイン
Reverie　　　　　　　　　　　　　　🅐 Xtreem Music　💿 2013

1990 年サンティアゴ・デ・コンポステーラで結成。ボーカル José Barros、ギタリスト Mario Cordeiro、ベーシスト Javier Zarco、ドラマー Lino Cordeiro を中心に活動し、1996 年に解散。本作はコンプリート盤で、未発表アルバムに加え、デモ、ライブ音源など CD2 枚組全 31 曲収録の大ボリューム作だ。オールドスクールなデスメタルをベースに、アヴァンギャルドなフレーズをたっぷりと盛り込んだ未発表アルバムの完成度の高さは終始圧倒される。スパニッシュ・デスメタル・シーンでカルト的な人気を誇り、現在も SNS で過去のアーカイヴを発表し続けている。

Human Mincer
◐スペイン
Embryonized　　　　　　　　　　　　🅐 Xtreem Music　💿 2002

1996 年マドリードで結成。99 年にデビュー EP を自主制作でリリース。セカンド EP『Putrefying Your Agony』が Xtreem Music の目にとまり、デビュー・アルバムとなる本作のリリース契約を結ぶ。Haemorrhage のドラマーとして知られる David を中心に、Wormed のギタリスト Miguel、ベーシスト Mr.A、Mind Holocaust のボーカリスト Carlos の 4 人体制で制作された本作は、テクニカル・ブルータル・デスメタルを基調に、ストップ & ゴーを繰り返しながら展開するサウンドがおどろおどろしい恐怖感を聴く者に与える。

Human Mincer
◐スペイン
Devoured Flesh　　　　　　　　　　　🅐 Xtreem Music　💿 2005

前作『Embryonized』から変わらぬラインナップで制作された本作も Xtreem Music からのリリースとなった。ドラマー David の狂気的なドラミングが終始大音量で炸裂し続け、ギタリスト Miguel のリフワークも火の粉を巻き上げながら複雑に刻み込んでいく。確かな技術とセンスでしか成し得ないオリジナリティ溢れる Human Mincer のテクニカル・ブルータル・デスメタル・サウンドの中で、最も個性を放つのはボーカル Carlos のガテラルとグロウル。それらを共に使いこなし、アクロバティックな楽曲展開をさらに忙しなく仕立てている。

Human Mincer
●スペイン

Degradation Paradox 　　　　　　　　　●Brutal Bands ●2008

前作で素晴らしいボーカルを披露した Carlos、そしてベーシストの Mr.A が脱退。
新メンバーに Wormed や Apostles of Perversion での活躍で知られる Guillemoth
がベーシストとして加入。更には同じく Wormed に在籍したことで知られる
Phlegeton がボーカリストとして加わり、録音された。アメリカのブルータル・デ
スメタル・レーベル Brutal Bands へ移籍しリリースされた本作は、バンド史上最
高レベルのサウンド・プロダクション、そしてテクニックを駆使して作り込まれて
いる。爆発力たっぷりのブラストビートに、ピッグスクイールも兼ね備えたボーカ
ルが粘っこく炸裂する。

Scent of Death
●スペイン

Of Martyrs's Agony and Hate 　　　●Pathologically Explicit Recordings ●2012

1998 年オウレンセで結成。2005 年にデビュー・アルバム『Woven in the Book
of Hate』をリリース、7 年の月日を経て発表された本作は、ボーカリスト Sérgio
Afonso、ギタリストの Jorge F. Taboada と Bernardo Estévez、ベーシスト Carlos F.
Caballo、ドラマー Rolando Barros の 5 人体制で制作された。戦闘的なリフに重戦
車のようなブラストビート、結束力のあるダイナミックなコーラスワークによって
放たれる怪力無双のテクニカル・デスメタルをプレイ、ドライヴ感豊かな作品に仕
上がっている。

Enblood
●ポルトガル

Cast to Exile 　　　　　　　　　　　　　●Miasma Records ●2018

2015 年アルマダで結成。ギター / ボーカル César、ベーシスト Nuno、
Theriomorphic のギタリスト João とドラマー Daniel の 4 人体制で活動をスタート。
Analepsy の Marco が運営する Miasma Records と契約しリリースされた本作は、
Obscura を彷彿とさせるネオクラシカルな旋律を情感豊かに表現。実際にタイトル
トラックには Obscura の Linus Klausenitzer がフィーチャリング・ゲストとして参
加している。その他「Oblivious Hate」など潤いのあるファストなトレモロ・リフ
が各楽曲に組み込まれており、味わい深い仕上がりとなっている。

Trepid Elucidation
●ポルトガル

Upcoming Reality 　　　　　　　　　　●Mosher Records ●2017

2012 年リスボンで結成。本作は Analepsy で活躍したギター / ボーカル Diogo
Santana、ベーシスト Renato Laia、Downfall of Mankind のドラマー Francisco
Marques、Analepsy や Dead Meat で活躍する João Jacinto によって制作され
た。Necrophagist を彷彿とさせるエキゾチックなメロディをプログレッシヴな
手法で滑らかに奏でつつ、奇抜な展開とブルータルなグロウルが個性的な Trepid
Elucidation サウンドを繰り出す。2017 年に活動休止、各メンバーはポルトガルの
エクストリーム・メタルシーンで活躍中だ。

George Kollias
●ギリシャ

Invictus 　　　　　　　　　　　　　　　●Season of Mist ●2015

Nile のドラマーとして知られる George Kollias のソロ・アルバム。12 歳からドラ
ムを始め、兄と共にスラッシュ / デスメタル・バンド Extremity Obsession で活
躍。Nightfall や Nile といったバンドでスキルを磨き続けてきた George は本作でド
ラムはもちろん、ボーカル、ギター、ベース、そしてキーボードまでを担当。Karl
Sanders を含む多彩なゲストを迎え、テクニカル・デスメタルのドラミングにフォー
カスした楽曲制作に挑んでいる。メロディの強い光沢と深みを演出する整合性と、
生々しい迫力を兼ね備えたビートに飲み込まれていくかのような錯覚を覚える。

Mass Infection
The Age of Recreation
⊙ギリシャ

🅐 Pathologically Explicit Recordings ⊙ 2009

2003年リヴァディアで結成。本作はデビュー作『The Age of Recreation』から2年振りとなるセカンド・アルバムで、ギター/ボーカル George Stournaras、ギタリスト Nick、ベーシスト Vistor、ドラマー George Trakas という布陣でレコーディングされた。ドロドロとしたブルータル・デスメタルを基調としながら、凶暴に暴れ狂うチェーンソーリフが怒涛のメロディックフレーズを鮮やかに刻み、血に飢えた猛獣のようなガテラルが地鳴りの如く炸裂。トレモロリフも随所に組み込まれ、その残虐性以上にテクニック、ソングライティングの素晴らしさを感じることが出来る。

Murder Made God
Endless Return
⊙ギリシャ

🅐 Unique Leader Records ⊙ 2019

2011年エーゲ海に面する都市テッサロニキにて結成。本作は Comatose Music から Unique Leader Records へと渡り歩き、ボーカル George、ギタリスト Dennis、ベーシスト Stelios、ドラマー Tolis の4ピース体制で制作されたサード・アルバムだ。結成当初はブルータルなスタイルだったこともあり、本作においても言いようのない残虐性が漂っている。アトモスフェリックに奏でられるメロディが輪郭をぼかしながら、ブラストビートの上を揺れ動き、染み込んでいく。独特の神秘性が宿り、ステップアップを遂げた Murder Made God の快作。

Sarcovore
The Calling
⊙ギリシャ

🅐 Independent ⊙ 2023

2019年首都アテネで結成。ツイン・ボーカルを成す Greg と Tsos、ギターとベースを兼任する Theo のトリオ編成で、プログラミングされたドラム・トラックをバックに複雑に入り組むテクニカル・デスメタルを展開。蠢き続けるスラッシーなリフは減速することなくアクセルを踏み込み続け、疾走。「Regressed Unto Extinction」や「They Deserve to Be Enslaved」といったリード曲はブルータルなツイン・ボーカルがまるで魔術を唱えているかのようにグルーヴを無視して咆哮され続け、不気味を通り越して身の毛のよだつ恐怖感を生み出し、全体を支配する。

Shadow in the Darkness
Erstwhile Befell
⊙ギリシャ

🅐 Sliptrick Records ⊙ 2020

2009年ケラツィニにて結成。ドラマー Takis Derisiotis とギタリスト Tasos Derisiotis の兄弟を中心に活動をスタートさせた。2014年に EP『Arcanum Experimentia Praetiosum』を発表した後、シングルリリースをコンスタントに続け、Mortal Torment で活躍したボーカリスト Konstantinos Xynos が加入し、本作のレコーディングが行われた。微細にエディットされたリフが蠢くように躍動する迫力満点のサウンドは、メタルコア・リスナーにも刺さるフレーズが随所に散りばめられている。様々なジャンルを横断したユニークさがある。

Vehement Animosity
Entropy
⊙キプロス

🅐 Independent ⊙ 2015

2012年首都ニコシアで結成。ギター/ボーカルの Alex Kinanis と Marios Lemonaris、ベーシスト Sevan Dakessian、ドラマー Socrates Karoulas の4人体制で活動を開始した。不穏なストリングスとピアノの旋律が印象的な「Arecibo Message」で幕を開けると、豪快なリフとプログレッシヴな静寂が絶妙なコントラストを生み出す「Chiasma」へと続いていく。サウンド・プロダクションは荒いものの、Alex と Marios のボーカルを肝に淡々と Vehement Animosity の世界観を見せつけ、引き込まれていく。

Banisher
ポーランド
Scarcity
Unquiet Records ● 2013

2005 年ジェシュフで結成。ギタリスト Hubert Więcek を中心にスタートし、2010
年にデビュー作『Slaughterhouse』を発表。本作は新たに Squash Bowels のベー
シスト Daniel、Unquiet Records のオーナーでありボーカリストの Tytus が加わり、
ゲスト・ドラマーに Łukasz Krzesiewicz を迎え、制作されたセカンド・アルバム。
アクロバティックなリフが火花を散らしながら交錯、ブラストビートを基調としな
がらも次々と転調を繰り返していく。不気味なサンプリングを挿入しながらもグ
ルーヴを損なわないという見事な仕上がり。

Banisher
ポーランド
Degrees of Isolation
Selfmadegod Records ● 2016

2016 年のサード・アルバム『Oniric Belusions』の前後で大幅なラインナップ・チェ
ンジが行われ、Hubert を中心に、Shodan のボーカル Szczepan、Violent Creed
のベーシスト Piotr、Fleshgod Apocalypse などで活躍する凄腕ドラマー Eugene
Ryabchenko が新たに参加。Hubert も Decapitated に加入するなど、Banisher と
は別のバンドで活躍した。本作はエクスペリメンタルな要素は減少、ストレートな
作風でメロディック・デスメタルにも接近していく。それでも特異なグルーヴを生
み出すリフの独創性が目立つ。

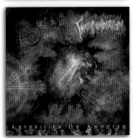

Condemnation
ポーランド
Abyssies of Anguish
Solar System ● 2009

結成は 1988 年と古く、元々 Deathor と名乗って活動していたが 90 年代前後に
Condemnation へと改名している。本作は現在までに唯一リリースされている彼ら
のアルバムで、このバンドの核となる奇才 Marcin Nowak の事実上ソロ作品だ。ギ
ター / ボーカルを担当する Leopold Srebro もかなり個性的なミュージシャンで、
病的なスクリームをヒステリックに炸裂させている。プログレッシヴなリズムを華
麗に弾きこなす Marcin もスラップしたベース、チェーンソーリフと多彩な技巧を
披露。デスメタルだけでなく、プログレッシヴ・メタル・リスナーも抑えておきた
い 1 枚。

Decapitated
ポーランド
Winds of Creation
Wicked World Records ● 2000

1996 年ポーランド南東部のクロスノで結成。デビュー作となる本作は、ボーカ
リスト Wojciech Wąsowicz、ギタリスト Wacław Kiełtyka、ベーシスト Martin
Rygiel、Wacław の弟で 12 歳でバンドに加入したドラマー Witold でレコーディン
グされた。Vader や Morbid Angel をさらにブルータルにアップデートしたかのよ
うなスタイルで、それでいて自然とヘッドバンギングを誘う極上のフックがたっぷ
りと組み込まれている。当時まだ 10 代だったメンバーが作り上げたとは思えない
テクニックに世界中が驚愕した。

Decapitated
ポーランド
Nihility
Earache Records ● 2002

『Winds of Creation』で華々しいデビューを飾った彼らのセカンド・アルバム。同
郷のデスメタル・エンジニア Slawek Wieslawski と Wojtek 兄弟と共にレコーディ
ングした本作は、テクニカル・デスメタルの構築美を追求し、より力強いグルーヴ
を生み出すことに成功。お手本のようなアクセルとブレーキ、トリッキーなリフへ
のアクセント、派手な装飾を加えることなく、シンプルな作りだからこそ味わい
深いフレーズの数々がシャープに冴え渡る。ミュージックビデオにもなっている
「Spheres of Madness」「Names」は今も色褪せないキラーチューン。

Decapitated

🔴ポーランド

| The Negation | 🅐 Earache Records 🅓 2004 |

2 年振りのリリースとなったサード・アルバム。前作の制作陣に加え、Carcass や
Morbid Angel、Napalm Death らを手掛けてきた Earache Records のファウンダー
Digby Pearson がエグゼクティヴ・プロデューサーとして参加している。テクニ
カル・デスメタルにおけるグルーヴを追求した前作に比べ、複雑でトリッキーな
成分は減り、全体的にスローダウンしたもののブルータルさは健在。「Lying and
Weak」ほか、各パートのバランス感覚が研ぎ澄まされており、ソングライティン
グの良さでテクニカル・デスメタルの可能性を拡大した。

Decapitated

🔴ポーランド

| Organic Hallucinosis | 🅐 Earache Records 🅓 2006 |

ボーカリストが Adrian Kowanek となって制作された 4 枚目フルレングス。オープ
ニングから彼らの変化に気付くだろう。Adrian のボーカルはガテラルからミッド、
ハイのスクリームを鮮やかに使い分け、曲毎にドラマ性を持たせるようになり、ギ
ターはダウンチューンし、Meshuggah に接近していくようなグルーヴィなリフを
テクニカルに弾きこなしていく。明確にバンドが転換期にあることをサウンドで証
明した翌年、バンドはツアー中に重大な交通事故に巻き込まれ、Witold が 23 歳の
若さで急逝、Adrian も重い後遺症を患ってしまった。バンドは新たなメンバーを
迎え、グルーヴメタルへとスタイルを変えていった。

Deivos

🔴ポーランド

| Emanation from Below | 🅐 Empire Records 🅓 2006 |

1997 年ポーランド東部に位置しウクライナ、ベラルーシと接するルブリンを拠
点に結成。ギタリストの Tomasz Kolcon を中心に、ドラマー Krzysztof "Wizun"
Sapan、ベース / ボーカル Jaroslaw Pieńkoś、Abusiveness のギタリスト Mścisław
の 4 人体制で本作の制作をスタート。タイトなドラミングが変幻自在にグルーヴ
を演出。「Battle for Dominance」や「Divine Defilement」などカウベルが効果的に
挿入された楽曲が多く、面白いアクセントになっている。リフの一つ一つにコクが
あり、聴けば聴くほど味わい深くなっていく。

Deivos

🔴ポーランド

| Gospel of Maggots | 🅐 Unique Leader Records 🅓 2010 |

4 年振りのリリースとなったセカンド・アルバム。前作『Emanation from Below』
はワールドワイドな人気を獲得し、バンドは Unique Leader Records との契約を
果たした。プロダクションは同郷にある Hertz Studio の Wieslawski 兄弟が手掛け
ている。前作で Deivos サウンドの最も個性的な要素であったカウベルをたっぷ
りと盛り込み、よりブルータルな気概溢れるエナジーを放っている。「Wretched
Idolatry」や「Kept in the Dark」はアルバムの中でもポイントとなる楽曲で、彼ら
のテクニックを十二分に堪能することが出来る。

Deivos

🔴ポーランド

| Demiurge of the Void | 🅐 Unique Leader Records 🅓 2011 |

僅か 1 年足らずで発表されたサード・アルバム。ベース / ボーカルを担当していた
Jaroslaw が脱退。新たに Ulcer のボーカリスト Hubert Banach とベーシスト Kamil
Stadnicki が加入し、5 人体制となっている。アートワークからも分かるように前
作の延長線上にある本作は、暴虐的なスピードを見せるドラミングが素晴らしく、
緻密なシンバルワークとカウベルのアクセントが絶妙なグルーヴを生み出す仕上が
りとなっている。そのスピードとグルーヴが同居するサウンドに必要なテクニック
がしっかりと備わっており、前作以上にカオスに暴れ回る Deivos サウンドが炸裂
する。

Deivos

📍ポーランド

Theodicy　　　　　　　　🅐 Selfmadegod Records　📀 2015

4 年振りのリリースとなった本作は、同郷のエクストリーム・メタル / ハードコア・
パンク・レーベル Selfmadegod Records と契約して発表された。これまでと打っ
て変わり灰色のダークなアートワークを持つこの作品は、前作『Demiurge of the
Void』で絶頂に達した Deivos のエナジーを一度整理するような作品になっている
ように感じる。これまで通りパワフルでスピーディではあるものの、プログレッシ
ヴな趣を僅かに取り入れたことで、グルーヴを生み出すテクニックの妙を聴き取り
やすくリスナーに提示する。パワーでなくセンスで勝負した作品。

Deivos

📍ポーランド

Endemic Divine　　　　　　🅐 Selfmadegod Records　📀 2017

2 年振りのリリースとなる本作は、デビュー作からギタリストを務めてきた
Mścisław が一時的にバンドを離れた為、Sphere の Jakub Tokaj が参加している。
本作では初めてエンジニアが変更されており、ポーランドの様々なメタルバンドを
手掛ける Tomasz Zalewski がミックスからマスタリングまでを担当した。オープ
ニングを飾る「Daimonion」から、Krzysztof の個性的なドラミングを軸に展開さ
れる Deivos らしい究極のグルーヴがスピーディに駆け抜けていく。後半の 3 曲を
除く楽曲は 2 〜 3 分前後で聴きやすいのもポイントだ。

Deivos

📍ポーランド

Casus Belli　　　　　　　🅐 Selfmadegod Records　📀 2019

コンスタントにリリースを続ける Deivos の通算 6 枚目フルレングス。Ulcer から
加入した Hubert と Kamil もすっかり Deivos スタイルに溶け込み、不動のポーリッ
シュ・テクニカル・デスメタルを鳴らし続けてきた。これほどまでにスタイルチェ
ンジしないバンドも珍しいが、彼らの場合それが何よりの魅力であり、ファンが飽
きることはない。アルバムのタイトルトラックである「Casus Belli」から、ソリッ
ドで残忍なリフが織りなす整合感のあるブルータル・デスメタルな楽曲が最後まで
駆け抜けていく。キャリア史上最も美しいアートワークは同郷の Maciej Kamuda
によるもの。

Devilyn

📍ポーランド

Artefact　　　　　　　　　🅐 Blackend　📀 2001

1996 年タルヌフで結成。1992 年に結成された Cerebral Concussion が改名する形
で始まり、本作がサード・アルバムとなる。ベース / ボーカルの Novy、ギタリス
トの Łukasz と Dino、ドラマー Basti の 4 人でレコーディングされた本作は、過去
2 作に比べ、テクニカルフレーズにフォーカスした複雑な仕上がりで、サウンド・
プロダクションこそ荒いものの、作りの良さに才能を感じる。Novy は 2003 年に
脱退し、Vader へと加入。バンドは Łukasz をリーダーに 2005 年にアルバム『XI』
をリリースするも、2007 年に解散を発表した。

Dies Irae

📍ポーランド

The Sin War　　　　　　　🅐 Metal Blade Records　📀 2002

1992 年オルシュティンで結成。当時 Vader に在籍していたドラマー Doc を中心に
スタートするも、1997 年に一度解散を経験。その後、2000 年に同じく Vader に在
籍するギタリスト Mauser、Sceptic のギタリスト Jacek、Devilyn で活動中だったボー
カル / ベース Novy の 4 名が揃い、デビュー作『Immolated』を完成させた。セカンド・
アルバムとなる本作ではあらゆるパートで Vader を感じるだろう。よりドラムに
フォーカスしたプロダクションで、細かなシンバルワークにブラストビートが印象
的と言える。2003 年には Novy も Vader へ加入、2005 年、Doc の死をきっかけに
解散。

Hate
Awakening of the Liar
⦿ポーランド　Ⓐ Empire Records　◎ 2003

1991 年ワルシャワで結成。4 枚目のアルバムとなる本作は、オリジナルメンバーのボーカル / ギター Adam the First Sinner、ギタリスト Piotr、ベーシスト Cyprian、ドラマー Dariusz の 4 人体制で録音された。Vader や Decapitated といった同郷のトップ・デスメタルバンドの影響は強く、それらをよりテクニカルに、そしてブルータルにアップデート。楽曲の作りの良さは一級品で、「Immolate the Pope」では楽曲展開の間に差し込まれるパートにユニークなアイデアがあったりと個性的だ。この作品以降、ブラックメタルへとスタイルチェンジを遂げた。

Lost Soul
Übermensch (Death of God)
⦿ポーランド　Ⓐ Empire Records　◎ 2002

1990 年西部の都市ヴロツワフで結成された Hades を母体にスタート、活動休止を挟みながら 2000 年にデビュー作『Scream of the Mourning Star』を発表。本作は中心人物であるボーカル / ギター Jacek Grecki と、ギタリスト Piotr、ベーシスト Krzysztof、ドラマー Adam の布陣で制作された。Behemoth や Vader といった同郷のバンドらからの影響は多大で、それらをさらに深く暗い闇に誘うようにして疾走するドラミングが Lost Soul の個性だと言える。若干の荒さは目立つが、決して飽きることのない作りの良さがある。

Lost Soul
Chaostream
⦿ポーランド　Ⓐ Empire Records　◎ 2005

3 年振りのリリースとなったサード・アルバム。ベーシストに結成時のオリジナル・ベーシストである Tomasz Fornalski が復帰。Behemoth や Decapitated などを手掛けた Slawek Wieslawski をプロデューサーに迎え、レコーディングが行われた。前作で Lost Soul の武器としてその持ち味を発揮したギターワークに磨きを掛け、高速で繰り広げられるトレモロピッキングやデスメタリックなリフが血飛沫をあげながら疾走し続ける。もたついたドラムも足を引っ張ることなく、「Godstate」では印象的なサウンドの核とも言える役割を担っている。

Lost Soul
Immerse in Infinity
⦿ポーランド　Ⓐ Witching Hour Productions　◎ 2009

4 年振り 4 枚目フルレングス。Jacek 以外のメンバーが入れ替わりとなり、ギタリスト Dominik、ベーシスト Damian、Gortal のドラマー Krzysztof が加入。Jacek と Slawek による共同プロデュースによってレコーディングされた。アートワークからも漂うコズミックな雰囲気は、ふんだんに散りばめられたサンプリング、豊麗多彩なシンバルワークによって醸し出されており、圧倒的なスピードでテクニカル・デスメタルの銀河へと聴くものを連れ去っていく。「Personal Universe」「216」とバンドの代表的な楽曲も多数収録、Behemoth ら同郷のトップバンドに肩を並べた。

Lost Soul
Atlantis: The New Beginning
⦿ポーランド　Ⓐ Apostasy Records　◎ 2015

前作から 6 年というブランクの間には、再録曲やカバーを収録した 2 枚組のコンピレーション・アルバム『Genesis: XX Years of Chaoz』を発表。本作からは新たにギタリスト Marek、イタリア在住の凄腕ドラマー Jonathan が参加し、これまでとは一味違った Lost Soul らしさを醸し出している。Jacek のリフワークはこれまで強烈なフックの肝となってきたが、このアルバムでは Jonathan の嵐のようなドラミングに呼応するように初期のスピード感を重視しているようだ。加えてシンフォニックなオーケストレーションが加わり、神秘性を全面に押し出した作りとなっている。

Redemptor
Arthaneum
🔵ポーランド
🔴Selfmadegod Records ⚫2017

2001年クラクフで結成。2007年にアルバム『None Pointless Balance』でデビュー。本作は通算3枚目のフルレングスで、ボーカリストMichael、ギタリストのDanielとHubert、ドラマーのPawelの4人体制で制作が行われた。このアルバムでRedemptorの独創性が開花。アトモスフェリックな広がりを上手く生かしながら、寒い夜明けのような底知れぬ不気味な恐ろしさをスタイリッシュに表現。プログレッシヴ・デスメタルへと傾倒していく中で、暴虐性は薄れたものの確かなテクニックは健在。Nileの流れも汲みつつ、高貴な神秘性を放つ作品に仕上がっている。

Sceptic
Pathetic Being
🔵ポーランド
🔴Empire Records ⚫2001

1995年ポーランドの古都クラクフにて結成。前身バンドTormentorを経て、1999年にデビュー作『Blind Existence』を発表。本作はボーカルMichal、ギタリストのJacek HiroとCzesiek、ベーシストBawel、ドラマーMaciek Ziębaの5人体制で制作したセカンド・アルバム。Nocturnusの「Arctic Crypt」をカバーしていることからも彼らが何に影響を受けているかがよく分かる。Deathを彷彿とさせるスラッシーなリフと獣的なスクリームを炸裂させながら、非常に高いボルテージで最後まで駆け抜けていくオールドスクールな仕上がり。

Sceptic
Unbeliever's Script
🔵ポーランド
🔴Candlelight Records ⚫2003

デビュー作でボーカルを務めたボーカリストMarcin Urbaśが復帰。Marcinは当時陸上選手としても活躍しており、2000年にはシドニーオリンピックの男子200mに出場した経歴を持つオリンピアンで、本業の合間にScepticに参加している。また、ドラムJakub Chmura、ベースGrzegorzとJacek以外のメンバーは総入れ替えとなっている。Marcinのボーカルはまるで悪魔のように不吉な唸り声でブラックメタルのようなダークさを放っている。そしてそのサウンドも奇怪なグルーヴをうねらせ、地鳴りのようなヘヴィネスで圧倒してくる。

Sceptic
Nailed to Ignorance
🔵ポーランド
🔴Szataniec ⚫2022

2017年振りのリリースとなった本作では、初期メンバーが集結。2005年にアルバム『Internal Complexity』を発表した際はいくつかウェブ上に新曲が公開されたことはあったものの、事実上の活動休止状態にあった。Marcin、Jakub、Powelが復帰、このアルバムのサウンドは初期の爆発的なエナジーには及ばないものの、Powelがスラップするベースラインにスラッシーなリフが、時にテクニカルに、時にプログレッシヴに覆い被さっていく。2020年代の他のテクニカル・デスメタルと比べれば刺激は足りないかもしれないが、ベテランにしか鳴らせないグルーヴが感じられるだろう。

Violent Dirge
Elapse
🔵ポーランド
🔴Carnage Records ⚫1993

1987年ワルシャワで結成。兄弟であるギター / ボーカルのWojciech NowakとベーシストMariuszを中心にスタートし、本作までにボーカリストAdam Gnych、ドラマーRobert Szymańskiが加入。90年代初頭のテクニカルなデスメタルの典例とも言える奇怪で複雑な楽曲構成、特にスラッシュメタルの影響を多分に受けたシュレッド・リフとスラップするベースラインが良いアクセントになっている。「Enlivening Dream」や「The Lapse」はこのアルバムのハイライトとも言えるキラーチューン。2019年Pagan Recordsより CD として再発された。

オリンピックに出場した Septic の
ボーカリスト・Marcin Urbaś

度々出場し、2002 年にはシドニーで開催されたオリンピックにも出場している。

オリンピック前の 2 年間、Marcin はバンド活動から離れていたものの、2003 年から復帰し、陸上競技とテクニカル・デスメタルの異色の二刀流を実現している。選手として引退した後もバンドでボーカルを務めながら、自国でアーバン・スプリント・グループというアスリート育成チームのファウンダーを務めており、陸上選手だけでなくラグビーチームの脚力強化に尽力している。

日本にも、スポーツとデスメタルの二刀流で知られる人物がいる。デスメタル・バンド Infernal Revulsion のボーカリストである佐藤秀典が、ラグビー日本代表の通訳であったことは有名な話。彼はアスリートではないが、超肉体的なスポーツとの目に見えない繋がりがあるのかもしれない。

高い身体能力が求められるジャンル故

テクニカル・デスメタル。それは、血の滲むような努力によって練磨された高等な演奏技術がなければ演奏することは出来ない音楽ジャンルだ。高速で刻まれるリフ、目で捉えきれないような運指、筋力量だけでなく、しなやかさも求められる。これだけ高い身体能力を求めるテクニカル・デスメタルのミュージシャン、中にはアスリートがいてもおかしくないと思っていたが、いた。しかも、オリンピックである！

200 メートル陸上選手

ポーランド出身のバンド、Septic のボーカリストとして知られる Marcin Urbaś は国民的なアスリートであり、200 メートル走を専門とする陸上選手。全盛期は 90 年代の後半から 2000 年代の中盤で、1999 年にスペインのセビリアで開催された世界選手権の準決勝では、19 秒 98 を叩き出しポーランド国内記録となっている。世界陸上にも

Godless Truth

◎チェコ

Burning Existence
Ⓐ Deadsun Records ◉ 1999

1994 年オロモウツにて結成。デビュー作『The Desperation』から 4 年振りにリリースされた本作は、オリジナルメンバーは Petr のみ、ベース / ギターを兼任する Michael に加え、Lacerated Enemy Records のオーナーでもある Zdeněk、そしてゲスト・ドラマー Olda 参加し録音された。ミッドテンポな楽曲を中心に、シャープなサウンド・プロダクションでドタバタと叩き込まれるドラミングにリフを絡ませていく。単にデスメタルを複雑にしただけでなく、優雅なメロディを差し込み、過度にブルータルになり過ぎない落ち着きを放っている。知的な雰囲気漂う彼らの出世作。

Godless Truth

◎チェコ

SelfRealization
Ⓐ Shindy Productions ◉ 2001

新たにドラマー George が加入し、4 人体制として動き出した彼らのサード・アルバム。チェコの老舗デスメタル・レーベル Shindy Productions と契約している。メロディックな素材を散りばめたブルータル / テクニカル・デスメタルを披露した前作とは違い、複雑さを追求しており、冒頭はニューメタルの香りが漂うが、次第に不気味にうねり出していく。確かなテクニックをもってして実験的とも感じられるうねりは、まるで痙攣しているかのような病的さまで感じる。彼らのカタログの中では異端な作品であり、テクニカル・デスメタルへの野心溢れるアルバムと言えるだろう。

Godless Truth

◎チェコ

Arrogance of Supreme Power
Ⓐ Lacerated Enemy Records ◉ 2004

3 年振りのリリースではあるものの、メンバーは Petr と Zdeněk のみが残り、新たにドラマーとして Libor が加入。Zdeněk のレーベル Lacerated Enemy Records から発表された本作は、アートワークからも分かるようにブルータル。Dying Fetus を彷彿とさせるが、全体的にもやのかかったようなサウンド・プロダクションが Godless Truth の内向的なイメージを上手く表現している。このアルバムの最大の魅力はオリジナルメンバーである Petr のギター。アルバムのリードトラックとも言える「Reprobate Intention」で見せるグルーヴィなリフは圧巻。

Godless Truth

◎チェコ

Godless Truth
Ⓐ Transcending Obscurity Records ◉ 2022

オリジナル・ギタリスト Petr を中心に 2018 年振りにシーンにカムバックした彼らのアルバムは、バンド名を冠した堂々たるアルバムと言えるだろう。2017 年に解散した同郷のデスメタル・バンド Dissolution 周りのミュージシャンが集い、ツインギターの 5 人体制となったことで、Petr のギターワークは浮き立つように存在感を放っており、「Scissors」や「Breathe Fire」のリフはこのアルバムのハイライトだ。Death 以降の 90 年代テクニカル・デスメタルを上品さをもってしてモダンにアップデートすることに成功、セルフタイトルとしてリリースした自信も感じ取れる。

Brute

◎スロバキア

Essence of Tyranny
Ⓐ Gothoom Productions ◉ 2022

1998 年からプレショフを拠点に活動するベテラン、Brute の通算 4 枚目フルレングス。唯一のオリジナルメンバーである Štefan Tokár がギターを務め、本作から新たに加入した Dominik がボーカル、Jaro がベースを担当し、ゲスト・ドラマーに Batushka や Belphegor のライブ・ドラマーである Krzysztof Klingbein を迎え、レコーディングが行われた。ブルータルなチェーンソーリフがデスメタリックに刻み込まれ、雪崩のように叩き込まれるドラミングとディープなガテラルが奥深いデスメタルの世界を演出。まるでアートワークをそのままサウンド・キャンバスに描いたような仕上がり。

Dissonance
Look to Forget
○スロバキア
Ⓐ Czech Panorama ◎ 1994

1993 年トルナヴァにて結成。1990 年に結成されたスラッシュメタル・バンド
Notorica がデスメタルとクロスオーバーし、次第にテクニカル・デスメタルへとス
タイルを変え、1993 年に Dissonance として動き始めた。オープニングの「Right
to Submit」からツイストするシュレッダー・リフが炸裂、Martyr を思わせる渦を
巻くようなグルーヴが心地良いカオスを生み出す。初期 Gorguts のようなオーソ
ドックスさにテクニカルに繰り出されるメロディアスなリードを絡めていく、90
年代テクニカル・デスメタルの旨味が凝縮されている。

Depths of Depravity
Inspirritation
○ハンガリー
Ⓐ Terranis Productions ◎ 2010

1996 年北西部の都市モションマジャローヴァールで Brutal Masturbation という
名前でスタート。2000 年に改名し、本作までに『Into the Decay』『Insensible
Extinct Mechanical World』と 2 枚のアルバムを発表した。ボーカル Péter、ギタリ
スト László、ベーシスト Csaba、ドラマー Dávid の 4 人でレコーディングされた
このアルバムは、光を追い越すほどのスピードで叩き込まれるドラムに、痙攣する
かのように掻き鳴らされるアヴァンギャルドなリフが、ノンストップで駆け回る。
スピードの限界を追求したアルバムだ。

Gutted
Defiled
○ハンガリー
Ⓐ Eclipse Records ◎ 2001

1996 年中西部の都市セーケシュフェヘールバールにて Genocide というバンド名
で結成され、1998 年に改名。バンド名は Cannibal Corpse の曲名に由来している。
本作は、ボーカリスト Sándor Hajnali、ギタリスト Krisztián Hujber、ベース / ボー
カル András Selmeczi、ドラマー Zsolt Kovács の 4 人体制で録音された。Cannibal
Corpse からの影響は色濃く、込み上げてくる獣のようなガテラルは足がすくむよ
うな恐怖を感じるほど。スラッシーな刻みは段々と速度を上げ、次第に轟音の塊と
なりながらもプログレッシヴなドラミングと巧みに交差する。

Gutted
Human Race Deserves to Die
○ハンガリー
Ⓐ Nice to Eat You Records ◎ 2005

4 年振りとなるセカンド・アルバム。本作から同国のスラッシュメタル・バン
ド、Septicmen を脱退したばかりだったギター / ボーカルの Gábor Drótos が加入
している。デビュー作では Cannibal Corpse ほかクラシックなデスメタルがベー
スとなっていたが、そこからさらにブルータルに進化。Suffocation の『Pierced
from Within』を彷彿とさせるニューヨーク・デスメタルのバウンシーなエッセン
スが注入され、緊張感が常に高い。カオティックなトレモロフレーズが炸裂する
「Defilement of A Marriage」など新たな魅力を放った快作。

Gutted
Mankind Carries the Seeds of Hell
○ハンガリー
Ⓐ SFC Records ◎ 2010

5 年振りのリリースとなったサード・アルバム。ベース / ボーカルを務めてい
た András が脱退。Gábor がベースを兼任する形でレコーディングが行われた。
Gábor の存在によって、大きくスタイルチェンジした前作の流れはそのまま、サウ
ンド・プロダクションの向上によって各パートによって卓越された技術もクリアに味わう
ことが出来る。例えるなら、Origin が Cannibal Corpse をカバーしたかのようなス
タイルとでも言おうか。Deicide や Vader といった元々 Gutted が持っていたスタ
イルからの影響をふわりと香らせる残虐なメロディも楽曲の要となっている。

Gutted
●ハンガリー

Martyr Creation
⚑ Xtreem Music ⏱ 2016

6年振りのリリースとなった4枚目フルレングス。Genocide 時代から長年ドラム
を担当してきた Zsolt が脱退。新たに同国のブラックメタル・シーンで様々なバン
ドを渡り歩いてきたドラマー Tamás Sándor が加入し、Gutted により伝統的なテ
クニカル・デスメタルの息吹を吹き込んでいる。冴えるシャープなドラミングにぴっ
たりと寄り添うようにして刻み込まれるテクニカル・リフのメロディは、言いよう
のない神秘性と不安を醸しながら疾走。「False Happiness」ほかタメを上手く差し
込むソングライティングも熟練技と言えるだろう。

Dawn of Creation
●セルビア

Self-Destructive Matters
⚑ Independent ⏱ 2022

2011年南部最大の都市ニシュで結成。元々 Deeper Down というブラックメタル・
バンドで活動していたメンバーらによって始まり、本作までにギター / ボーカル
Nikola Kostić、ベーシスト Miloš Đorić、ドラマー Dejan Pavlović のトリオ編成と
なっている。楽曲の大半はミドルテンポ中心で、Voivod にも接近するプログレッ
シヴかつアヴァンギャルドなスタイルであるが、だからこそ「I, God」や「Walking
Hatred」といった楽曲でブラストビートが強く響く。装飾を削ぎ落とし、トリオの
良さを生かしているからこそ聴き疲れないし、聴き飽きない。

Mephistophelian
●スロベニア

Anotos
⚑ Independent ⏱ 2020

2009年メトリカにて結成。Mordenom のボーカリスト Deni、Within Destruction
のギタリストだった Kristjan と Renato、ベーシスト Dalibor、ドラマー Črt の5人
で活動をスタート。2014年にプロモ盤を出すもレーベルは決まらず、2020年に
Necrophagist などでの活躍で知られるドラマー Romain が加入し、アルバムを制作。
オープニングの「Abysmal Discorded Endeavour」から闇夜を切り裂くようにエン
ディングまで疾走。ドラミングに牽引されるように蠢くリフと、Deni のパワフル
なボーカルワークがサウンドが整合感をもたらす。

Arhont
●北マケドニア

Arhont
⚑ Battlegod Productions ⏱ 2008

2005年ビトラで結成。本作はベース / ボーカル Batskin、ギタリスト Sakh、ドラマー
Ivo、そしてアンビエンスというパートでクレジットされている sin.us の4人体制
で制作されている。言いようのない強烈さを放つアートワークをそのままサウンド
に落とし込んだかのような、アンビエント・テクニカル・デスメタルを鳴らす。ド
ライな質感で叩き込まれるドラミングの上をプログレッシヴなリフが横断、アンビ
エントなコラージュも楽曲の肝になっている。イントロを挟みながら、圧倒的な個
性を見せる本作は、カルト的な人気を誇っている。本作以降リリースはなく、事実
上解散しているものと思われる。

Spectral
●ルーマニア

Neural Correlates of Hate
⚑ Loud Rage Music ⏱ 2018

2004年アルジェシュ川沿いの都市ピテシュで結成。元々 Katalepsia という名前
でスタートし、一時は Havok へと改名したが、Spectral へと落ち着いた。本作
は CodeRed のボーカリスト Andrei Calmuc、ギターとドラムを兼任する Ciprian
Martin、フランス出身で Arsebreed や Mephistophelian での活躍で知られ、一時期
Necrophagist にも在籍したドラマー Romain Goulon の3ピース体制で制作されて
いる。テクニカルなスラッシーリフが煙を立ち昇らせながら、ダイナミックなドラ
ミングに噛み付いていくエネルギッシュなデスメタル。

Enthrallment
●ブルガリア

Eugenic Wombs ◎ Rebirth the Metal Productions ◎ 2015

1998 年北部の町プレベンで結成。初期はブルータル・デスメタル / グラインドコアに近いスタイルであったが、次第にテクニカル・デスメタルへシフト。初期メンバーであるドラマー Ivo、ボーカリスト Plamen、ギタリスト Vasil を中心に、Ivoと別プロジェクト Depraved で親交のあったベース Rumen、ギター Andrey が加入してからは一気にストイックな技巧派となった。ネオクラシカルな輝きを放つフレットレス・ベースの奔放自在なプレイに、ジャキジャキとハリのあるリフが上品に絡み合うシックな雰囲気が漂う。本作以降はさらにプログレッシヴなサウンドへと変化を続けている。

Beyond the Structure
●エストニア

Scrutiny ◎ Vicious Instinct Records ◎ 2022

2012 年エストニアのタリンにて結成。デビュー作から 8 年の月日を経て完成させた本作は、ボーカリスト Edgar Balabanov、ギタリスト Artjom Balakshin、ベーシスト Yaroslav Luzin、ドラマー Simo Atso の 4 人体制で録音された。前衛的なアートワークはロシアの画家 Vladimir Chebakov によるもの。不協和音をまとい、アヴァンギャルドな魅力を醸し出すメロディックなリフと、さりげない凹凸感で奥行きを感じさせるベースのアクセントが作り出すディテールが美しく、それでいてヘヴィなグルーヴが全編に渡って炸裂している。

Arhideus
●ロシア

Awakening of Sins ◎ SFC Records ◎ 2013

2007 年モスクワで結成。ボーカル / ギターの Pavel Bocharov、Irreversible Mechanism など数多くのテクニカル・ブルータル・デスメタル・バンドに在籍するベーシスト Pavel Semin、共に Humaniac に所属したドラマー Alexander と Alexey の 4 人体制で活動をスタート。唯一のリリースとなった本作は、黒煙をあげながら制御不能に陥った暴走機関車のようなスピーディーなドラミングが印象的。しなやかに絡みつくフレッドレス・ベースのメロディ、ツインリードのリフもカラフルに配され、ファストでテクニカルな出来栄えだ。

Back Door to Asylum
●ロシア

Cerberus Millenia ◎ Amputated Vein Records ◎ 2014

デビュー作『Akathisia』から 2 年振りのリリースとなったセカンド・アルバム。グローバルな人気を獲得し、本作では Internal Suffering の Fabio、Benighted の Julien など豪華なゲストボーカルが参加している。テクニカルとブルータル、どちらの魅力も交互に顔を覗かせながら突き進むデスメタルを基調に、うねり続けるベースラインが特徴的な Back Door to Asylum 特有のサウンドをプレイ。陰鬱な雰囲気を醸し出すカオティックなメロディワークも健在だ。唐突に挿入されるスラムパートには驚くが、決してマッチしていない訳ではなく、むしろユニークに響く。

Bufihimat
●ロシア

I ◎ Willowtip Records ◎ 2017

2008 年ヴォロネジで結成。当初はブラック / デスメタルであったが次第にグラインドコア、テクニカル・デスメタルに接近するようになり、Willowtip Records と契約し、シングル「Last Journey Through Pain」を経て本作をリリースした。アルバムはボーカリスト Ivan、ギタリスト Maxim、ドラマー Segey のトリオで録音され、ベースレスという珍しい編成であるが「Tech Grind」とも評されるそのサウンドには最良の編成と言えるだろう。テクニカルを通過し、アヴァンギャルドにかき鳴らされるリフは知性を感じる狂気をまとい、地獄のようなノイズの中に消えていく。

Grace Disgraced
The Primal Cause: Womanumental

○ロシア
Ⓐ More Hate Productions Ⓒ 2014

2004 年モスクワで結成。女性ボーカリスト Polina、ギタリスト Aleksandr、ベーシスト Andrey Andreev、ドラマー Andrey Ischenko の 4 人体制でカザフスタン出身モスクワ在住のメタルプロデューサー Arkadiy Navaho と共にレコーディングが行われた。メロディアスなベースラインとデスメタリックなギターソロが、ミッドテンポ主体の楽曲に絡み合いながら展開。多彩なシャウトが印象的な Polina のボーカルが際立っており、「She Smells Death」など長尺の楽曲が多い本作において、魅力的な抑揚を生み出している。

Grace Disgraced
Lasting Afterdeaths

○ロシア
Ⓐ Razed Soul Productions Ⓒ 2016

2 年振りのリリースとなった 3 枚目フルレングス。アメリカの Razed Soul Productions へ移籍、新たに当時 Dark Matter Secret などに在籍していたフレットレス・ベーシスト Pavel Semin が加入。Aleksandr 自身がプロデュースを手掛けた本作は、予測不能なテクニカルフレーズがプログレッシヴなニュアンスに絡み合い、アップダウンの激しいテンポを鮮やかに彩っていく。リードトラック「Wheels Demonical Spin」は Polina のボーカル、そして Aleksandr の精細な技巧が光るギタープレイが堪能できる良曲だ。

Grace Disgraced
Immortech

○ロシア
Ⓐ Metalism Records Ⓒ 2020

4 年振りのリリースとなった 4 枚目フルレングス。モスクワの老舗メタルレーベル Metalism Records へ移籍、新たにベーシストとして Bestial Invasion の Sergiy Bondar が加入している。数々のロシアン・デスメタルを手掛けてきたプロデューサー Arkady Navaho を起用し制作された本作は、オールドスクール・デスメタルに傾倒しつつも、煌びやかなツインリードとメロディアスなベースラインが表情豊かな Polina のシャウトと交差していくダイナミックな仕上がり。8 分を超える「Mainframe Lullaby」は壮大なテクニカル・デスメタル・バラードだ。

Graveside
Sinful Accession

○ロシア
Ⓐ Moroz Records Ⓒ 1993

1991 年トゥーラで結成。Death Vomit らと共にロシアで最初にデスメタルを鳴らしたバンドとして知られ、Death Vomit がスラッシーだったのに対し、Graveside はテクニカルでブルータルなサウンドを鳴らした。ベースとキーボードを兼任するシンガー Igor Logachyov、ギタリストの Roman と Sergei、ドラマー Igor Lesnevsky の 4 人体制で制作された本作は彼らが唯一残した作品で、竜巻のようなギターソロや不気味なキーボードを盛り込みつつ、ストレートなテクニカル・デスメタルを展開。当時のロシアにおいて局地的な人気だけに留まり、長年再発もされてこなかった隠れた名作。

Humaniac
Until the Light Fakes Us

○ロシア
Ⓐ Independent Ⓒ 2022

2010年モスクワで結成。ボーカリスト Artyom、ギタリストの Alexey と Andrey、ベーシスト Vadim、ドラマー Kirill の 5 人編成で、それぞれに Renunciation、Enemy Crucifixion、Back Door to Asylum などといったテクニカル・ブルータル・デスメタル・バンドで活躍する腕利きのミュージシャン揃い。2 枚のアルバムを経て制作された本作は、ディテールの良さが際立つサウンドの上を、タップダンスするように踊るメロディが印象的な「Zuckerbrin Firewall」ほか、奇抜な個性が爆発した楽曲がずらりと並ぶ。

Monumental Torment
Element of Chaos   ⓢ SFC Records   ⊙ 2011   ●ロシア

2009 年トヴェリで結成。ギター、そしてドラム・プログラミングを務めるコンポーザー Artem Gultaev を中心に、ボーカリスト Lloyd Moore Jr.、ベーシスト Giovanni Komkov のトリオ編成で制作された。打ち込みでしか表現出来ない無機的なブラストビートは、人間には叩けない独特な趣があり、Monumental Torment の世界観とマッチしている。時折ベースもプログラミングされたものを使用しているがそれもまた面白い。Origin や Brain Drill に匹敵するタッピング・フレーズの応酬、集中していないと置いて行かれてしまうようなスピーディな展開は圧倒的。

Necrocannibal
Somnambuliformic Possession   Ⓐ MetalAgen   ⊙ 1994   ●ロシア

1991 年モスクワで結成。Graveside に次いでロシアン・デスメタルの礎を築いた存在としてカルト的な人気を持つ。本作はボーカリスト Vladimir Vlasov、ギタリスト Ilya Mudrenov、ベーシスト Pavel Pravdin、ドラマー Rinat Kildeev の 4 人体制で制作され、クレジットを見るとメンバーはそれぞれ英名も持っており、国外進出を目論んでいたのだろうと推測される。初期 Suffocation にも似たバウンシーなグルーヴを武器に自由自在にテンポチェンジしながら、ドゥーミーなリフを次々を刻み込んでいく。残念ながらこのアルバムのみで解散。

Rage of Kali
Nuclear Mahasamadhi   Ⓐ Aspherical Arts Productions   ⊙ 2017   ●ロシア

2012 年モスクワで結成。Katalepsy や Abnormity ほか数多くのブルータル・デスメタル・バンドでその実力を見せつけてきたドラマー Osip Danko、ギタリストの Mikhail Skorlupkin と Mikhail Shepelev、ベーシスト Vladimir の 4 人体制で動き出し、本作にはゲスト・ボーカリストとして Dopehaze などに在籍する Andrey が参加している。とにかくこの Andrey のガテラルが凄まじく、あばら骨が浮き出るほどの息使いで咆哮を続ける。デプレッシヴなメロディをまとったデスメタルのおどろおどろしさも相まって、言いようのない不気味さが充満する一枚。

Sentenced to Dissection
Between the Worlds   Ⓐ Independent   ⊙ 2012   ●ロシア

2009 年モスクワで結成。本作は彼らが残した唯一の作品で、ボーカリスト Sergey Yurchenko、ギタリストの Vova と Evgeny、ベーシスト Maxim、ドラマー Makar の 5 人編成でレコーディングされた。機械のようなブラストビートにギターとベースがユニゾンしながらうねり狂う Origin のようなサウンドを軸に、スラミング・リフを突如ぶち込むという荒技を披露。真っ赤に開けた口をほとばしり出る咆哮は、人間とは思えないローの利いたガテラルで視界が揺れる程だ。リリース後、活動休止となってしまったが、Sergey は Anxiety Addiction などブルータル・デスメタル・バンドで活躍中。

Sieged Mind
Emptiness   Ⓐ MetalAgen   ⊙ 1996   ●ロシア

1993 年トゥーラで結成。元々 Agent Orange という名前で 1992 年に結成されているが同名のパンクバンドの存在に気付き、改名する形でスタート。ギター / ボーカルの Mikhail Guz、ベース / ボーカルの Oleg Ponomarev、ドラマー Andrey Sukhanov のトリオ編成でアルバムのレコーディングを行った。先人達が鳴らしたテクニカルなデスメタルをよりメロディアスにアップデートさせ、埋もれていたドラマ性に光を当てたことは Sieged Mind の大きな功績だ。インスト曲を挿入したりクリーンパートを盛り込んだのも当時、斬新なアイデアだったに違いない。

Succubus
🔴ロシア

Destiny
🅐 MetalAgen 🔵 1995

1991年モスクワで結成。当初は女性メンバーのみのデスメタル・バンドであったが、プロデューサーが Svetlana 以外のメンバーを解雇。本作はボーカリスト Eddi、ギタリストの Vladimir、ベーシスト Boris、ドラマー Vasily に加え紅一点 Svetlana がギターを務めている。Nocturnus を彷彿とさせるドラマ性を持ち、当時のロシアン・デスメタルの名手だった Vasily のマシーンのようなドラミングが異次元のスピードで繰り広げられる。アンビエントなインスト曲も組み込み、強烈なインパクトを残したものの、リリース後すぐに解散。Svetlana が死去した後、2020年に1日だけ再結成。

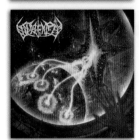

Unplexiety
🔴ロシア

Messorem
🅐 Independent 🔵 2021

2012年サンクトペテルブルクにて結成。2018年に EP『Anomalies of Consciousness』を発表、Darknagar Records のコンピ『Russian Death Metal vol.05』への参加を経て本作を完成させた。ボーカリスト Sergey Shatalin、ギタリスト Segey Minaev、ベーシスト Stas Budin、ドラマー Nikita Ostretsov の4ピースでレコーディングされた本作は、音速のタッピングフレーズをこれでもかと盛り込む本格派でありながら、ハードコアとの親近性を持つボーカルが異彩を放つ。

Deathbringer
🔴ベラルーシ

It
🅐 Unique Leader Records 🔵 2022

2001年グロドノで結成。Disloyal などに在籍するギタリスト Artem Serdyuk によって立ち上げられ、セカンド・アルバムとなる本作までにボーカリスト Mario、Posthumous Blasphemer に在籍した経歴を持ち、Amentia で Artem とバンドメイトだった Alexander、Disloyal などで活躍したドラマー Krzysztof というラインナップになり、Unique Leader Records と契約。一般的なデスメタルの展開の概念をぶち壊し、ドラマ性を徹底的に排除。アヴァンギャルドでテクニカルな不協和音をふんだんに散りばめ、暴力的に駆け抜けていく。

Eximperituserqethhzebibšiptugakkathšulweliarzaxułum
🔴ベラルーシ

Prajecyrujučy Sinhuliarnaje Wypramieńwańnie Daktryny Absaliutnaha J Usiopahłynałnaha Zła Skroź Śaścihrannuju Pryzmu Sïn-Ahhï-Erïba Na Hipierpawierchniu...
🅐 Willowtip Records 🔵 2016

2009年ミンスクにて結成。在籍メンバーは公表されておらず、写真もなく謎に包まれている。バンド名は Eximperitus と略すことが一般的だ。本作は Sergey Liakh がプロデュースを担当し、アートワークは Pär Olofsson が手掛けている。デスメタリックなメロディフレーズを炸裂させながら、ハイスピードなブラストビートを冷酷に叩き込んでいく。ゴリゴリとしたリフはオールドスクールな雰囲気を醸し、Slaughterbox のようなカオティックさも兼ね備えている。曲名はすべてベラルーシの古語を用いており、楽曲テーマも古代エジプトやシュメール文化をモチーフにしている。

Eximperituserqethhzebibšiptugakkathšulweliarzaxułum
🔴ベラルーシ

Šahrartu
🅐 Willowtip Records 🔵 2021

恐ろしく長いバンド名、奇天烈なバンドロゴ、メンバーの名前や顔を公表しない神秘的な存在感を放つ Eximperitus のセカンド・アルバム（ユニットであることが本作で判明している）。ドゥーミーなリフをスローに刻みながら、どっしりと重厚なビートが地鳴りの如く鳴り響く。軸になるビートの遅さによってブラストビートの疾走感は際立っており、「Utpāda」や「Tahādu」といった楽曲で顕著に出ている。ドゥームやスラッジとの交わりによって、テクニカル・デスメタルの可能性を大きく拡大することに成功、Willowtip Records らしいサウンドとも言えるだろう。

Irreversible Mechanism
Infinite Fields
ベラルーシ　Blood Music　2015

2012 年ミンスクで結成。ギタリストでありコンポーザーを務める Vladislav
Nekrash とベース / ボーカルを担当する Yaroslav Korotkin のユニットとして始
動。本作はゲスト・ドラマーとして The Faceless や Mithridatum で知られる Lyle
Cooper が参加。The Faceless をお手本としながらも、よりデスメタルへと接近し
ていく壮大でスペクタクルなサウンド・デザインが魅力的だ。リード曲「Infinite
Fields」ほか、ユーモラスで遊び心に富んだギターソロが常に楽曲の要として輝き、
奥深さを引き出している。

Irreversible Mechanism
Immersion
ベラルーシ　Blood Music　2018

Vladislav を中心にユニット体制からバンド体制となったセカンド・アルバム。ボー
カル Ilya、ギタリスト Andrey、ロシア出身で Cannibalistic Infancy や Dark Matter
Secret で活躍するベーシスト Pavel Semin が加入。ゲスト・ドラマーに世界最速
ドラマー大会のオーストラリア代表ファイナリストとして知られる Ne Obliviscaris
の Daniel Presland が参加している。グッとプログレッシヴ・メタルへ舵を取りな
がらも要所要所にデスメタリックな質感を組み込み、「Abolution」のミュージック
ビデオではパフォーマンスの魅力も発揮。

Posthumous Blasphemer
Fracture the Worship
ベラルーシ　Coyote Records　2008

2001 年ミンスクにて結成。Eximperituserqethhzebibšiptugakkathšulweliarzaxul
um のメンバー（と言われている）Fiendharon のソロ・プロジェクトとして始動。
Deicide のデスメタルをテクニカルにアップデートしたかのようなサウンドを鳴ら
し、展開を重ねながらスピードアップ。4 枚目のフル・アルバムとなる本作は、閃
光のように駆け抜けるブラストビートによってヒートアップしていくデスメタル・
グルーヴに、狂ったようなギターソロが火花を散らしながら炸裂していく。全てを
燃やし尽くす熱血テクニカル・ブルータル・デスメタル。

Posthumous Blasphemer
Exhumation of Sacred Impunity
ベラルーシ　Coyote Records　2014

5 枚目フルレングス。本作から数々のベラルーシ産メロディック・デスメタル・
バンドで活動してきたドラマー Dan が加入。ストップ & ゴーを繰り返しながら、
フリーキーなブラストビートを所々に突っ込みながら突き進んでいくスタイルを
得意とし、奇想天外なフレーズの数々に耳が追いつかなくなっていく。リーダー
Fiendharon の奏でるメロディアスなフレーズは驚くべきテクニックで繰り広げら
れ、Posthumous Blasphemer サウンドの核として圧倒的な存在感を示している。
本作の後はライブ活動を続けていたがメンバーが定まらず、2023 年のシングルリ
リースまで制作活動はストップしていた。

Relics of Humanity
Guided by the Soulless Call
ベラルーシ　Amputated Vein Records　2012

2007 年ミンスクで結成。デビュー・アルバムとなる本作は、ボーカリスト Ivan
Ksenz、ギター / ベースを兼任する Sergey Liakh、ドラマー Pavlon Vilchitsky のト
リオ編成でレコーディングされた。強烈なリバーブで悪魔の叫び声のように響く
Ivan の支配的なガテラルは圧巻で、ベースドロップと重なった瞬間の爆発力は凄
まじい。その後ろで黙々と叩き込まれるドラミングは、個性的なシンバルワークを
隙間なく詰め込み、ローに徹底していながらもメロディアスなリフと巧みに重なり
合いながら暗黒の世界観を突き進んでいく。Jon Zig が手掛けたアートワークも彼
らの世界観を見事に表現している。

Relics of Humanity
○ベラルーシ

Ominously Reigning upon the Intangible
🅐 Amputated Vein Records　🅓 2014

2年振りのリリースとなったセカンド・アルバム。本作から新たにボーカリスト Vladimir Borodulin が加入。Sergey 自身がプロデュースからミックスまでを施し、Joe Cincotta がマスタリングを担当した。聴くものを異世界へと引きずり込む彼らのサウンド。そのスケールの大きさは前作以上に膨張しており、楽曲構成も優れている。カオス感こそ薄れたものの、サウンド・プロダクションの向上によって立ち現れたテクニカルなバンドとしての魅力は、彼らの独自性を圧倒的なものとして確立している。本作以降アルバムリリースはないが、2019 年に EP『Obscuration』を発表している。

Vein of Hate
○ベラルーシ

Dualist
🅐 NitroAtmosfericum Records　🅓 2015

2005 年南東に位置する都市ホメリで結成。メロディック・デスメタル・バンド Stormhold を脱退したギタリスト Dmitry とドラマー Igor、ボーカル Sergey を中心に活動をスタートさせた。結成から 2010 年の月日を経て完成させたデビュー・アルバムとなる本作からは 5 人体制を取り、どろどろとした分厚いグルーヴをより強固なものとした。ストレートなデスメタルに差し込まれる変拍子のスラップベース、ノイズをまとったブラストビートが続々と背筋を襲ってくるような恐怖感にあふれている。2017 年にデモテープを発表した後、しばらく活動がストップしている。

Zarin
○ベラルーシ

When the Time Goeth Mad
🅐 Fono Ltd.　🅓 2014

2005 年ヴィーツェブスクにて結成。長らくリリースがなく、結成から 9 年の時を経てデビュー・アルバムとなる本作を発表。ギタリスト兼コンポーザーの Valentin を中心に、Ivan、Nikolay、Vasilly、Mangler の 5 人からなる Zarin のサウンドは、バンドロゴからも分かるようにブラックメタルからの影響が色濃く、それは特にドラミングに感じられる。「ブラックメタル化した Origin」と形容したくなるそのサウンドは、暴走機関車の如くファストに叩き込まれるドラミングに、メロディックなリフが奇怪な旋律の上を踊る。アルバムを通じてドラマ性があり、思わずその世界観にのめり込んでしまうだろう。

Cryogenic Implosion
○ウクライナ

Creation of the New World
🅐 Metal Scrap Records　🅓 2011

2007 年西部の都市チェルニウツィーで結成。ギター / ボーカルの Pavel、6 弦ベーシスト Lem8r、ドラマー Presfer のトリオ編成でレコーディングが行われた。彼らが唯一残した作品である本作は、Morbid Angel や Cannibal Corpse、Grave といったオールドスクール・デスメタルに 90 年代のテクニカル / ブルータル・デスメタルのエッセンスを詰め込んだ仕上がりで、淡々とマニアックなデスメタリック・リフを刻み続ける。その飾り気のない純粋さはコアなデスメタル・リスナーのツボにハマること間違いなし。2013 年にシングルをリリースしているものの、以降目立った動きはない。

Hedonistic Exility
○ウクライナ

Deevolutional Stasis
🅐 Eclectic Productions　🅓 2010

2007 年キーウで結成。ボーカル Max、ギタリスト Alex、ベーシスト Chub、ドラマー Tsladimir の 4 人からなる Hedonistic Exility のデビュー作は、同郷のアンダーグラウンド・メタルレーベル Eclectic Productions と契約してリリースされた。マスコアの影響を強烈に感じさせるタッピングフレーズを隙間なく詰め込みながら、アクセルとブレーキを巧みに切り替えながら疾走するテクニカル・デスメタル / デスコアをプレイ。本作以降、目立った活動はないがメンバーらは Dysphoria、Derogation、Ideologies Embodied といったバンドで活動している。

Schizogen
○ウクライナ

Spawn of Almighty Essence
🄌 Willowtip Records 🄎 2020

2011年キーウで結成。2016年にデビュー・アルバム『Parasitic Origin』を発表、4年振りのリリースとなった本作は、ボーカリスト Pablo Limbargo、ギタリスト Artyom Vladimirov、ベーシスト Pavlo Shkodyak、ドラマー Vadym Matiiko の4人でレコーディングされている。刺々しいリフとブラストビートのブルータルなスタイルを基本としながら、予測不能なテンポチェンジを自由奔放に繰り出していく。その鮮やかな展開を可能にするテクニックとセンスには光るものがあり、どこか Cryptopsy を彷彿とさせるユニークさを感じさせてくれる。

Abnormyndeffect
○モルドバ

Betwin
🄌 Macabre Mementos Records 🄎 2008

2004年キシナウで結成。2003年に活動開始した Butchers が改名する形で Abnormyndeffect がスタート。Sepsys などでプレイしていたドラマー Stefan、ギタリストの Radu を中心に、ベーシスト Oleg、ボーカリスト Mircea が参加し、楽曲制作がスタート。日本のレーベル Macabre Mementos Records とサインし発表された本作は、カオティックなフレーズが随所に散りばめられた個性的な楽曲が多く、終始荒々しく展開するアヴァンギャルドなギターフレーズに眩暈がする。「Cure For the Obscure」は Meshuggah に近いグルーヴがある。

Abnormyndeffect
○モルドバ

Curtea Supremă
🄌 Macabre Mementos Records 🄎 2013

5年振りのリリースとなったセカンド・アルバム。アルバムタイトルの『Curtea Supremă』は、モルドバ語と実質上ほぼ同じのルーマニア語で「高等法院」を意味する。ウクライナのレーベル Imbecil Entertainment と契約、新しくベーシスト Yura を加え制作された本作は、前作『Betwin』では見られなかったキャッチーなフレーズが大幅に増加され、カオティックなフレーズは影を潜めている。ビートダウン・ハードコアの影響を強く受けたモッシーリフも炸裂、スラミング・ブルータル・デスメタルに接近する場面も数多く見られる。

Ritual Mortis
○ジョージア

Possessed by Machines
🄌 Independent 🄎 2020

2016年トビリシにて結成。ボーカリスト Aleqsandre Gigauri、ギタリスト Tazo Kikoria、ドラムなどの打ち込みを担当する Bakuri Batsashi のトリオ編成で活動をスタート。本作の制作を始める直前に Tazo が脱退、Bakuri が全ての楽曲制作を行い、レコーディングが進められた。良い意味でプログラミングらしさが残るサウンド・デザインは、Putrid Pile や Perverted Dexterity を思い起こさせる。整合感のある複雑なリフワークは、Severed Savior にも似たメロディアスな趣を感じさせてくれる。

Bohema
○ジョージア

Two Sides of the Coin
🄌 Metal Renaissance Records 🄎 2012

2001年首都トビリシで結成。ドラマー Paata Baramidze を中心に発足、本作までに『Eternal Slaves』『Endless Greatness』と2枚のアルバムをリリース。Paata に加え、ギター／ボーカル George Gelashvili、ベーシスト Giorgi Zautashvili のトリオ編成で制作された。シュメール神話や神秘主義、哲学をテーマとし、そのサウンドも全編に渡ってオリエンタルなムードがあり、コンセプトに根ざしたディテールの美しさに驚く。ドラマ性のある展開美と確かなテクニックで聴きごたえも十分。

代表的レーベル Unique Leader と Willowtip

　世界中からテクニカル・デスメタル・バンドを発掘し、リリースを続ける 2 大巨頭 Unique Leader Records と Willowtip Records。どちらもテクニカル・デスメタル専門レーベルではないものの、それぞれに確かな眼差しで長年多くのアーティストを世に送り出してきた。このジャンルを語る上で欠かすことの出来ない両レーベルのキャリアと特色をまとめた。

Unique Leader Records

　1999 年、ブルータル・デスメタル・バンド Deeds of Flesh のギター / ボーカル Erik Lindmark によってアメリカ・カリフォルニア州を拠点に設立された。Deeds of Flesh のリリースはもちろん、Disgorge や Spawn of Possession、Decrepit Birth や Severed Savior などブルータル・デスメタル・シーンのトップ・バンドを中心としたリリースを手掛けた。Deeds of Flesh のスタイルの変化に呼応するように、ブルータル・デスメタルを軸としつつも、テクニカル・デスメタル、プログレッシヴ・デスメタル・アーティストのリリースも手掛けるようになっていった。Erik の死後、2020 年代になると、デスコア・シーンにおいても重要レーベルとして存在感を放つようになっていった。

Willowtip Records

　Carnage や Leng Tch'e などデスメタルやグラインドコアといったジャンルの中でもアヴァンギャルドな魅力を放つ芸術性の高いアーティストのリリースを手掛け、多くの新人アーティストを発掘。Gorod や Arsis などといったテクニカル・デスメタル、メロディック・デスメタルから Gigan、Ulcerate といったアヴァン・プログレッシヴ・テイストなアーティストまで幅広くエクストリーム・メタルの技巧派を世に送り出し、テクニカル・デスメタル・シーンにおいても大きな影響力を持つレーベルである。Desecravity、Defeated Sanity、Fleshgod Apocalypse など個性豊かなリリースでファンを楽しませる。

CHAPTER 4
ASIA, OCEANIA AFRICA, INTERNATIONAL

アジア、オセアニア、アフリカと、それぞれテクニカル・デス
メタル・シーンと呼べるほど多くのバンドが存在しているわ
けではないが、世界を舞台に活躍するバンドが点在している。
オーストラリアの Psycroptic は、2000 年代初頭に結成され、
Nuclear Blast や Prosthetic Records といったグローバルな人
気を持つレーベルからアルバムをリリース、世界各国で公演を
行うなど突出した人気を誇る。日本も 1990 年代から国際的な
舞台で活躍するデスメタル・バンドが続々と登場、2000 年代
後半になると、日本のデスメタル、特にブルータル・デスメタ
ルは世界的にも大きな注目を浴びていた。そんな中、登場した
Desecravity は頭ひとつ抜きん出たテクニカル・サウンドでデ
ビュー・アルバムから Willowtip Records と契約し、世界的な
人気を獲得した。アジア各国でもデスメタルは盛り上がりを見
せ、世界水準のテクニックを持つバンドが登場している。シー
ンと呼ばれるほどバンド数は多くないものの、近年はインドネ
シアや中国、南アフリカからは驚くべきテクニックを持つバン
ドが続々と世界へ進出してきている。

タスマニア出身ミュージシャンとして最も世界中をツアーした！

Psycroptic

🕐 1999 年　🌐 オーストラリア・タスマニア州ウェスト・ホウバート　👤 David Haley, Joe Haley
🎸 CrisisAct, Disseminate, Domination Campaign, Born Headless, M.S.I.
🎵 Decrepit Birth, Hideous Divinity, Necrophagist
◎ シンプルなプロダクションだからこそ映えるシャープなテクニック、David と Joe の卓越されたコンビネーション
🌀 ファンタジー、政治、死

　1999 年オーストラリア・タスマニア州ウェスト・ホウバートを拠点にドラマーの Dave とギタリストの Joe の Haley 兄弟によって結成された。二人は元々 Disseminate というバンドを 1998 年に立ち上げ、デモテープを録音したがすぐに解散。Psycroptic として本格的に始動した。2001 年にリリースしたアルバム『The Isle of Disenchantment』は、タスマニアの文化振興会 Tasmanian Council of the Arts の援助によってレコーディングされた。デビュー作とは思えない高い完成度で、すぐにオーストラリアのメタル・シーンから一目置かれる存在となり、精力的にライブ活動をこなしながら、次第にその名を世界に広めていった。

　2003 年に Unique Leader Records と契約を果たし、セカンド・アルバム『The Scepter of the Ancients』をリリース。オーストラリアへツアーで訪れる大物デスメタル・バンド達のオープニング・アクトの常連となっていった。Psycroptic 以外の音楽活動も活発で、同郷のインダストリアル・バンド The Amenta へ参加、ブラックメタル・バンド Ruins での活動も兄弟でサポートするなど、シーンに認められたテクニックで地元のアンダーグラウンド・シーン全体の底上げに尽力した。

　2004 年には、Deeds of Flesh とのオーストラリア・ツアーを行った後、Dismember と Anata と共にヨーロッパ・ツアーを行い、国際的なバンドとしてツアー活動も行っていった。バンドの状況が大きく変わっていく中で、オリジナル・メンバーとしてフロントマンを務めてきた Matthew "Chalky" Chalk が脱退。新たに Chalky と共に Born Headless というバンドに在籍していた Jason Peppiatt がツアー後に正式に Psycroptic

へと加入した。

2006 年、Neurotic Records からサード・アルバム『Symbols of Failure』をリリース。このアルバムを提げ、Nile とのヨーロッパ・ツアー、地元では Cannibal Corpse とのツアーを行うなどオーストラリアのデスメタル・シーンのトップを走るバンドへと成長していった。

2008 年、Nuclear Blast Records と契約し、同年には 4 枚目のスタジオ・アルバム『Ob（Servant）』をリリース。この頃にはオーストラリアを訪れる多くのテクニカル・デスメタル・バンドと同格にラインナップされたツアーを行うようになり、Decapitated、Origin らと共演を果たしている。2012 年には 5 枚目のアルバム『The Inherited Repression』を発表。ベテランへと成長し、多くのオーストラリアのデスメタル・バンド達のお手本としてその存在感でシーンを牽引。

2014 年、Prosthetic Records へと移籍し、翌年セルフタイトル・アルバム『Psycroptic』をリリース。このアルバムのリリースに先駆けて発表されたシングル「Echoes to Come」では、彼らの故郷の絶滅危惧種動物タスマニアデビルを救うための活動資金を集めるチャリティ活動が連動して行われ、収益を動物保護団体へと寄付している。

2018 年にはオリジナル・ベーシスト Cameron Grant が脱退し、新たに Todd Stern が加入。7 枚目のアルバム『As the Kingdom Drowns』をリリースした。活動はマイペースながら精力的なライブ活動を続け、2022 年には 8 枚目のアルバム『Divine Council』を発表。シンプルなサウンド・プロダクションだからこそ浮き彫りとなる超絶技巧の数々は、老練の成せる技であり、Dave、Joe の兄弟の繰り出す圧倒的なグルーヴは Psycroptic 最大の魅力である。

Psycroptic　　　　　　　　　　　　　◎オーストラリア
The Isle of Disenchantment　　　　　◎Independent ◎2001

1999 年タスマニア州の郊外にあるウェスト・ホウバートにて結成。兄弟であるドラマー David Haley とギタリスト Joe Haley を中心に、ボーカリスト Matthew Chalk、ベーシスト Cameron Grant の 4 人体制で活動をスタート。細やかなシンバルワークをアクセントにしながら、ドライブ感のあるリフをエンジンに、淡々と突き進む楽曲構成が印象的だ。絶叫に近いスクリームは、ミニマルな質感で整えられたサウンド・デザインの中で強い存在感を放っている。2003 年 Thanatopsis Records から再発、翌年ヴァイナル化も実現。

Psycroptic　　　　　　　　　　　　　◎オーストラリア
The Scepter of the Ancients　　　◎Independent / Unique Leader Records ◎2003

デビュー作『The Isle of Disenchantment』と同ラインナップで制作された本作は、サウンド・プロダクションも向上し、より各パートの技量を味わう事が出来る作品となっている。また Psycroptic がテクニカル・デスメタル・バンドとして認知されるきっかけとも言える内容になっている。ぐっとメロディアスになったリフワークはスピードダウンする事なくソリッドさを増し、軽快なドラミングと相互に作用しながらグルーヴを生み出している。自主制作でリリースしたものの、同年 Unique Leader Records と契約し、世界デビューを果たした。

Psycroptic　　　　　　　　　　　　　◎オーストラリア
Symbols of Failure　　　◎Willowtip Records / Neurotic Records ◎2006

ボーカリスト Matthew が脱退。本作から Born Headless で活躍していたボーカリスト Jason Peppiatt が加入している。Willowtip Records/Neurotic Records と契約、Joe によるセルフ・プロデュース & ミックスによって制作され、アートワークにも Pär Olofsson を起用するなど気合いが感じられる。『The Scepter of the Ancients』で築いた Psycroptic らしさはそのままに、Jason のユニークなボーカルワークが暴虐性を加速させ、以降 Psycroptic の重要な要素として実力を発揮していく。

Psycroptic
オーストラリア
Ob(Servant)
Nuclear Blast ● 2008

Willowtip Records/Neurotic Records からリリースした前作『Symbols of Failure』によって、Psycroptic の存在は世界のテクニカル・デスメタル・リスナーへと広まった。メタル名門レーベル Nuclear Blast へと移籍し、制作された 4 枚目フルレングスとなる本作は、Machine Head のギタリスト Logan によってミックス & マスタリングが施され、上質なサウンド・プロダクションで仕上げられている。プログレッシヴなフレーズを組み込んだことにより、楽曲にドラマ性が生まれ引き締まった作品を生み出す事に成功。

Psycroptic
オーストラリア
The Inherited Repression
Nuclear Blast ● 2012

2010 年にライブ・アルバム『Initiation』のリリースを挟み、4 年振りに制作された通算 5 枚目となる本作は、Joe のセルフ・プロデュース & ミックス、Alan Douches のマスタリングによって仕上げられた。抜群のコンビネーションを誇る Joe と David のグルーヴは細かく練られた楽曲と、それを弾きこなすテクニックによって華麗に鳴らされる。Colin Marks によって手掛けられたアートワークからも感じられるように、プログレッシヴなスタイルへと傾倒し始めた Psycroptic の新たな一面を垣間見る事が出来る作品となっている。

Psycroptic
オーストラリア
Psycroptic
Prosthetic Records ● 2015

過去作をまとめた 4 枚組ボックスセット『The Early Years』を挟み、3 年振りのリリースとなった 6 枚目フルレングス。バンド名を冠した本作から Prosthetic Records へと移籍、前作同様 Joe のセルフ・プロデュース & ミックスによってレコーディングが行われた。エレクトロニックなアレンジによってほんのり香るオリエンタルな香りをアクセントに、超絶技巧が炸裂する楽曲を次々にプレイ。テクニカル・デスメタルの枠を超え、スラッシュメタル、プログレッシヴメタルも飲み込みながら Psycroptic 流のテクニカル・サウンドを確立。

Psycroptic
オーストラリア
As the Kingdom Drowns
Prosthetic Records ● 2018

2015 年からライブ・ベーシストとして参加していた Abacinate の Todd Stern が正式加入し、制作された 7 枚目フルレングス。近年 Psycroptic が挑戦してきたスタイルから、Nuclear Blast 時代のファストなテクニカル・サウンドへと回帰。Joe がプロデュースを務め、ミックス & マスタリングは Thy Art is Murder や Aversions Crown など同郷のデスコアバンドを手掛けてきた Will Putney が担当。バウンシーなリフを取り入れた事によって浮かび上がる卓越されたテクニックは、目を見張るものがある。

Psycroptic
オーストラリア
Divine Counsil
Prosthetic Records / EVP Recordings ● 2022

4 年振りのリリースとなった 8 枚目フルレングス。近年の Psycroptic はダイナミズムを追求しようとせず、ミニマルなスタイルへと静かにアップデートを続けてきた。派手な装飾をそぎ落とし、スラッシュメタルやオールドスクール・デスメタルが持つグルーヴを老練のテクニックで生み出すことを得意としている。アルバムのオープニングを飾る「Rend Asunder」に代表されるような、スラッシーな刻みを主体とした楽曲が大半を占めている。聴き心地を徹底的に追求したテクスチャーの良さは格別で、エンディングの「Exitus」まで持てる才能を発揮したベテランならではの仕上がりになっている。

Psycroptic インタビュー

Q：まず簡単にお名前とパートを教えてください。

A：やあ、日本の皆さん！ 私は Todd Stern、Psycroptic でベースを弾いてるよ。

Q：Psycroptic というバンド名の由来は何でしょうか？ また、結成から現在まで使用している美しいバンドロゴについてもお聞かせいただけますか？

A：バンド名は Psycroptic という言葉の響きが気に入って採用したんだ。例えば、自分のバンドを「Fetal Milkshake」みたいにしたら、ニッチな感じになってしまうからね。俺らのギタリスト Joe Haley が作ったものさ。彼は才能に溢れているよ。

Q：1999 年の結成から約 2 年後にデビュー・アルバム『The Isle of Disenchantment』をリリースしましたよね。当時のオーストラリアのデスメタル・シーンはどんな感じでしたか？ シーンの反応はいかがでしたか？

A：俺は当時、まだバンドに在籍していなかったしアメリカ出身だから、直接の経験から話すことはできないんだけど、実際に加入して彼らの古くからのファンと話す機会にこの質問のような話をしたことがあるんだ。オーストラリア、特にタスマニアの音楽シーンは、Psycroptic の激しいサウンドを受け入れ、そして今ではタスマニアで最も世界中をツアーしたバンドとして有名なんだ。

Q：2003 年に伝説的なアルバム『The Scepter of the Ancients』がリリースされ、2006 年には Neurotic Records から『Symbols of Failure』がリリースされましたね。この頃、ボーカルとして長きに渡りバンドの顔と言える Jason Peppiatt が加入していますが、Jason との出会いはどのようなものだったのでしょうか？

A：Jason は 2018 年まで Psycroptic に在籍したオリジナル・ベーシストの Cameron Grant と幼少期から一緒に遊んだりしていて親友だったんだ。この頃はまだ友達同士が集まってやってる感じだったそうだよ。

Q：2008 年に Nuclear Blast と契約し、アルバム『Ob（Servant）』をリリースしましたね。このアルバムはテクニカル・デスメタルの歴史において重要な作品だと思います。大手レーベルからアルバムをリリースした後の反応はいかがでしたか？

A：間違いなく『Ob（Servant）』は Psycroptic のターニングポイントになったアルバムで、本物のバンドになったと感じた作品だ。俺もずっと彼らとは仲間だったけど、ライブメンバーとして関わり出したんだ。というのも、バンド史上最も過酷なツアーをこなしていた時期だったんだ。オーストラリアだけでなく、世界からポジティブな反応もあったよ。2015 年からバンドに参加し、400 回以上のライブをこなしてきたが、今でもライブでは必ずこのタイトル曲を演奏している。私たちのセットでは定番だし、これからもそうであってほしいよ。

Q：2012 年には『The Inherited Repression』を発表、続く『Psycroptic』は 2015 年に Prosthetic Records からリリースされましたね。特に『Psycroptic』は新しい試みを多く取り入れたように感じましたが、このアルバムでどのようなサウンドを作りたかったのですか？

A：君が言うように、『Psycroptic』のリリースから、俺らのライティングにおけるプロセスや考え方が変わったんだ。そして現在まで続く雛型とも言うべき一つのスタイルを完成させることが出来たんだ。新しいPsycropticだよ。これは上手く表現することが難しんだけど、それまで以上にテクニカル・デスメタルの「歌」と言うところを深く考えるようにしたんだ。ヴァース、コーラス、ヴァースと言うように、歌の強さを生かす為にテクニカル・デスメタルの形を変えてみたんだ。端的に言えばキャッチーな楽曲が増えたのさ。

Q：アルバム『As the Kingdom Drowns』は

2018年にリリースされ、デスメタルだけでなく、デスコア、メタルコアの名だたる名盤を手がける Will Putney がミックスとマスタリングを担当しています。彼との作業はいかがでしたか？ Todd が正式加入したのもこの頃ですか？

A：そう、これまではライブ・ベーシストとして長年 Psycroptic とは関わり続けてきたんだけど、Psycroptic のアルバム制作に最初から参加したのはこのアルバムからだ。Will は完全なるレジェンドで、いつも一緒に仕事をするのが楽しいよ。個人的には Will と 20 年来の仲で、俺が参加してきた様々なプロジェクトで一緒になることが多かったんだ。だから、彼の素晴らしい仕事を知っていたし、『As the Kingdom Drowns』も本当に刺激的な制作で思い出深いものになったよ。彼との仕事は、「Keep it in the family」と言うべき雰囲気だったね。

Q：2022年の『Divine Council』は、個人的に最初に聴いた時に衝撃を受けました。サウンド・プロダクションは特に素晴らしく、ソングライティング、テクニックも一級品だと思います。そして何といっても、すべてがシンプルに感じます。Psycroptic の魅力がピュアに詰まっていると思いますが、制作、レコーディングはいかがでしたか？

A：『Divine Council』は新型コロナウイルスのパンデミックの真っ最中に制作され、レコーディングが行われたんだ。まずは Joe が全曲をある程度作り上げてくれて、どのようなコンセプトのもとにレコーディングを進めていくかが協議された。これまでのように、部屋に集まってレコーディングすることが出来なかったし、俺はアメリカに帰国していたこともあって、自分のパートをニュージャージーの自宅で録音して Joe にメールで送っただけなんだ。それぞれが別々で録音されたもので、様々な技術を駆使して完璧な仕上がりまでもっていったのは、今までにない面白い作業だった。アルバムを出してすぐにツアーと言うような、これまでのような活動が出来なかったのは心残りで、アルバムを PR するのは大変ではあったね。

Q：Psycroptic のメンバーのような優れたテクニックを長年維持するために、普段どのような練習をしていますか？

A：Psycroptic のオリジナル・ドラマー Dave の話をしてみよう。彼はどんな時でも、ドラムが叩ける環境にいる。最低でも1時間は毎日叩き続けているんだ。彼はドラムを教えることもしているし、オーストラリアのほとんどのデスメタル・バンドのドラマーと親交があり、ドラミングに関する情報交換に余念がないんだ。実際に幾つかのバンドにレコーディング・ドラマーとして参加しているしね。Joe はみんなも知っている通り、間違いなく世界最高峰のギタリストだ。でも、めちゃくちゃ練習しているのは見たことがないんだよね。練習しているのは確かだけど、もしかしたら思ったより少ないのかもしれない。バンドメンバーの俺でも、彼の練習している姿を見たのはほとんどないよ。俺は物販担当として、他のバンドとツアーに出ることが多くて、数ヶ月楽器を演奏することから離れることもある。でも、そういう時間が上手くなるには大切だったりすると思うことがあるかな。

Q：最後の質問です。David と Joe は兄弟でありながら、バンドメイトとしても長い間一緒にいますよね。兄弟でバンドをやっていて面白いと思うことはありますか？

A：いい質問だね。兄弟でバンドをやるのは、かなりクールなことだと彼らを見ていて思うんだ。Sepultura や Pantera も、兄弟の魅力というものがあるよね。メタル・バンドにとって少なからず兄弟でバンドをやると言うのは憧れでもある。残念ながら俺の兄はバンド活動には興味がなかったからね。彼らのミュージシャンとしての一面と家族としての一面が感じられること、そして彼らの両親を知っていることは素晴らしいことであり、オーストラリアのデスメタル・シーンのコミュニティに与えた影響もかなりあると思うよ。楽しいインタビューをありがとう！

Blade of Horus

● オーストラリア

Obliteration　　　　　🅐 Lacerated Enemy Records ● 2018

2015 年シドニーで結成。デビュー・アルバムとなる本作は、ボーカル Phoone、ギタリストの James と Ivan、ベーシスト Jordan、ドラマー Sebastian の 5 人体制でレコーディングされた。アルバム・タイトルや楽曲名からもわかるように Nile や Born of Osiris から影響を受け、古代文明をテーマにオリエンタルなアレンジを施したテクニカル・デスメタルを鳴らす。特に James と Ivan によるギタリスト・コンビの職人技のような技巧がたっぷりと盛り込まれており、さりげないオーケストレーションも高貴に漂い、緊張感のあるムードを醸し出している。

DeathFuckingCunt

● オーストラリア

Decadent Perversity　　　　🅐 Transcending Obscurity Records ● 2022

2007 年パースで結成。本作はボーカリスト Blake Simpson、2019 年から Viraemia に在籍しているギタリスト Ollie Morgan、ブラックメタル・バンド Wardaemonic のベーシスト Brad Trevaskis とドラマー Maelstrom でレコーディングされたセカンド・アルバム。刺々しいリフと共に踏み込まれるキックペダルが火を噴く光速スタイルで、粘っこいベースラインも印象的だ。Origin にも通ずるスタイルでありながら、根っこにあるブラックメタルの荒っぽさが DeathFuckingCunt の暴虐性を高めてくれる。作り込まれたコーラスパートもユニークだ。

Infinite Density

● オーストラリア

Recollapse of the Universe　　　　🅐 Independent ● 2016

2014 年メルボルンで結成。Infinite Density はユニットとしてスタートし、Hadal Maw や Vipassi といったプログレッシヴ・デスメタル・シーンで活躍する Ben Boyle がボーカル / プログラミング、Ne Obliviscaris に在籍した経歴を持つ Brendan Brown がギター、ベース、ドラムを担当している。2 人共 Vipassi というバンドで一緒であったが、このユニットではコズミックな世界観を全面に打ち出したテクニカル・デスメタルをプレイしている。笛の音色やアコースティックギターが紡ぎ出すセンチメンタルなアルペジオが面白い。

Depravity

● オーストラリア

Grand Malevolence　　　　🅐 Transcending Obscurity Records ● 2020

2016 年パースで結成。2018 年にデビュー作『Evil Upheaval』をリリース、本作は Inanimacy のボーカル Jamie、Iniquitous Monolith などで知られるギタリスト Lynton と Jarrod、ベーシスト Ainsley、スラッシュメタル・バンド Bloodlust でも活躍するドラマー Louis の 5 人で制作された。黒煙を上げながら爆発的な勢いで叩き込まれるブラストビートに巻き付くようにして刻み込まれるブルータルなチェーンソーリフ、Jamie のガテラルもサタニックな風格があり、最初から最後までその熱気をキープしたままというのが凄まじい。

Ouroboros

● オーストラリア

Glorification of a Myth　　　　🅐 Independent ● 2011

2001 年から活動していた Dred が 2009 年に改名する形でスタート。デビュー・アルバムとなる本作は、ボーカル Evgeny、ギタリスト Chris、ベース / ボーカルの Michael、ドラマー David の 4 人編成で制作された。シックな雰囲気ですっきりとしたサウンド・デザインで仕上げられており、作りの良さが感じられる。ゴージャスにテンポチェンジするタイトなドラミングの上を踊るように、ハーモニー豊かなギターソロが繰り広げられていく。Decrepit Birth や Psycroptic を彷彿とさせる瞬間も多く、飽きの来ない展開に飲み込まれていく。

Revulsed
●オーストラリア

Infernal Atrocity   ● Permeated Records ● 2015

2010年メルボルンで結成。それぞれにメタルシーンにおいて長いキャリアを持つ凄腕達が集結。デビュー作となる本作のラインナップは、Defeated Sanity やDespondency などに在籍したボーカリスト Konstantin、Incarnate のギタリストShaldon、ベーシスト Mark、Mortification や Horde に在籍したドラマー Jayson の4名。Konstantin の怪物のようなガテラルが火蓋を斬り、スペクタクルなリフと凶暴なドラムがドカドカと突進しながらブルータルな楽曲を展開していく。おどろおどろしさとテクニカルフレーズが共存する快作。

The Ritual Aura
●オーストラリア

Laniakea   ● Lacerated Enemy Records ● 2015

2011年に結成された Obscenium を母体とし、2015年からパースを拠点に活動をスタート。デビュー・アルバムとなる本作は、ボーカリスト Jamie、ギタリストLevi、ベーシスト Darren、ドラマー Adam の4人でレコーディングされた。水面に乱舞する光のようなギター、ベースのタッピング、スウィープのメロディが熱っぽいほど多彩な輝きを放ち、すっきりと引き締まったサウンドの上で戯れる。ゲスト参加した Alkaloid の Christian、Rings of Saturn の Lucas の超絶技巧がさらに華を添え、眩しいほどの煌めきで多くのメタルファンを虜にした。

The Ritual Aura
●オーストラリア

Tæther   ● Lacerated Enemy Records ● 2016

デビュー作から1年という短いスパンでリリースされたセカンド・アルバム。新たにギタリスト Matthew が加入し、5人体制となった。ベーシストの Darren はこのアルバムから NS/Stick というタッピングに特化したギターを導入、Levi がキーボードを兼任するなど、創作面においていくつもの変化が見られる。クリーンパートを導入しプログレッシヴに傾倒した「Ghostgate」など、いくつかの楽曲では大きくスタイルチェンジしているが、全体的に各ミュージシャンの技巧は存分に味わえる作品となっている。1時間を超える収録曲の中には日本語の楽曲も多く収められている。

The Ritual Aura
●オーストラリア

Velothi   ● Realityfade Records ● 2019

3年振りのリリースとなったサード・アルバム。新たにカナダ・ケベック出身で日本語も話せるというギタリスト Brandon Iacovella が加入。多彩なゲスト・ミュージシャンが参加し、持ち前のメロディセンスを様々な方法で The Ritual Aura の世界観に落とし込むことに挑戦。バイオリンやヴィオラ、フルートや二胡といった楽器の音色が神秘的なサウンド・デザインをクリエイトしていく。『Laniakea』のようなテクニカル・スタイルからプログレッシヴやポストメタル的なスタイルへと傾倒していく中で、不意に顔を覗かせるブルータルなリフやブラストビートは彼ららしいアクセントと言えるだろう。

The Ritual Aura
●オーストラリア

Heresiarch   ● The Artisan Era ● 2023

Levi、Brandon 以外のメンバーが変わり、ポーランド出身のベーシスト SzymonMiłosz、Dream Void、The Odious Construct にも在籍するドラマー KC Brand、カナダ出身で Plaguebringer のボーカリスト Diaro Irvine が加入。3曲の組曲構成で収録されているタイトル曲「Heresiarch」は、大胆なテンポチェンジの要として存在感を放つ Szymon のフレットレス・ベースのうねりを頼りに、神秘的なオーケストレーション、メロディックなリフをクラシカルに響かせる。映画のサウンドトラックのような世界観が魅力的な一枚。

The Schoenberg Automaton
Apus ●オーストラリア ❹ Lifeblood ⏱ 2016

2009 年ブリズベンで結成。デビュー作『Vela』から 3 年振りのセカンド・アルバムとなる本作は、ボーカリスト Jake、ギタリストの Shayne と Damien、ベーシスト Zimi、ドラマー Nelson の 5 人体制で制作された。じわりじわりとボルテージを高めていくイントロから、解き放たれるように叩き込まれるブラストビートが印象的な「Swarm」、美的なメロディのうねりと重厚なコーラスワークが印象的な「...And Thus Spoke Helepolis」ほか、知的な造形表現の極みとも言える楽曲をドラマティックに繰り広げていく。2017 年に無期限活動休止を発表したが、メンバーはそれぞれに音楽活動を続けている。

Xenobiotic
Prometheus ●オーストラリア ❹ Unique Leader Records ⏱ 2018

2011 年パースで結成。デビュー作となる本作は、デスコア・バンド I Am Eternal に在籍していたボーカリスト TJ Sinclair、ギタリストの Nish Raghavan と Cam Moore、ベーシスト Alex Wilson、ドラマー Michael Vulin の 5 人体制で制作された。デスコアをベースとしながらもプログレッシヴなアクセントやブルータルなドラミングを差し込み、テクニカル・デスメタルのダイナミズムを持っている。「Prometheus III: Nemesis」はミュージックビデオにもなっており、若く才能溢れる彼らの作り出すドラマ性の高いストーリーに引き込まれるはずだ。

Xenobiotic
Mordrake ●オーストラリア ❹ Unique Leader Records ⏱ 2020

2 年振りのリリースとなったセカンド・アルバム。デスコアとプログレッシヴ / テクニカル・デスメタルのクロスオーバーは決して珍しいスタイルではないが、Xenobiotic は Fallujah や Rivers of Nihil に見られるアトモスフェリックなサウンド・デザインを取り入れ、本作で非常に高い注目を集めた。グルーヴメタル期の Decapitated や Meshuggah にまで接近するヘヴィネスと、Kardashev に近いブラックンとも言える浮遊感や神秘的なメロディがドラマ性たっぷりに交差。聴き終えた後は、長編映画を見終えた時のような多幸感と心地良い疲れを感じられるはずだ。

Cephalopod
A Bad Case of Unreality ●ニュージーランド ❹ Independent ⏱ 2015

2010 年パーマストンノースで結成。本作は彼らのセカンド EP で、びっしりとタトゥーの入ったヴィジュアルがインパクト大なボーカリスト Elise Gregg-Schofield、ギタリスト Brett Howard、ベーシスト Liam Cody、ドラマー Daniel Ashcroft の 4 人で録音された。メランコリックな旋律は、ギター、そしてベースのメロディックなプレイによって楽曲のあらゆるフレーズに組み込まれており、複雑なテクニカル・サウンドを色彩豊かに仕立ててくれる。メロディック・ハードコア的哀愁も取り入れる柔軟さで注目を集めたが、2017 年に活動休止している。

Dawn of Azazel
Relentless ●ニュージーランド ❹ Unique Leader Records ⏱ 2009

1999 年オークランドで結成。ベース / ボーカルの Rigel Walshe が中心となり、本作までに『The Law of the Strong』『Sedition』と 2 枚のアルバムを発表。Unique Leader Records と契約し、結成から Rigel とコンビを組んできたギタリスト Joe、新たに加入したドラマー Jeremy のトリオ編成でレコーディングが行われた。ひんやりとした空気が漂うイントロを皮切りに、不協和音を交えた不吉なメロディック・リフ、凶暴に荒れ狂うドラミングが言いようのない不安感を造形的に表現していく暗黒の 55 分。

Carnophage
〇トルコ

Deformed Future//Genetic Nightmare
Ⓐ Unique Leader Records Ⓒ 2008

2006 年アンカラで結成。Cidesphere、Burst Appeal などトルコのデスメタル・バンドに在籍していたボーカリスト Oral Akyol、Black Omen や Astral Division のドラマーとして活躍した Onur Özçelik、ギタリスト Mert Kaya と Berkan Başoğlu を中心に活動をスタート。シンプルなサウンド・プロダクションによって彼らのソングライティングのセンスが浮き彫りになっており、メランコリックなメロディが散りばめられたプログレッシヴなフレーズは、高い技術によってその輝きを保っている。ドラム、ベースのリズムパートも渋く、耳に残る。

Carnophage
〇トルコ

Monument
Ⓐ Unique Leader Records Ⓒ 2016

8 年振りのリリースとなったセカンド・アルバム。本作から Berkan に代わり、元 Cenotaph のギタリスト Serhat Kaya が加入している。ブルータルな魅力とプログレッシヴな魅力を巧妙にブレンドし、各パートの音像がクリアに分離したサウンド・プロダクションで、Carnophage の持ち味を存分に発揮している。特に「Same Old Circle」や「At the Backside of Our Civilization」における展開の妙、メロディアスな部分とヘヴィネスの融合には驚く。沈黙を破り、シーンにおける存在感を強めた渾身の一作。

Decimation
〇トルコ

Reign of Ungodly Creation
Ⓐ Comatose Music Ⓒ 2014

1999 年アンカラで結成。ギタリスト Emre Üren を中心に活動がスタート。本作までに『Entering the Celestial Ruins』『Anthems of an Empyreal Dominion』を発表。本作は、ギターを兼任するベース / ボーカリスト Erkin Öztürk、ドラマー Cem Devrim Dursun のトリオ編成で本作の制作が行われた。Molested Divinity でも活躍する Emre らしい地を這うような高速ブルータル・サウンドを基調とし、細やかなリフがじりじりとボルテージを上げていく。ミニマルな質感も彼らの世界観にマッチしている。

Molested Divinity
〇トルコ

Unearthing the Void
Ⓐ New Standard Elite Ⓒ 2020

2016 年アンカラで結成。2018 年のデビュー作『Desolated Realms Through Iniquity』で耳の肥えたブルータル・デスメタル・リスナーを唸らせた彼らのセカンド・アルバムは、Cenotaph でも活躍するボーカリスト Batu Çetin、Decimation のギタリスト Emre Üren（ベースも兼任）とドラマー Berk Köktürk のトリオ体制で録音された。真っ黒な音の塊が鼓膜に押し寄せてくる迫力のブラストビートが疾走。ピッキング・ハーモニクスを随所に散りばめながらほとんどテンポダウンすることなく、鋭く野太いリフを刻み続ける。

Molested Divinity
〇トルコ

The Primordial
Ⓐ New Standard Elite Ⓒ 2023

3 年振りのリリースとなったサード・アルバム。Emre 以外のメンバーが脱退し、新たにボーカリストとして Cenotaph、Decimation に在籍した経歴を持ち、Rektal Tuşe というグラインドコア・バンドでも活躍する Erkin Öztürk、2018 年から Putridity に在籍しているドラマー Cédric Malebolgia が加入。Molested Divinity 特有の恐怖にも似た漆黒のスピードは大幅なラインナップを経た後も健在。陰鬱なアルペジオでメランコリックなアクセントを付けながら、巧妙にアクセルとブレーキを踏み分け突進し続けていく。

Eternal Gray
●イスラエル

Your Gods, My Enemies
●Season of Mist ●2011

2001 年イスラエルの地中海沿岸にある都市テルアビブで結成。翌年デビュー作『Kindless』発表後、8 年のブランクを経て完成させた本作は、元々 USB のフラッシュドライブで自主リリースされていたものを Season of Mist がフィジカルで再発した。ボーカル Oren、ギタリストの Dory と Auria、ベーシスト Gil、ドラマー Dror の 5 人体制でレコーディングされ、Pelle Saether がエンジニアリングを担当しているこの作品は、前のめりなブラストビートに不気味な不協和音を持つリフがブラックメタルに接近しながら無慈悲に刻み込まれていく。

Oath to Vanquish
●レバノン

Applied Schizophrenic Science
●Grindethic Records ●2006

2001 年レバノンで最も人気のある夏のリゾートの一つビクファヤで結成。90 年代初頭から兄弟で Cimmerian Path や Dogma といったメタルバンドで活動していたドラム / ボーカルの Carlos Abboud、ギター / ボーカルの Elias Abboud を中心に始まり、2003 年にベース / ボーカルの Cyril Yabroudi が加入。2006 年にレバノンのメタルバンドとしては初となる海外レーベルとの契約を果たし、本作をリリースした。悪魔が乗り移ったかのように暴走するブラストビートに、地下洞窟で演奏されているような奥行きのある邪悪なボーカルが覆い被さる、デモニックなテクニカル・サウンドが印象的。

Viieden
●シリア

Calamities Inflicted
●Independent ●2012

2011 年シリアの首都であるダマスカスで結成。同郷のブラックメタル・バンド Abidetherein でもコンビを組むベース / ボーカルの Hazem とドラマー Fadi に加え、ギタリスト Abdullah が参加したトリオ編成を取る。地下数百メートルもあろうかという真っ暗闇の洞窟で、黙々と叩き込まれるようなドラミングが強烈な存在感を放っており、このドラムを聴く為だけに Viieden を聴く価値があるだろう。そのブラストビートの不気味さに覆い被さる Hazem のボーカルも徹底してドス黒い。たった 2 曲入りの作品であるが、聴いてはいけないものを聴いてしまったかのような、喪失感に襲われる。

Tyrant Throne
●ヨルダン

Abominations
●Independent ●2007

2004 年ヨルダンの首都のアンマンで結成。いとこであるベース / ボーカルの Muhannad Bursheh とギタリスト Zaher Siryani を中心に活動がスタート。本作は Muhannad がボーカル、ベース、ドラム・プログラミングを手掛けている。ローの利いたグロウルが邪悪さを滲ませ、打ち込みながらグルーヴィに展開を見せるブルータル・サウンドが魅力的だ。Cannibal Corpse の「Staring Through the Eyes of the Dead」も見事にカバー。リリース後にドラマー Hanna Marzouqa が加入したものの、2009 年に活動休止。

Scox
●イラン

Psychedelic Philosophy
●Independent ●2012

2010 年イランの首都テヘランにて結成。ボーカル Sina、ギタリスト Ali と Ramtin、ベーシスト Hamed、ドラマー Farzad の 5 人体制でスタート。目立ったライブ活動はないものの、SNS を駆使して、ワールドワイドな活動を地道に続け、マニアックなファンベースを獲得。Death や Morbid Angel に強い影響を受けたサウンドは、クラシックなブルータル・デスメタル / オールドスクール・デスメタルに、閃光のようなギターソロを導入したような無茶苦茶な仕上がり。オリエンタルなメロディや荘厳なスケール感は Nile の影響が強く、芸術的な魅力に溢れている。

Nervecell
Preaching Venom · アラブ首長国連邦 · Lifeforce Records · 2008

1999 年ドバイで結成。ベース / ボーカルの James Khazaal、ギタリストの Barney Ribeiro と Rami H. Mustafa のトリオ編成を取り、レコーディングにはゲスト・ドラマーとして Psycroptic の David Haley が参加。彼らはデスラッシュに分類されることの多いバンドであるが、高速のシュレッダーリフやかっちりとしたブラストビート、プログレッシヴな転調などテクニカルな側面が多い。さらに「Flesh and Memories」では Beneath the Massacre を彷彿とさせるブレイクダウンを組み込むなど、一つのジャンルの枠に収まらない多様性を見せてくれる。

Crescent
The Order of Amenti · エジプト · Listenable Records · 2018

1999 年カイロで結成。2014 年にデビュー作『Pyramid Slaves』を発表、セカンド・アルバムとなる本作は、ギター / ボーカルの Ismaeel Attallah と Youssef Saleh、ベーシスト Moanis Salem、ドラマー Amr Mokhtar の 4 人体制で制作された。オープニングを飾る「Reciting Spells to Mutilate Apophis」から砂漠の風が吹き荒ぶオリエンタルなオーケストレーションをふんだんにまとったブラッケンド・デスメタルをかき鳴らし、重々しいブラストビートを叩き込んでいく。Nile を彷彿とさせるコンセプチュアルな作品。

Vomit the Hate
Land of the Damned · チュニジア · Indemendent · 2018

2007 年チュニジアの北東部にあるケリビアで結成。デビュー作『Of Ignorance and Self Destruction』はバンド編成で制作されているが、本作は Mahdi Riahi によるソロ・プロジェクトとして、レコーディング、ミックス、マスタリングまで行われている。一人だからこそ出来るプログラミングされたドラミングを軸とした複雑怪奇なテクニカル・デスメタルは、ミニマルな質感で独特な雰囲気を持つ。Mahdi は Vomit The Hate の他にハードコア・テクノのサブジャンルであるクロスブリード・プロジェクト Ulcerium でも活躍している

Harvest Misery
Harvest Misery · 南アフリカ · Independent · 2016

南アフリカ東部にある港町ダーバンを拠点に活動する Harvest Misery は、ドラム・プログラミング、ベース、ギターを中心にソングライターを兼任する Byron Dunwoody、ボーカリスト Duncan、ギター Nathan のトリオ編成で本作のレコーディングを行った。ブルータルなスラムリフを搭載したテクニカル・デスコアとも言えるそのサウンドは実にスペクタクルだ。7 Horns 7 Eyes、Signs of the Swarm、Thirteen Bled Promises からゲスト・ボーカルを迎え、最後まで飽きさせない工夫が凝らされている。

Imperium of Man
Lexicanum · 南アフリカ · Independent · 2014

2009 年から約 5 年間という短い期間だけ活動していたケープタウン出身の彼ら。世界中で絶大な知名度を誇るシリーズ「ウォーハンマー」や「ゲーム・オブ・スローンズ」の世界観に猛烈な影響を受け、バンド名から曲名、アートワークに至るまで SF 感に溢れている。そのままサウンドトラックになるような勇壮なテクニカル・メロディックフレーズがドラマティックに駆け巡る本作は、「The Iron Throne」や「The Eye of Providence」などブラックメタルにも接近。8 曲入りながら充実した内容となっている。本作リリース後、資金難を理由に解散。

Imperious Vision
Empire of Illusion

南アフリカ

Independent ● 2020

2016 年ダーバンで結成。ボーカリスト Nick Hagan、ギタリスト Kai Stewart、ベーシスト Blake Merchant、ギターも兼任するドラマー Brynn Huxtable の 4 人編成で制作された本作は、物々しいイントロで幕を開けオールドスクールでヒロイックなギターリフがスラッシーに駆け抜けていく。ドラムパターンはシンプルながらラウドで、Imperious Vision の楽曲の根幹を担っている。血管が破裂しそうなほどのエネルギーに満ちた「Genocide Suicide」や「Before the Dawn」などキラーチューンが満載。

Evil Conscience
Death Is Only the Beginning

インド

Slaughterhouse Records ● 2015

2010 年西ベンガル州の州都コルカタで結成。ボーカリスト Arunava、ギタリストの Bob と Tubai、ベーシスト Subhrajit、同郷のデス / グルーヴメタル・バンド Atmahatya でもドラムを務める Joy による 5 人体制でレコーディングされた。Cryptopsy を彷彿とさせる超高速のドラミングはブラストビートを軸にトリッキーな小技を繰り出してはグルーヴをグラグラと揺らしながら、芸術的な抑揚を醸し出す。何より凄いのはその難解なリズムを完璧に捉えながら、精密なメロディを刻み込む Bob と Tubai の技術。フュージョンパートも差し込み、唯一無二の独自性を見せる作品だ。

Gaijin
Gaijin

インド

Transcending Obscurity Distribution ● 2015

2010 年ムンバイで結成。本作はボーカリスト Malcolm Soans、ギタリストの Jay Pardhy と Vinit Jani、ベーシスト Karan Oberoi、ドラマー Ajit Singh の 5 人体制でレコーディングされている。Gorguts のプログレッシヴでアヴァンギャルドなギターワークをお手本としつつ、民族的伝統を血の中に持った醍醐味が絶妙に混じり、スパイシーな芳香を放つテクニカル・デスメタルを鳴らす。3 曲入りの EP ではあるが、Gaijin というバンドの独自性を感じられる作品と言えるだろう。フィジカルはわずか 100 枚限定で販売された。

Homicide
Minotaur Unleashed

バングラデシュ

Independent ● 2020

2008 年首都ダッカで結成。2013 年に EP『Annihilation Pit』でデビュー。本作はメンバーチェンジを経て、ボーカリスト Istiaque、ギタリスト Showmik、ベーシスト Papai、ドラマー Seam の 4 人体制でレコーディングされたデビュー・アルバム。地を這うようなベースラインがドラムに絡みつき、ヒロイックなギターソロがまるで傷口から噴き出す血潮のように絶望的な音色で鳴り響く。決してスピード感はないものの、随所に配されたテクニカルフレーズが良いアクセントになっており、緩急によってドライヴ感を生み出す。メロディック・デスメタルを感じるフレーズもたっぷりでバラエティ豊富な作品だ。

Nawabs of Destruction
Rising Vengeance

バングラデシュ

Pathologically Explicit Recordings ● 2020

2018 年ダッカで結成。Jahiliyyah、Sent Men Revolt というバンドで活動していた Saad Anwar と Taawkir Tajammul によるユニット体制で活動をスタート。2019 年に公開したデモ音源をきっかけに、Pathologically Explicit Recordings と契約。シンフォニックなプログレッシヴ・メタルを軸に、ブラッケンドなブラストビートやヒロイックなギターソロやスケールの大きなクリーンパートを挿入するなど、絶妙なバランス感覚で独創的なスタイルを表現。エコーの利いたガテラルも、得体の知れない不気味さを何倍にも膨らませ放っている。

Bloodline
Unholy Villain
●スリランカ
🄰 Independent 🄲 2009

2008 年バンダーラウェラで結成。本作は彼らが唯一リリースしたアルバムで、ボーカリスト Nuwan、ギタリストの Chandika と Gihan、ドラマー Kamal の 4 人体制でレコーディングが行われている。ベースレスであるものの、耳を劈くノイジーなリフと荒廃したメロディックなリフが大音量で繰り広げられ、プリミティヴさが音圧となって鼓膜を圧迫してくる。高速で叩き込まれるブラストビートがリフを追い越してしまう瞬間も多々あり、何かスポーツを観戦しているかのように錯覚してしまう玄人向けの怪盤。

Laash
Sambhog Ko Astitwa
●ネパール
🄰 Independent 🄲 2018

2012 年ヒマラヤの山々に囲まれたネパールの首都カトマンズで結成。ネパール語で「死体」を意味するバンド名を冠し、ギター / ボーカルの Anan Shakya、ベーシスト Sanjay Kapali、ドラマー Nilendra Rajbhandary のトリオで活動をスタート。深くじめじめとした洞窟の奥底で鳴り響くようなドゥーミーなリフが、Origin を彷彿とさせるギターソロと交錯しながら真っ暗闇へと誘っていく。ドラムもどろどろとデスメタリックに叩き込まれていく。どこかにふわりと香る南アジアの風が異国情緒を漂わせている。不思議なバンドロゴも印象的だ。

Antithesis
Subjugator of Machine
●インドネシア
🄰 Breeding Records 🄲 2013

2010 年タンゲランで結成。デビュー・アルバムとなる本作は、ギター / ボーカルの Randi Pakonk、ギタリスト Satrio Kura、ベース / ボーカルの Ieckhmal Toge、ドラマー Andy Bayaw の 4 人体制でレコーディングされている。まるで巨大な工業機械のように正確なリズムで叩き込まれるファストなドラミングは、音割れしたシンバルの音が言いようのないアクセントになっている。リミッターを振り切ったリフもガリガリと刻み込まれ、不気味なスウィープもさりげない存在感を放つ。Origin を彷彿とさせる超絶技巧に思わず耳を奪われるだろう。

Chaosfury
The Throne of Poseidon
●インドネシア
🄰 Horrible Creation Extreme Musick Media 🄲 2019

2010 年南タンゲランで結成。ボーカリスト Andi。ギタリストの Yusuf と Adit、ベーシスト Abba、ドラマー Agus の 5 人を中心に活動をスタート、本作がデビュー・アルバムとなる。海の神ポセイドンがテーマのコンセプト・アルバムで、荒れ狂う大海原のようにダイナミックなリフがメロディアスに展開されていく。Hour of Penance や Psycroptic を彷彿とさせるテクニカル・デスメタルの美的感覚を持ち、スッキリと整合感のあるサウンド・プロダクションによってその持ち味が十分に発揮されている。さりげない存在感を放つベースラインが良いスパイスになっている。

Deadsquad
Tyranation
●インドネシア
🄰 M8 Records 🄲 2016

2006 年ジャカルタで結成。2009 年に『Horror Vision』、2013 年に『Profanatik』とアルバムを発表、国内での人気が高まる中、ボーカリスト Daniel Mardhany、ギタリスト Stevie Morley、ベーシスト Arsian Musyfia、ドラマー Andyan Gorust というラインナップで制作された。ヒステリックなイントロから幕を開けると、ガリガリとノコギリのように刻み込まれるリフがファストに展開、ドタバタともたつきながらもストロングに叩き込まれるブラストビートは生命感にあふれている。多彩なメロディもコーラスと相まって印象的。

Deadsquad
●インドネシア

Catharsis　　　　　　　　　　　　　🔊 Snakegoat Music　📀 2022

6 年振りのリリースとなった 4 枚目フルレングス。本作から新体制となり、元 Burgerkill のボーカル Viky、ギタリストの Stevie と Karis、ベース Shadu、元 Gerogot のドラマー Roy の 5 人で、オリジナルメンバーは Stevie のみとなってしまった。Deadsquad にとって大きな変革期を迎え放たれるサウンドは、うねるように奔放で波打つリフが華麗にテンポチェンジを繰り返し、スラムからテクニカルまで目まぐるしく横断していく。親しみやすいフックの利いたテクニカル・ブルータル・デスメタルの基本形を確かなテクニックで表現し、ベテランの意地を見せた。

Djin
●インドネシア

The Era of Destruction　　　　　　　🔊 Sepsis Records　📀 2012

2006 年メダンで結成。元々 Detak Jantung Industrial という名前でインダストリアル・メタルをプレイしていたが、テクニカル・デスメタルへとスタイルチェンジしたことをきっかけにその名前の頭文字をとって Djin として再出発。本作は彼らのデビュー作で、ボーカリスト Eric、ギタリスト David、ベーシスト Chiko、ドラマー Achmad というラインナップでレコーディングされた。Origin を彷彿とさせるスウィープフレーズを炸裂させ、スポーティなドラミングが派手なギターワークに負けない存在感を放つ。メリハリを生み出すストップ & ゴーもちょうどいい塩梅に組み込まれている。

Hellhound
●インドネシア

Θεΐκο Σύμπλεγμα　　　　　　　　　🔊 Independent　📀 2019

2012 年東ジャワ州の都市マランで結成。2014 年にデビュー作『For Whom You Pray』を発表、荘厳なブルータル・テクニカル・デスメタルを本作でさらに磨きをかけている。ボーカリスト Habib、オーケストレーションを兼任するギタリスト Andika、ギタリスト Budi、ベーシスト Elmipa、ドラマー Sahi というラインナップで制作された。より豊かなオーケストレーション、そしてクラシカルなオペラ・パートをエレガントに挿入。それでいて残忍なブルータル・デスメタルが下地になっており、いわゆる Fleshgod Apocalypse などとは違ったアプローチに挑戦している。

Humiliation
●インドネシア

Karnaval Genosida　　　　　　　　　🔊 Armstretch Records　📀 2018

2010 年西ジャワのソレアンで結成。本作までに 2 枚のアルバムをリリース、3 年振りのサード・アルバムとなる本作は、ボーカリスト Adan、Nectura のギタリスト Hinhin と Hamzah、ベーシスト Vman、ドラマー Iho の 5 人体制で The Black Dahlia Murder などを手掛けた Mark Lewis がミックス / マスタリングを担当する形で制作された。メタルコアやメロディック・デスメタルのシャープなキレをテクニカル・デスメタルにブレンドしていく中で、要所できらりと光るブルータルなフレーズが絶妙なアクセントになっている。

Neptunus
●インドネシア

Planetary Annihilation　　　　🔊 Miasma Records / Vomit Your Shirt　📀 2020

2010 年代後期メダンで結成。「Space Tech Death」「Aliencore」を自称するそのサウンドは、Rings of Saturn クローンとも言えるタッピングの嵐が吹き荒れるテクニカル・デスメタルだ。2018 年にリリースした EP『Alien Conspiracy』の再録などを含み、Slam Worldwide からミュージックビデオとして公開され、話題になった「Planetary Annihilation」など、彼らのもてる超絶技巧を詰め込んだ渾身のアルバムに仕上がっており、ギター以上に弾きまくるベースラインはモダンな雰囲気をさりげなく醸し出していてユニークだ。

Symbiotic in Theory
●マレーシア

Scream Theory
Die It Yourself　● 2008

1998 年ヌグリスンビランで結成。現在も活動中とのことだが、2020 年以上のキャリアでリリースしたのはこの 1 枚のみ。砂塵を巻き上げるように乾いたサウンド・プロダクションの中で、忙しないリフが暴虐的に刻み込まれ続ける。Azizuddin Adnan のダーティなグロウルも彼らのデスメタリック感を高めており、ギタリスト Areef がメロディック・デスメタル・バンドを兼任しているからか、時折差し込まれるメロディックフレーズと疾走感のあるドラミングが良いアクセントになっている。Atheist の「Unquestionable Presence」のカバーも収録。

Arbitrary Element
●シンガポール

Process of Extermination
Recluse Productions　● 2007

2004 年に結成。ボーカル Shafique、元 Flames of Dignity のギタリスト Nahr とベーシスト Ridhuan、キーボーディスト Serberuz、Soul Devour などで活躍するドラマー Halim の 5 人体制で活動をスタート。本作は彼らが残した唯一の作品である。奇怪な幻か、はたまた悪夢か……。不吉なイントロで幕を開けると、雪崩の如く突進するブラストビートが炸裂。時折アヴァンギャルドな転調やスポークンワードのようなフレーズ、痙攣するかのように揺れ動くギターソロを差し込み、カオティック・テクニカル・デスメタルとも言うべき異様な世界観を醸し出す。

Emperium
●フィリピン

Advent
Eastbreath Records　● 2020

2014 年マニラ首都圏に属する都市マカティで結成。2000 年代中期から活動していたバンド、Art of War のメンバーであったベーシスト Lario Bonaobra とドラマー Jorem Ejara を中心にスタートし、2014 年にギタリスト Chok Verzosa、ギター / ボーカル Niel Baluca が加入。デビュー作となる本作を制作した。ツインリードのギターが凄まじいスピードでタッピングフレーズを繰り広げると、それにぴったりと寄り添うようにエレガントなベースのタッピングフレーズが追いかけていく。メロディック・デスメタルに接近する瞬間も見せ、スピーディで心地良い。

Deathpact
●中国

Reincarnation of Asura Road
酒呑文化　● 2018

2010 年北京で結成。バンド名は中国語で「死亡契約」と表記される。ボーカリスト張宇、ギタリストの李楠と亢毛毛、ベーシスト常旭、ドラマー孔德珮の 5 人体制で、メンバーは Scarlet Horizon や死刑、Lacerate、Corpse Cook など様々なジャンルのメタルバンドにも在籍している。不協和音を交えながらもモダンな響きで刻まれるリフが巧みにテンポチェンジを繰り返しながら、緩急のあるテクニカル・デスメタルを彩る。ハードコアに親近性を持つボーカルも個性的で、中国からしか生まれないサウンドと言えるだろう。2020 年には EP『Sand & Sea』を発表。

Horror of Pestilence
●中国

Calling to the King of Black
Chaser Records　● 2018

2007 年広州で結成。バンド名は中国語で「瘟疫之骇」と表記される。2008 年に活動休止するも、2011 年に復活。デビュー・アルバム『Intruder』を経てリリースされた本作は、ボーカル / ギター Kerry、ギタリストの Jacob と Li、ベーシスト Young、ドラマー Liu の 5 人体制で制作された。荘厳なコーラスを織り交ぜたシンフォニックなアトモスフィアが、なめらかなシルクのようにテクニカル・デスコアをふわりと優雅に包み込んでいく壮大さは圧巻だ。アルバムは 2 枚組でリリースされており、アルバムのインスト・バージョンも聴きごたえ十分だ。

Obsoletenova
● 中国

Malfunction in Sensory Illusion ◉ Independent / Permeated Records / BrutalReign Productions ◉ 2017

2015 年広東省で結成。Dehumanizing Itatrain Worship のメンバーとしても知られるボーカリスト Kiryu Zhang を中心に、ギタリストの Divide-Je、ベーシスト Hu Kayev、ギター、そしてドラム・プログラミングを担当する Draugr で制作された本作は、Sci-Fi な雰囲気をたっぷりとまとったテクニカル・ブルータル・デスメタルに仕上がっている。スラム・パートを交えながら光速で駆け抜けていくブラストビートとスラップベースの謎めいたグルーヴが、珍妙なサンプリングを引き連れ、どこまでも疾走していく。

Karmacipher
● 香港

Introspectrum ◉ Infree Records ◉ 2020

2013 年香港で結成。ベース / ボーカル Seff Chan、ギタリスト Terry Hui のユニット体制で始動し、2016 年にデビュー作『Necroracle』を発表。EP『陣獄』のリリースを挟み、本作はゲスト・ドラマーに Kévin Paradis を迎え、レコーディングされている。大海原を漂流するかのようにプロダクションされたギター・サウンドが織りなす、もやのかかったリフに、Kévin の乾いたドラミングが駆けていく。ブラックゲイズにも近い質感を見せながら展開するサウンドは、聴き進めていくにつれ、その世界観にどんどん吸い込まれていくようだ。

Dehumanizing Encephalectomy
● 韓国

Sacrosanctity of Human Extermination ◉ Inherited Suffering Records ◉ 2023

韓国在住のミュージシャン Ryu Gun によるワンマン・プロジェクト、Dehumanizing Encephalectomy のデビュー・アルバム。Brutal Mind からデビューしているバンド Visceral Explosion のギター / ボーカルとしても知られる Ryu の創作意欲を満たすために始まったこのプロジェクトは、人力では再現不可能なスピードでプログラミングされたマシーン・ドラムを武器に、刃物のように切れ味鋭いリフが無慈悲に喰らい付いていく。驚くべきスピードによって威力を何倍にも増したスラム・パートも聴きどころと言えるだろう。

Fecundation
● 韓国

Decomposition of Existence ◉ Coyote Records ◉ 2018

2013 年ソウルで結成。ギター / ボーカルの Jeong Jong-ha、ベーシスト Courtland、ドラマー Kwon の 3 ピース体制で始まった。2016 年からユニット体制となり、新ドラマー Kim が加入。EP『Congenital Deformity』、Invictus とのスプリット作を経てデビュー・アルバムとなる本作をリリースした。リミッターの外れた野性味溢れるドラミングは、テンポ良く転調しながらチェーンソーリフに絡みついていく。過激なガテラルは、Fecundation のチャームポイントの一つ。2019 年からは Strangulation や死んだ細胞の塊で活動するドラマー Temma が加入。

Xenotropic Mutation
● 韓国

Omophagia of Submerged Organism ◉ Inherited Suffering Records ◉ 2023

ブルータル・デスメタル・レーベル Inherited Suffering Records から突如登場した韓国出身の Xenotropic Mutation は、Catatonic Revulsion や Seed というバンドで活躍するボーカリスト Kim Jung-pyo とギタリスト Lee Bong-soo を中心に、ベーシスト Yang、ドラマー Vladislav を加え、本作を制作した。スラムリフを中心としたバウンシーな作風の中で炸裂する前のめりなブラストビート、巧みにうねるチェーンソーリフには Suffocation に通ずるテクニカル成分が感じられる。どちらの旨みも凝縮したハイブリッドな仕上がり。

アメリカ帰りドラマー率いる日本を代表するテクニカル・デスメタル！

Desecravity

🕐 2007 年　　🌐 日本・東京　　👤 Yuichi Kudo
🎵 Origin、Brain Drill、Archspire
💿 予測不能な楽曲展開を生み出すブルータル & テクニカルな唯一無二の技巧
🏷 アブストラクト、哲学、社会、神話

　2007 年後半、アメリカやカナダで音楽活動をしていたドラマー Yuichi Kudo によって東京を拠点に結成。デビュー・アルバムをリリースする前からフィリピン、北京でライブを開催するなど、シーンにおける Desecravity の評判は世界へと広がっていった。結成当初から国内外を問わず活動を続けた彼らは、テクニカル・デスメタルを中心に世界中のアヴァンギャルド・プログレッシヴ・デスメタルのリリースを手掛けている名門 Willowtip Records からデビュー・アルバム『Implicit Obedience』をリリース。日本はもちろんアジア各国でも公演が行われ、2013 年にはベルギーのデスメタル・バンド、Aborted と共にジャパンツアーを行い、ヨーロッパツアーも成功させた。2014 年にはセカンド・アルバム『Orphic Signs』を発表。綿密で複雑なテクニカル・デスメタルを可能にする圧倒的な演奏技術は、彼らの象徴的なミュージックビデオ「Bloody Terpsichorean Art」の高評価数にも表れている。その後、Megadeth、Abbath、Krisiun、The Black Dahlia Murder らが出演したインドネシア・ジャカルタの東南アジア最大級のメタル・フェスティバル「Hammersonic Fest 2017」へ出演するなど、アンダーグラウンド・メタル・シーンのみならず、オーバーグラウンドでの活躍を果たすまでに成長した。2019 年にはサード・アルバム『Anathema』をリリース。中国でのヘッドライナー・ツアー「Anathema Tour」を成功させるなど、アジアにおける人気は絶大で、日本が誇るテクニカル・デスメタル・バンドとして確固たる地位を確立。現在はベース / ボーカル Daisuke Ichiboshi、ドラマー Yuichi Kudo を中心に活動を続けている。

Desecravity
Implicit Obedience　　　　　　　●日本　　🅦 Willowtip Records ● 2012

2007 年東京で結成。ドラマー Yuichi Kudo を中心にスタート。本作は Malevolent Creation などを手掛けた Erik Rutan がミックス / マスタリングを担当している。Origin などを彷彿とさせるスピードにフォーカスしたスタイルでありながら、節々に差し込まれるフック、予測不能なテンポチェンジが清々しいほどパワフルに繰り広げられていく。「Enthralled in Decimation」や「Immortals' Warfare」の飛びかかってくるかのようなブラストビートほか、ドラミングのバリエーションの豊富さは彼らの独創性を決定付けた要因でもある。

Desecravity
Orphic Signs　　　　　　　　　●日本　　🅦 Willowtip Records ● 2014

2 年振りのリリースとなったセカンド・アルバム。本作はトリオ編成で制作され、Exhumed などを手掛けた Brian Elliott がミックス / マスタリングを手掛けた。あまりにも有名なミュージックビデオ「Bloody Terpsichorean Art」も収録された本作は、狂気的でさえあるトリッキーなリフ、メロディの数々、そしてアクロバティックとも言うべきドラミングのタイトさはもちろんのこと、ダークでスローなパートも時折顔を覗かせるジェットコースターのような仕上がりだ。こうした奔放さによって立ち上がってくる加減速の妙が Desecravity の魅力であり、聴くものを惹きつける。

Desecravity
Anathema　　　　　　　　　　●日本　　🅦 Willowtip Records ● 2019

前作リリース後は国内外でのツアーを重ね、日本を代表するテクニカル・デスメタル・バンドとしての地位を確立。本作は Incantation などを手掛けた Dan Swanö がミックス / マスタリングを担当している。Daisuke Ichiboshi の芸術性豊かなベースライン光る「Deprivation of Liberty」や MV にもなっている「Impure Confrontation」など、スピード、瞬発性、テンポチェンジ、全てにおいて限界を追求し超えていこうという気概に溢れており、バリエーション豊富なドラム・サウンドにおいては世界レベルで唯一無二と言えるだろう。

Desecravity インタビュー

Q：2007 年に工藤さんを中心に Desecravity が結成されました。結成の経緯はどのようなものだったのでしょうか。結成するにあたり、影響を受けたアーティストや仲間のバンドなどはいますか？

A：Desecravity を始める前は、アメリカとカナダで音楽活動をしていましたが、日本人として一度日本で活動してみたいと思って戻ってきました。北米での活動経験を経て、自分ならどこにいても出来るという自信はありましたし、今でもその決断は良かったと思っています。日本に知り合いはほとんどいなかったので、一から公募でメンバー探しをしなければならず、アメリカとの環境の違いに苦労しながらも、バンドという形にできました。

自分の意識の中では、他のバンドから影響を受けたとか、そういう事は無く、基本的には自分が経験してきたことや考え、思いなどを音で表現していくことが軸にあるので、自分では表現者として活動していると思っています。だからどんなにかっこいいリフやフレーズが出来上がったとしても、今自分が表現しようとしているものにフィットしなければ使わないです。強いて言えば、自分が経験してきたこと全てに影響受けていると言えます。

Q：Desecravity というバンド名の由来はありますか？

A：Desecravity は複数の英単語を混ぜた造語ですが、当時自分の中ではいくつか条件があって、2 単語以内で構成されて字数が少ないこと、自分たちが発音しにくい名前は避けること、造語又は他の何かと混合されないこと、というのはありました。

それぞれの理由としては、覚えやすさとロゴをデザインしやすいという観点からで、また発音も簡単な方が、ステージ上やインタビューなどで困らないと思ったからです。また、当時 SNS が普及し始め、iPhone もこの世に出てきた頃で、今後の情報社会を見据える中で、Web 検索しても他と混ざらず結果表示させることが重要だと思っていたので、条件に取り入れました。

Q：ファースト・アルバムのレコーディングをされる前に海外ツアーをされていますよね。Dying Fetus や Exodus などと共演され、オフィシャルサイトには当時の写真も掲載さ

れています。これらのショウはどのような経緯で実現されたのでしょうか？　当時、国際的なテクニカル・デスメタルのネットワークにはどのように接続していきましたか？

A：2009 年にフィリピン、2010 年に北京でショウをする機会を現地プロモーターと共通の知人を介してお話を頂きました。当時はショウをすることにとても飢えていたので、即決だったと思います。数あるバンドの中からわざわざ僕らを紹介してくれた事に感謝していますし、そんな知人の顔に泥を塗らない為にもツアー前に猛練習した記憶があります。

また、積極的にネットワークに繋がるような行動はとってなくて、音楽活動していく中で口コミを通じて広がったり、知人を介して知り合いが増えていったり、情報をかぎつけた関係者からオファーが来たりしているといった感じです。それに、僕の中では海外と日本の境界線意識は無いので、ある意味では初めから世界と繋がっていたとも言えます。自分自身が既に世界の一部だと思って活動していれば、自然と世界との繋がりは広がっていくと思いますし、何をするかよりも意識の問題ですね。

Q：ファースト・アルバム『Implicit Obedience』は Hate Eternal などを手掛けた Erik Rutan がミックス / マスタリングを担当し、海外の Willowtip Records からリリースされました。この作品は海外はもちろん、日本国内でも大きな話題となったのを覚えています。当時のレコーディングの思い出や（長い時間がかかったと思います）、印象深いアルバムへの反応、ライブでの反応などを教えてください。

A：レコーディング自体は順調に終えたと思います。その後、簡易ミックスした音源を幾つかのレーベルに送ったところ、2010 年にオランダの Hammerheart Records から返事が来ました。事情により最終的には破談しましたが、当時 Hammerheart

Records は ア メ リ カ の Willowtip
Records と提携していたことから、急遽
話がそっちに移りました。これは当時の僕
らにとっても Hammerheart Records
にとっても最適解でしたし、Willowtip
Records としてもいい話だと受け入れてく
れて、三者全員が幸せになれるところで着地
できたことは良かったと思います。
順序的には、その後ミキシング／マスタ
リングをフロリダの Mana Recording
Studios の Erik に依頼をしました。彼は
僕らのアルバムをとても気に入ってくれて、
「いくらビジネスでも自分が気に入らない作
品には手掛けることはしない」と言ってい
て、即答で「是非俺に仕事をさせてくれ！」
と言っていたことは印象に残っています。リ
リース後のアルバムの反応はとても良かった
です、特にアメリカやドイツの反応が良かっ
た記憶があります。いくつかの Web Zine
で 2012 年の Top Albums にも選んで頂
きました。同年にはアジアツアーも行い、こ
ちらも上々の反応でした。

Q：2013 年のヨーロッパツアーを皮切りに、
本格的に世界でのライブ活動も行っています
よね。これまでに行った海外でのツアーやラ
イブの中で印象的だった思い出はあります
か？　トラブルや感動した話など、どんな話
でも構いませんので、いくつかお聞かせいた
だけたら嬉しいです。

A：どこへツアーに行っても良い思い出ばか
りですが、東南アジアは予想外のことがよく
起きます。例えば 2009 年のマニラ公演で
は会場の大きさに対して人が集まりすぎてし
まい、洪水の様に人間が会場の外まで溢れて
いました。後にも先にも、あの日が一番人口
密度が高かったです。
その翌日のダバオ公演では、先日のマニラ公
演後の悪天候でフライトが飛ばず、遅延した
ものの、なんとか到着することが出来たんで
すけど、一睡もできないままショウが始まり
ました。そのドラムセットに用意されたイス

がバーベキュー・チェアでしたが、驚いたら
負けだと思ったので気合でペダル踏みまくり
ました。
2012 年ジャカルタ公演ではシンバルスタン
ドが演奏中に壊れてしまい、それに気がつ
いたお客さんの一人が、自らがスタンド代わ
りになりシンバルを支えてくれたのですが、
これだけでも笑いそうになるのに、常にこっ
ちを見てくるので堪えるのに必死でした。
2013 年ロシアツアーに行った時も、意外
と親日国かと思うくらい、皆温かくフレンド
リーでした。ある公演でオーディエンスの一
人が興奮を抑えられなくなった様子で、見た
ことない激しい上下動作をしていました、
それを観察していたら「あれモッシュじゃ
ね？」とメンバーの一人が気付いた時、やっ
ぱ世界は広いなと思いました。
ロシアツアー中の一日の移動距離が車両で
1000km を越える日がありましたし、映
画にでてくるような悪そうなポリスの検問に
引っかかって、ドライバーがお金を巻き上げ
られそうになったりしたこともありました
ね。

Q：2014 年にはセカンド・アルバム『Orphic
Signs』をリリースしました。このリリー
スでの最も象徴的なのは、同年公開された
「Bloody Terpsichorean Art」のミュージッ
クビデオで、2024 年現在までに 39 万回と
いう再生回数を記録しています。このビデオ
から得られた反応はありましたか？　この
ミュージックビデオの撮影に関する思い出も
ありましたら、教えてください。

A：初の撮影でしたが、割と順調に取り終え
ることが出来ました。こういう新しいことの
挑戦はいつになっても楽しさや学びがあり新
鮮でした。ショウを見にこられない方もどう
してもいると思うので、少しでもファンの方
が楽しんでくれればいいかなと思ってます。
今後も、少しづつでも作っていきたいと思っ
てます。

Q：2019 年にアルバム『Anathema』をリリー

スされました。Willowtip Records は長きに渡り、Desecravity のアルバムをリリースし続ける、Desecravity にとってチームメイトとも言える関係だと思いますが、彼らとの仕事はいかがですか？

A：出会ってからここまで、ストレスなくいい関係でやれていると思います。僕自身、用事が無ければ人に連絡するタイプではないですし、向こうもあまり干渉せず自由にやらせてくれています。これまでトラブルも無く良い関係を築いていると思います。

Q：長いキャリアで3枚のアルバムをリリースしています。『Implicit Obedience』から『Anathema』まで Desecravity としての一貫したスタイル、それはスピードであったり、工藤さんのドラムスタイルであったり、ブレない格好良さを感じます。テクニカル・デスメタルを追求していて、他のバンドにはない Desecravity らしい音楽性は何だと思いますか？

A：僕の場合は、音楽を自己表現のツールとして使っている感じなので、もし違う人生を送っていたら絵や文字、映像などで表現していたかもしれないです。たまたまこの世界では、音を使っているという感じです。極端に言えば、他人を楽しませるエンタメ性や、他人からどう見られたいかどう評価されたいかは無関心で、どれだけ自分が表現したいものを音で表現できるかというところにフォーカスしています。だから正直「デスメタル」をやっているという意識もあまり無くて、たまたま今まで聴いてきた音楽の一つにデスメタルが在り、それが自分の表現の引き出しの一部なっているという感覚です。クラシック音楽やフュージョンなども好きなので、音楽的な面では無意識のうちにそれらからの引き出しも混ざっているんだと思います。また音楽は文化であり、芸術でもあると思っていて、型にはめることや、固定観念を持たず自由な発想と感性を持って、自分の音楽と向き合っていることが、このバンドの音楽性だと思います。

Q：この本の読者の中には多くのドラマーもいらっしゃると思います。工藤さんのドラ

マーとしてのキャリアについての質問になりますが、ドラムとの出会いはどのようなものでしたか？ また、工藤さんのようなスキルを手に入れるために、どのような練習が必要ですか？

A：今は全く弾けないけど、幼少期にエレクトーンをしていました。そして中学生の時にドラムをやりたかったのですが、環境的な問題もあり、ギターを始めました。義務教育を終えたらアメリカに行きたかったのですが、高校卒業資格が必要と知り、高校も日本で過ごしました。時間が欲しかったので通信制を選び、一人暮らしを始め、自由とドラムを手に入れて毎日家やスタジオで叩いていました。当時は YouTube も無く、何言ってるのか良く分からない教則本を読んだり、友達とメタルバンドのコピーをして遊んでいる程度でした。ドラムを選んだ理由は特になく、メタルドラマーがかっこよく見えたとか、そんな感じだったと思います。

ドラムを始めてからもっと音楽を学びたいという気持ちが高まり、高校卒業後すぐにアメリカへ飛び、ボストンにある Berklee 音楽大学へ行きました。そこでの生活は、僕の音楽人生に多大な影響を与えた時期でした。特に音楽に対する意識や考え方、アイディアに影響を受けたと思っています。その後カリフォルニアの Musicians Institute に行き、ここではもっと直接的なドラムスキルに影響を受けた時期だったと思います。Desecravity を始めてからのドラムスキルというのは、やはり表現力の為の道具にしか思っていなくて、楽曲があってのドラムだと思ってます。楽曲の中で必要になるスキルには習得時間を割きますが、楽曲に関係ない範囲で単純に「〇〇できるようになりたい」とか「ブラストビートのスピードを上げたい」など、必要でないものに時間を割くことはしないです。ドラムにおいても人生においても、苦手なことや好きではないことに時間を割くよりは、得意なこと好きなことに時間

を使って伸ばしていきたいという考えです。練習すれば誰でもできることよりも、自分にしかない感性と、アイディアの方を大事にしています。こうすることでその人がプレイすることの意味や魅力が増し、個性や価値が出てくるのだと思ってます。

Q：テクニカル・デスメタルというジャンルにおいて、活動範囲を国際的なものにすることは必要不可欠だと思います。海外へ活動範囲を広げるための第一歩として、どんなことをすべきだと思いますか？ また、海外をターゲットに活動することはどのような利点がありますか？

A：今はオンラインで簡単に世界と繋がっているわけで、海外とか国内とか、そういう境界線意識をなくして、やりたいことをどんどん行動に移せばいいだけだと思います。まだ時期が早いとか遅いと関係ないし、完璧さも求めすぎて時間が経ってしまうのも勿体ないと思います。人生は有限ですし、多少上手くいかないことは起きるという前提で、数多くチャレンジをして成長していけばいいと思います。もし周囲の声が気になる事があったとしても、ただのノイズだと思って、自分の心に従い行動し続ければ、自ずと望む世界に近づけると思っています。

Q：最後の質問になります。Desecravity は近く、何か良いニュースをファンに届けてくれる予定がありますか？

A：新しい計画や、結成当時から考えていた計画とか色々あるのですが、目先は今書いている曲を仕上げてアルバムをリリースすることに集中しています。もうかれこれ 3、4 年近く曲作りしていまして、殆ど書き終わってはいるので、あともう少しといったところです。進みが遅いですが、できるだけ早く完成したいと思っています。四方八方から次のアルバムはどうなっているのかと声が届きますが、もうしばらくお待ちください！

CRY
壱 　　　　　　　　　　　　　　　　　　　　○日本
　　　　　　　　　　　　🅐 Independent 🕒 2021

2016 年前身バンドから改名を経て始動。同年リリースの EP を経て完成させた
デビュー・アルバムとなる本作は、ボーカリスト Kyosuke Kohira、ギタリスト
Tomoyasu Yamaguchi、ベーシスト Shinichirou Go、ドラマー Yuichi Ishiguro で制
作された。日本語からしか滲み出てこない、言いようのない深い恐れと冷たさを全
身にまとい、支配的なブラストビートとカオス渦巻くメロディックなリフが無慈悲
に炸裂し続けていく。暗い闇の中で轟くようなおどろおどろしいボーカルの存在感
もバッチリだ。「強要された盲目」「失墜の卑我」など目を引く楽曲タイトルも魅力。

Glorified Enthronement
Millennial Chaos 　　　　　　　　　　　　　　　○日本
　　　　　　　　　　　　🅐 Independent 🕒 2019

元々、Golmont をハンドルネームにゲーム音楽など多彩なジャンルの音楽を制作
しており、Glorified Enthronement 名義では本作がセカンド・アルバムとなる。
Shohei Koiso によるソロ・プロジェクトで、一人だからこそ作り出せるグルーヴ
は、バンド編成では作り出すことの出来ない味わい深さがある。Horizon をフィー
チャーした「Horizontal Collisions」ではメロディック・デスメタルの影響も感じ
させるなど、テクニカル・デスメタルの枠を超越していくクリエイティヴィティを
聴かせてくれる。

Impending Annihilation
Delirium Tremens 　　　　　　　　　　　　　　　○日本
　　　　　　　　　　　　🅐 Independent 🕒 2017

2014 年名古屋で結成。バンド名はオーストラリアのバンド Entrails Eradicated の
楽曲名に由来している。多弦ベーシスト Gotoh Kei と動画サイトでデス声の歌い
手として活動していたボーカリスト horizon (ホリゾン) を中心に制作された本作
は、Brain Drill や Viraemia といったタッピングフレーズを主体としたテクニカル・
デスメタルで、砂金のように煌めくメロディが、ギター & ベースから放たれ続け
る狂気的な仕上がりとなっている。ライブ・メンバーとして元 Rising in Revolt の
Shohei が参加していたが、現在は音源制作メインで活動中。

Subconscious Terror
Chaotic Diffusion 　　　　　　　　　　　　　　　○日本
　　　　　　　　　　　　🅐 Brutal Mind 🕒 2023

1994 年大阪で結成。ボーカル / ギタリストでありバンドのコンポーザーを務める
濱崎俊秀を中心に、1996 年にデビュー・アルバム『Invisible』発表。全国ツアー
を行うなど精力的に活動を行うが 1998 年に活動休止。2019 年に再結成を果たし
復活作『Reprogramming』を発表、本作は彼らのサード・アルバムとなる。ベー
シスト Shinnosuke、ドラマー Metadon を迎えたトリオ編成で紡ぎ出される純度の
高いデスメタルは、地を這うようなガテラルが強烈なインパクトを放ちながら、複
雑で予測不能な展開で聴くものをズルズルと Subconscious Terror の世界へと引き
込んでいく。

Somnium De Lycoris
In the Failing Hours 　　　　　　　　　　　　　○日本
　　　　　　🅐 Enigmatic Diversity Records 🕒 2023

2019 年東京を拠点に結成。当初はソロ・プロジェクトであったが、本作はキー
ボーディスト Mari、ギタリスト Tomo、ボーカリスト Iori のトリオ編成で制作され
ている（いくつかの楽曲ではベーシストうみぶどうが参加）。Obscura の Christian
Muenzner、Equipoise や Nick Padovani、KIZAN、Keegan Donovan、
Alice Simard といった豪華ギタリスト陣をフィーチャー。目が眩むようなメロディ
の数々がキーボードと共に展開、プログレッシヴなドラマ性を生かしたテクニカル
な構成は非常に練られており、何度も繰り返し聴きたくなる中毒性を放つ。リリー
ス後に解散となったものの、それぞれに音楽活動を続けている。

Vortex
⚑日本

Colours Out from the Emptiness
Ⓐ Psychic Scream Entertainment Ⓒ 2001

1995 年東京で結成。本作は彼らが残した唯一のフル・アルバムで、ボーカリスト Takeshi Yasui、ギタリストの Satoshi Moriyama と Tomonori Miyamoto、ベーシスト Masato Morita、ドラマー Kiyomoto Takanashi の 5 人編成で制作された。ジャズやフュージョン・パートを奇抜に取り入れつつ、テクニカルとプログレッシヴを行き来しながら自由奔放な展開美を圧倒的な演奏技術で描いていく。Cynic や Death、Meshuggah などの影響を独自に解釈し、Vortex というフィルターを通じ放たれたようなサウンドは世界からも高い評価を得た。

死んだ細胞の塊
⚑日本

Saibogu
Ⓐ Obliteration Records Ⓒ 2020

2015 年東京で結成。コンポーザーであり、ベース / ギターを兼任する Kani を中心に活動をスタート。同年ドラマー Temma Takahata が加入している。2019 年に本作と同名のデビュー作を発表し、海外ツアーを行うなどグローバルな活動を始動したものの、ボーカル Seiya が脱退。本作は、新たに加入した Haruka Kamiyama のボーカルで再録されたセカンド・プレス。アクロバティックなドラミングによって複雑に展開し続け、グラインドコアに接近するかのようなダイナミックなリフがじわじわと熱を帯びていく。Haruka のディープなガテラルによって、おどろおどろしさがより一層増した驚愕の一枚。

Chiliasm
⚑インターナショナル

Flesh over Finite
Ⓐ Independent Ⓒ 2021

2017 年結成。ポーランド在住で The Ritual Aura や Zapommienie のベーシスト Szymon Milosz、フィンランド在住で Gn0sis などで活躍するギタリスト Eetu Hernesmaa、カナダ在住でいくつもプロジェクトを持つ女性ギター / ボーカリスト Alice Simard のトリオ編成で本作を制作。フレットレス・ベースのうねりとメロディックなギターがユニゾンするサウンドを軸とし、アートワークとリンクした怪しげな光を放つメロディが疾走していく。ドラムは打ち込みでシンプルながら、スウィープしまくりのギターが映える作りになっている。

Neurogenic
⚑インターナショナル

Ouroboric Stagnation
Ⓐ Comatose Music Ⓒ 2016

2012 年ウクライナ出身のギタリスト Vlad Melnik によって立ち上げられた。メンバーはイタリア出身で Indecent Excision に在籍するボーカリスト Matteo Bazzanella、ロシア出身で Abominable Putridity にも在籍したベーシスト Anton Zhikharev、アメリカ出身で数多のバンドでドラムを叩いてきた Marco Pitruzzella という豪華なラインナップ。音速で叩き込まれるブラストビートの心地良さを際立たせる切れ味鋭いリフは天下一品。必要最小限のアクセントだけを組み込み、あとは疾走するだけと言わんばかりの清々しさにはただただ圧倒される。

Sonivinos
⚑インターナショナル

Sonicated Intravaginal Insemination in Numbers
Ⓐ Independent Ⓒ 2022

デスメタル・バンド Henker に在籍していたベルギー出身のギター / ボーカル Stef とフランス出身の Ryan のコンビが、テクニカル・ブルータル・デスメタル・シーンきっての多忙ミュージシャンであるベーシスト Jeff Hughell とドラマー Marco Pitruzzella を迎えスタート。デビュー作となる本作は、世界最高峰の技術を詰め込んだ音速ブラストビートと、ピッタリと寄り添いながらメロディアスに炸裂するベースの音色に驚愕すること間違いなし。Stef と Ryan もそれを追い越すようにして咆哮しリフを刻み続けていく。これが人力とは俄かに信じ難い作品。

テクデス YouTuber

YouTube をはじめ、Instagram や TikTok といった動画のソーシャルメディアを使いこなすことは、2020 年代のミュージシャンが生きていく為に重要だ。今では当たり前となった各パートのプレイスルー動画はもちろん、レコーディングに必要なソフトウェアの使い方を紹介したり、ライヴ・ストリーミングでファンと密接に交流したり、最新のリリースを有名音楽番組のようなクオリティで独自配信したりと使い方は様々。このページでは、テクデスにまつわる動画を定期的に更新しているチャンネルをピックアップしてみた。

Dean Lamb
▶ 登録者数 10.5 万人
https://www.youtube.com/@DeanLamb
新世代テクデス・バンド Archspire のギタリスト、Dean がパートナーの Claire と共に運営しているチャンネル。互いにお気に入りのメタルリフを教え合ったり、最新のギター機材について語り合ったりと筋金入りのメタル夫婦っぷりが人気で、Archspire でのツアーの思い出や、ファンがカバーした動画についての逆リアクション動画などをも公開している。ギターのレッスン・パッケージ動画も販売している。

BANGER TV
▶ 登録者数 35.6 万人
https://www.youtube.com/@BangerTV
様々なメタルを取り扱う世界最大級のメタル YouTube チャンネルで、テクデスに関する動画も数多く更新してきた。「Heavy Metal Hitchhiker」という YouTube ドラマの制作やアンダーグラウンドまで網羅する新譜紹介、インタビューはもちろん、「Overkill Global」というシリーズでは、世界中の BANGER TV フォロワーが登場し、自国のメタルについて紹介するというオリジナリティ溢れるコンテンツも。

Sick Drummer Magazine
▶ 登録者数 15.1 万人
https://www.youtube.com/@Sickdrummermagazine
2006 年創刊、世界初のデジタル・ドラム・マガジンとして知られる YouTube チャンネル。Dave Lombardo（Suicidal Tendencies）や Eloy Casagrande（Sepultura）といった人気の高いドラマーのプレイ動画から、世界中で撮影されたドラマーのフレッシュな動画は、プロショットからスマートフォンで撮影されたものまで様々だ。ホームページでは機材の紹介やインタビューなどウェブジンとしても運営されている。

The Artisan Era
▶ 登録者数 3.46 万人
https://www.youtube.com/@TheArtisanEra
テネシー州ナッシュビルのテクニカル / プログレッシヴ・デスメタルのレーベルのチャンネルで、所属するバンドらがほぼ全てのパートのプレイスルー動画を公開している。若くフレッシュなアイデア、詳細な使用機材の記述など高画質な映像と高音質でテクニカル・デスメタル・ミュージシャンの育成にも大きな役割を果たしているチャンネルと言えるだろう。Demon King、Inferi、Apogean、The Ritual Aura といったバンドを輩出してきた。

Tank The Tech
▶ チャンネル登録者数 28.3 万人
https://www.youtube.com/@TankTheTech
人気バンド Electric Callboy のツアーマネージャー / ローディとして活躍する Tank こと Ian Roberts の YouTube チャンネル。いわゆる音楽業界の裏方仕事を紹介するチャンネルであり、2020 年代の音楽業界で生きる知恵、シーンの状況、リアクション動画が中心。テクデスにフォーカスしている訳ではないが、裏方目線からミュージシャンの技術に関するトークは鋭さがあり、ユーモアに溢れている。

索引

あとがき

本著『テクニカル・デスメタル・ガイドブック』は、その名の通りテクニカル・デスメタルを一つのジャンルとして捉え、その誕生からジャンルとしての確立、成熟、発展、クロスオーバーと、幅広く「テクニカルなデスメタル」を紹介するように努めた。Death や Atheist、Nocturnus といったテクニカル・デスメタルの源流に関しては、スラッシュメタルやオールドスクール・デスメタルとして語られることの方が多いし、例えば Death のように初期と後期でスタイルが大きく変わっているバンドも多い。そうしたバンドは、スタイルの分岐点からテクニカル・デスメタルにより近いサウンドからの変遷をディスコグラフィーに沿ってレビューした。

本書をまとめるにあたり、テクニカル・デスメタルの歴史を大まかにではあるが4つの転換期に分け、それらを軸にアルバムレビューする作品を選んでいった。一つ目は、1990 年代初頭の Death や Atheist に見られるデスメタルの拡張からブルータル・デスメタル、プログレッシヴ・デスメタルというデスメタルのサブジャンルの確立の時期。二つ目は、1990 年代後期にかけて Necrophagist や Deeds of Flesh、あるいは Nile などによってメロディアスな魅力を放ち、テクニカル・デスメタルとして独立した個性が完成した時期。三つ目は、2000 年代にユニークに発展していったブルータル・デスメタル、プログレッシヴ・デスメタルの隣接ジャンルの中でも、テクニカル・ブルータル・デスメタル、テクニカル・プログレッシヴ・デスメタルと呼ぶべきバンドが登場した時期。そして四つ目に、2010 年代後半の Archspire や Ophidian I といったデスコアやパワーメタルといった他ジャンルとのクロスオーバーによるテクニカル・デスメタルの新たな魅力が発見された時期だ。これら4つを軸に、さらに世界を4つのエリアに分け、様々コラムを挟みながらアルバムレビューを中心に執筆を進めていった。デスメタルのサブジャンルをまとめ上げるには、エリアの魅力、時代の魅力がそれぞれ損なわれないようバランスを取る必要があると考えた。

「テクニカル」であるか否かはその時代によって違い、デスメタル・シーンが皆無と言える国においては、そのシーンではテクニカルかもしれないが、アメリカなどトップ・シーンとは比較することさえも難しいものもあった。そういったバンドはページ数の許す限り掲載するように努めた。また、いくつも隣接ジャンルなどと比較しながら、テクニカル・デスメタルがどのような音楽であるかについて述べたコラムも掲載した。本書を読み進めるにあたり、非常に近い隣接ジャンルとの区別についてはこれらのコラムを参照しながら聴き比べてみることをお勧めしたい。またウェブ上では「テクニカル」のラベルを貼られているバンドであっても、別のジャンルとして語るべきバンドについてはページ数の関係上、掲載を見送った。それはこれから出版されるであろう「世界過激音楽」シリーズでより詳しく書かれるはずであるからだ。

2015 年にパブリブ編集長ハマザキカク氏自らが執筆した『デスメタルアフリカ』から始まった「世界過激音楽」も、本書でシリーズ 21 作目となる。まだまだ世界にはマイナーな音楽ジャンルが存在し、静かに歴史を重ね続けている。パブリブが存在し続ける限り、世界過激音楽シリーズとしてアーカイヴされ続けるだろう。音楽ファンから蒐集家まで、このシリーズを応援してもらいたい。目指すはシリーズ 100作！

最後に本書執筆の大きな支えとなった家族、チームメイトに格別の誠意をお伝えしたい。

2024 年 4 月 7 日 脇田涼平

脇田涼平　Ryohei Wakita

1991 年岐阜県中津川市生まれ。大学入学を機に上京、在
学中に Hi-STANDARD や NAMBA69 のマーチャンダイ
ズ製作やツアー運営に関わる仕事をしながら、海外アーティ
ストの招聘活動を行うプロジェクト・チーム RNR TOURS
を設立。2016 年に書籍『ブルータルデスメタルガイドブッ
ク』を出版すると、音楽情報サイト RIFF CULT を設立し
ライターとしての活動を開始。2017 年に『デスコアガイ
ドブック』、2021 年に『Djent ガイドブック』を出版。
BURRN! 別冊「BASTARDS!」や「METAL HAMMER
JAPAN」といった音楽雑誌や、『現代メタルガイドブック』
『デスメタルインドネシア』への寄稿も行っている。現在は
音楽情報サイト PUNKLOID の制作も担当。

X :
　@rnrtoursjp
　@riffcult
　@punkloid
Instagram :
　@rnrtours
　@riffcult_official
　@punkloid_
Contact :
　romanticnobitarecords@gmail.com
　riffcultjp@gmail.com
Website :
　https://riffcult.net/

世界過激音楽 Vol.14
Djent ガイドブック
プログレッシヴ・メタルコアの究極形態
脇田涼平著
ミュート・シンコペーション・ポリリズム
超絶テクニック・最先端プロダクション
擬音語として誕生、「演奏法」と言われながらも
事実上ジャンル化し、一世風靡
乗りにくいリズム・意表を突くような展開、
まるで騙し絵の様な近未来音楽
A5 判並製 224 ページ　2,300 円＋税

世界過激音楽 Vol.21

テクニカル・デスメタル・ガイドブック

演奏の肉体的限界に挑む超人達

2024 年 6 月 1 日　初版第 1 刷発行
著者：脇田涼平
装幀＆デザイン：合同会社パブリブ
発行人：濱崎誉史朗
発行所：合同会社パブリブ
〒 103-0004
東京都中央区東日本橋 2 丁目 28 番 4 号
日本橋 CET ビル 2 階
03-6383-1810
office@publibjp.com
印刷＆製本：シナノ印刷株式会社